A fantástica volta ao mundo

Registros e bastidores de viagem por
Zeca Camargo

GLOBO*estilo*

[SUMÁRIO]

O RESTO DO MUNDO   6
PROJETO VOLTA AO MUNDO   12
PRIMEIRA ESCALA
    México   16
SEGUNDA ESCALA
    Havaí   34
TERCEIRA ESCALA
    Nova Zelândia   50
QUARTA ESCALA
    Tasmânia   66
QUINTA ESCALA
    Cingapura   84
SEXTA ESCALA
    Camboja   106
SÉTIMA ESCALA
    Filipinas   128
OITAVA ESCALA
    Rajastão   150
NONA ESCALA
    Sri Lanka   176

DÉCIMA ESCALA
Uzbequistão 196
DÉCIMA PRIMEIRA ESCALA
Romênia 224
DÉCIMA SEGUNDA ESCALA
Turquia 246
DÉCIMA TERCEIRA ESCALA
Grécia 278
DÉCIMA QUARTA ESCALA
Quênia 308
DÉCIMA QUINTA ESCALA
País Basco 334
DÉCIMA SEXTA ESCALA
Escócia 360
DÉCIMA SÉTIMA ESCALA
Madeira 384

O resto do
[MUNDO]

No dia em que chegamos a Lisboa, Portugal, para começar nossa última semana dessa Fantástica Volta ao Mundo, logo descobrimos que Madonna faria a primeira apresentação de sua temporada na cidade. "Noite histórica", proclamavam jornais e revistas. Imperdível, era a primeira coisa que vinha à mente. Mas para mim esse pensamento chegou como uma interrogação.

Eu não fui ao show. Ou melhor, escolhi não ir. Ponderei que já tinha visto Madonna no palco, duas vezes até. Três, considerando que o *Blonde Ambition* eu vi em Londres e em São Paulo. Parece que eu estava esnobando, mas essa não era a questão. É que eu tinha levado um susto de estar na mesma cidade onde ela faria um show. Não estava preparado pra isso. De repente, Madonna ficou do outro lado do mundo e meu pensamento estava girando em torno dessa expressão ("o outro lado do mundo"), emprestada de uma das minhas revistas favoritas, a *Colors*.

Não é muito fácil achá-la no Brasil. É uma revista temática, editada na Itália. O assunto que ela traz em cada capa é mostrado de um ponto de vista nunca antes imaginado, como ele está presente em países que você não costuma ver na mídia – pelo menos não com essa abordagem. Eu sempre lia seu *slogan* ("Uma revista sobre o resto do mundo"), folheava suas páginas e admirava a maneira como ela conseguia mostrar, de uma forma interessante, a vida cotidiana de outras culturas.

Sempre considerei muito fácil, se não obscena, a linha do documentário convencional, que vende culturas antigas como

meras curiosidades baratas. Desconfio
de generalizações rasas, meras
concessões a imagens prontas que
o público em geral espera
receber sobre uma cultura
diferente da sua.

Como alternativa a tudo
isso, eu, viajante que sou
(desde muito antes desse
projeto sequer existir), fui
descobrindo um outro olhar,
mais ou menos o olhar da *Colors*,
que tento aqui elaborar. Se você acompanhou
pelo menos parte da nossa série, vai ter mais
facilidade de entender como é esse olhar, pois foi
justamente isso que tentei imprimir às minhas reportagens
durante os quatro meses de viagem. Vou explicar rapidamente.

Acho este mundo fascinante – e não só porque é diferente,
colorido, vasto, incrível, estupendo. Acho esse mundo fascinante
justamente porque, sob todas as diferenças, a gente é muito igual
(ideia que você vai ver transparecer em vários momentos deste livro).
Quanto mais diferente (à primeira vista) o país que eu visitava, mais
eu me esforçava para achar pontos em comum com o mundo que
eu conheço (que é, em boa parte, o nosso, do Brasil). Isso, insisto,
me orientou desde a partida e está presente neste livro.

Aos poucos, quase sem perceber, fui passando então para...
"o resto do mundo"! E aconteceu então uma curiosa inversão.
No mundo em que eu vivia 95% do tempo antes de embarcar
neste projeto, eu sabia exatamente as datas de todos os shows
da Madonna – e podia pensar na possibilidade de assistir a um
deles (por exemplo, antes de sair do Brasil, quase embarquei numa
caravana para assistir ao lançamento dessa última turnê nos
Estados Unidos). O que estava acontecendo?

Comecei a procurar respostas numa das nossas últimas passagens por Londres, ao sair de uma sessão do filme mais recente do diretor espanhol Pedro Almodóvar, *A má educação*. Ao chegar à cidade, não saí correndo para ver o que estava passando nos cinemas. (Isso já não seria um indício de que as coisas estavam... "mudadas"?) Esbarrei num cartaz antigo do filme (que havia estreado havia três meses), já semiencoberto pelo anúncio de uma companhia de telefonia celular. Só então resolvi pesquisar se ele ainda estava em cartaz. Estava, em apenas um cinema. Escolhi a sessão das 20h45 (que, com a vantagem do fuso horário, ainda me permitiria sair do cinema a tempo de ligar para o Brasil e falar com a Renata Ceribelli ao vivo, com o *Fantástico* no ar!).

Achei o filme genial. Muita gente, soube depois, não foi da mesma opinião. Mas não cito o filme para discutir aqui seu valor, e sim para dizer que, depois de vê-lo, comecei a pensar mais ainda que, depois desses quatro meses, as referências que sempre tive na minha vida é que tinham se tornado, bem... "o resto do mundo".

As coisas para as quais eu estava voltando – o CD do Libertines, o livro do Paul Auster, o próprio filme do Almodóvar, a próxima minissérie na tevê, as atrações convidadas para o próximo grande festival de música no Brasil – , todas as referências que sempre regeram meu cotidiano estavam prestes a me engolir novamente. Será que eu ia deixar? E o que iria acontecer com as "novas" referências que abracei? Ou melhor, será que eu não estava exagerando? Quatro meses (intensos, é verdade, mas "só" quatro) podem mudar a cabeça de alguém?

Quando comecei a levantar essas questões, desconfiei que essa dúvida, um tanto "existencial", fosse uma desculpa para me afastar da nossa estranha rotina. Sim, porque era uma rotina. Tudo bem, você acordava a cada três dias (em média) em um quarto diferente. Mas essa era exatamente a rotina. Depois de algum tempo, naquele estágio semidesperto, sua mente desiste de querer identificar que cortina é aquela que seus olhos estão vendo, de que lado está a janela ou qual o caminho com menos obstáculos para o banheiro.

Diferentes nos detalhes, os espaços mais corriqueiros iam se tornando idênticos, anônimos. A prateleira do frigobar. O sinal de "não perturbe" pendurado na porta do quarto. O hall do elevador. A recepção do hotel. O business center. A sala de imigração. A bilheteria do museu. O cybercafé. A free shop do aeroporto. O aeroporto.

E os aviões. Descontando alguma experiência mais desastrosa (Uzbek Airways) ou mais sortuda (nosso único upgrade), os deslocamentos também se tornaram uma rotina.
A ponto de eu ter de criar um mecanismo muito particular para desativar esse torpor. E esse mecanismo era a excitação.

Tentei não disfarçá-la nas passagens que descrevi aqui. O mesmo, claro, valia para as reportagens que eu fazia. O interesse pelo que estava acontecendo na minha frente, pelas calçadas, bares, cybercafés, metrôs, corredores e táxis que circulavam, era igual (às vezes até maior) do que o que eu sentia pela atração oficial (leia-se "turística") que estávamos visitando. Foi isso que me permitiu dispensar a informação padronizada dos guias de viagem e voltar toda a minha atenção para as experiências com as pessoas. Foram elas, mais até que os próprios países, que fizeram a diferença neste projeto. Foram elas que levaram a jornada para uma outra dimensão. Foram elas que me ajudaram a mostrar que o resto do mundo também é bem legal.
É exótico, sim, mas não apenas como

uma figurinha que você cola no álbum e esquece na gaveta.

"Bem-vindos" – essa é a palavra escolhida para definir a atitude de todas essas pessoas que encontramos. Algumas vão aparecer ao longo da história, claro, mas outras não são nem identificadas. Quando muito, são lembradas apenas pelo primeiro nome, uma maneira de, ao mesmo tempo, registrar a intimidade com que selamos uma amizade e passar a sensação de que poderia ser qualquer pessoa. Encontrei, em todas elas, esse equilíbrio perfeito entre anonimato e identificação.

E não tenho dúvidas de que foi esse equilíbrio que me ajudou a transformar toda a experiência dessa volta ao mundo em algo que realmente transcendesse fronteiras – não apenas as geográficas, claro. O que mostramos nesses quatro meses deixou alguma coisa boa no ar, uma dimensão maior do que eu imaginava. Ouvi isso nos

comentários das pessoas que encontrei desde o retorno. Estava nas palavras dos amigos, nas repercussões e nos desdobramentos do próprio trabalho.

Custei um pouquinho para atinar com o que estava acontecendo. Retornar de uma experiência como essa nos coloca inevitavelmente diante de um vazio. De uma hora para outra, você está livre de inúmeras obrigações (do compromisso de mandar o material para o Brasil à prestação de contas, passando pelas reservas de hotéis, transportes e vistos – coisas demais) e sente um imenso alívio. Quase simultaneamente, sente também uma perversa ausência disso tudo – ou melhor, das coisas boas que vinham com isso tudo. É um período delicado, no qual a companhia e o carinho dos amigos e da família são fundamentais para que você o supere logo – como foi o caso. Ah, e escrever um livro também ajuda!

Hoje está mais fácil (menos penoso?) pensar sobre esse "resto do mundo". Quem sabe não seja um lugar só? E é mesmo. Esse mesmo em que você vive, habitado por pessoas que procuram coisas não muito diferentes daquelas que você também busca: uma vida legal, um pouco de felicidade – e se possível, dividi-la com os outros.

Voltei certo de que o que as pessoas mais querem na vida é conhecer outras pessoas. É uma curiosidade que existe dentro de todos nós, de saber o que o outro pensa, de "viver" um pouco a experiência de alguém diferente. É isso que me movia, que (sem que eu parasse para pensar) estava por trás de todas as minhas iniciativas. É isso que nos fazia viajar em paz. Com obstáculos, contratempos, "roubadas" e outras dificuldades que, vistas agora, ficaram pequenas demais...

Tão pequenas quanto a dúvida sobre de que lado do mundo eu gostaria de viver – se é que existe mesmo um outro lado...

Como começou
e, depois, funcionou o
[PROJETO]

Essa ideia nasceu em outubro de 2003 e não mudou muito desde seu esboço inicial: fazer reportagens dando uma volta ao mundo, com os destinos escolhidos pelo público. Com o projeto aprovado, passamos à etapa seguinte: definir as opções de escala desse roteiro, uma lista com quase quarenta países, que serviu de base para a compra dos bilhetes aéreos, já em dezembro de 2003.

Com a virada do ano, começamos a contatar embaixadas e consulados no Brasil e no exterior. Ao mesmo tempo, iniciamos um trabalho de pesquisa, levantando informações e imagens de todos os possíveis destinos, que seriam usadas nas vinhetas que ajudariam o público a escolher o destino seguinte.

Reuniões semanais atualizavam as pessoas envolvidas quanto a definições de equipamento, situação dos vistos, mudanças nos roteiros e desenho do orçamento. Até que no final de abril começamos a desenvolver as reportagens que serviriam para "esquentar" o lançamento do projeto – que foi divulgado para a imprensa apenas duas semanas antes da largada.

Assim, em 16 de maio de 2004, ao vivo no *Fantástico*, no aeroporto Tom Jobim, no Rio, oferecíamos as duas primeiras opções para o público. Estava começando a primeira de dezoito semanas de aventura, que devia obedecer a algumas regras.

Não podíamos ter nada pré-produzido,

com exceção dos contatos para os vistos de entrada. Mesmo os hotéis deveriam ser arrumados na chegada ou com um mínimo de antecedência, assim que soubéssemos qual seria o próximo destino. A equipe era constituída somente pelo repórter e o repórter cinematográfico. Todas as imagens deveriam ser transmitidas pela internet, usando uma conexão de banda larga. O material seria enviado como um "copião" (um rascunho da reportagem final) dividido em pequenos arquivos de imagem.

Na sexta-feira, falávamos com o *Fantástico* no Rio para, junto com o editor de texto, ajustar as reportagens (que, com exceção da primeira semana, no México, eram sempre distribuídas pelo programa em segmentos diferentes). Com esse roteiro fechado, o material era finalizado com a ajuda de um editor de imagem.

Essas foram opções oferecidas ao público: México x Guatemala ❚❚ Califórnia x Havaí (ambos nos EUA) ❚❚ Ilha do Norte x Ilha do Sul (Nova Zelândia) ❚❚ Deserto australiano x Tasmânia ❚❚ Cingapura x Bali (Indonédia) ❚❚ Laos x Camboja ❚❚ Nepal x Filipinas ❚❚ Rajastão x Himalaia (ambos na Índia) ❚❚ Cochin (Índia) x Sri Lanka ❚❚ Uzbequistão x Cazaquistão ❚❚ Ucrânia x Romênia ❚❚ Turquia x Bulgária ❚❚ Atenas x Meteora (ambas na Grécia) ❚❚ Albânia x Cefalônia (Grécia) ❚❚ Reserva *massai* x Mombaça (ambos no Quênia) ❚❚ País Basco (Espanha) x Bretanha (França) ❚❚ Islândia x Escócia ❚❚ Ilha da Madeira x Açores (ambos em Portugal).

A cada semana, já com o próximo destino definido, reservávamos a segunda-feira para organizar a etapa seguinte. Idealmente, viajávamos na terça e gravávamos as primeiras imagens na quarta. A transmissão, via cybercafés (ou pela rara conexão de um quarto de hotel), era iniciada na quinta-feira.

E assim foi até o dia 19 de setembro, quando chegamos do nosso último destino, depois de 126 dias e 103.792 quilômetros percorridos em 54 voos. A distância corresponde a quase duas circunferências e meia em torno da Terra. Mas uma volta ao mundo, como a que fizemos, já estava bom – para começar!

Nossa [ROTA]

MÉXICO ①

HAVAÍ ②

BRASIL — MARCO ZERO

MADEIRA ⑰

```
Rio / Miami - 6.696 km
Miami / Washington - 1.486 km
Washington / Cidade do México - 3.029 km
Cidade do México / Oaxaca - 480 km
Oaxaca / Cidade do México - 480 km
Cidade do México / San Francisco - 3.043 km
San Francisco / Honolulu - 3.841 km
Honolulu / Auckland - 7.057 km
Auckland / Queenstown - 1.486 km
Queenstown / Auckland - 1.486 km
Auckland / Sydney - 2.151 km
Sydney / Melbourne - 707 km
Melbourne / Hobart - 609 km
Hobart / Melbourne - 609 km
Melbourne / Sydney - 707 km
Sydney / Cingapura - 6.316 km
Cingapura / Bangcoc - 1.425 km
Bangcoc / Siam Reap - 460 km
Siam Reap / Bangcoc - 460 km
Bangcoc / Manila - 2.215 km
Manila / Bangcoc - 2.215 km
Bangcoc / Katmandu - 2.204 km
```

Katmandu / Nova Délhi - 806 km
Nova Délhi / Jaipur - 235 km
Jaipur / Udaipur - 405 km
Udaipur / Nova Délhi - 663 km
Nova Délhi / Colombo - 2.444 km
Colombo / Kandy - 116 km
Kandy / Colombo - 116 km
Colombo / Nova Délhi - 2.444 km
Nova Délhi / Tashkent - 1.556 km
Tashkent / Samarkand - 600 km
Samarkand / Tashkent - 600 km
Tashkent / Almaty - 670 km
Almaty / Frankfurt - 5.104 km
Frankfurt / Kiev - 1.557 km
Kiev / Bucareste - 753 km
Bucareste / Braşov - 166 km
Braşov / Bucareste - 166 km
Bucareste / Viena - 866 km
Viena / Istambul - 1.279 km
Istambul / Atenas - 562 km
Atenas / Meteora - 349 km
Meteora / Atenas - 349 km
Atenas / Cefalônia - 286 km

Cefalônia / Atenas - 286 km
Atenas / Londres - 2.391 km
Londres / Nairóbi - 6.804 km
Nairóbi / Mombaça - 487 km
Mombaça / Nairóbi - 487 km
Nairóbi / Londres - 6.804 km
Londres / Bilbao - 936 km
Bilbao / Londres - 936 km
Londres / Edimburgo - 535 km
Edimburgo / Inverness - 62 km
Inverness / Edimburgo - 62 km
Edimburgo / Londres - 535 km
Londres / Paris - 343 km
Paris / Lisboa - 1585 km
Lisboa / Funchal - 969 km
Funchal / Lisboa - 969 km
Lisboa / São Paulo - 7.927 km
São Paulo / Rio - 420 km

TOTAL: 103.792 km

[PRIMEIRA ESCALA]

Basílica de Guadalupe, uma das igrejas mais bonitas da nossa primeira escala da volta ao mundo

Capital: **Cidade do México**
Área: **1.972.550 km^2**
População: **104.907.991 habitantes**
Renda per capita: **US$ 9.000**

MÉXICO

¡Olé!
Das touradas para as [RUAS] e esquinas mexicanas

"Vocês não queriam que a gente viesse pro México? Agora aguenta!" Este foi o registro da nossa primeira parada na "Fantástica Volta ao Mundo". Mas o que exatamente eu estava desafiando as pessoas a "aguentar"? Um bando de *mariachis*! Quem são os *mariachis*? Aqueles cantores típicos mexicanos, de sombreiro, botas, a roupa típica que lembra bem a de um gaúcho. Ah, e um repertório bastante... elástico!

Para as gravações, pedimos que o *mariachi* cantasse "Cucurucucu Paloma", apresentada ao grande público brasileiro por Caetano Veloso. Talvez para caprichar para as câmeras, o

OUTRAS PARADAS

■ É na Plaza Garibaldi, Cidade do México, que os *mariachis* se apresentam - e não só para turistas. Os próprios mexicanos que querem contratar os músicos para festas (especialmente casamentos) vão até lá fechar o negócio "a céu aberto".

cantor e seus músicos entoaram então uma espécie de *remix* longuíssimo da canção, o que nos deixou até bastante satisfeitos.

No entanto, a banda, que tocava ao ar livre, ali na Plaza Garibaldi (conhecido reduto de *mariachis* e, por isso mesmo, ponto turístico obrigatório da capital mexicana), achou que poderia oferecer um pouco mais. Uma questão menos de dedicação à música do que financeira: a R$ 60 a canção, quanto mais ele cantasse... E não faltavam ofertas: de "Guantanamera" a "La Juanita". Mas quando o *playlist* começou a incluir "O sole mio" e até "Garota de Ipanema", bem, achei que já tínhamos o suficiente para a matéria.

Esse showzinho ajudou a fazer a digestão - de uma refeição bem diferente. Foi nossa primeira aventura gastronômica na viagem. E, como introdução, eu diria que começamos bem: com uma *pancita de buey*! O que é isso? Digamos que é das poucas coisas que já comi cujo visual na panela reflete a experiência no paladar - no caso, uma temeridade. Descrevendo rapidamente, um estômago de boi cozido numa água sangrenta (já está salivando?).

Felizmente, o mercado popular que visitamos na Cidade do México oferecia outras iguarias: uma *paella* mexicana, por exemplo; ou uma trouxinha de carne de carneiro (tudo bem que estava embrulhada num saquinho de plástico, mas estava uma delícia). No final, acabei misturando tantos pratos que o resultado digestivo só poderia ter sido turbulento. ¡E viva a "Vingança de Montezuma"! (Não me lembro bem onde vi essa brincadeira -

❙❙ O Brasil até que tentou ressuscitar o fusca, mas ele não sobreviveu. O último fabricado no mundo saiu de uma montadora mexicana, em 2003. O que não impediu que a gente alugasse um deles para nossa aventura em Oaxaca. E vermelho!

talvez em algum guia engraçadinho de viagens -, mas dizem que todo turista no México conhece a "Vingança de Montezuma" depois de provar a cozinha local. Bem, amigos, eu a conheci.)

Com esse "lanchinho", nos despedimos da capital e à noite voamos para Oaxaca. A promessa de passar quatro noites

Mapa da parte antiga de Oaxaca

(pelo menos) num só lugar já me animava... (Vale recapitular a pequena epopeia: para chegar à Cidade do México o mais rápido possível, foram três voos; fomos a Miami e Washington, nos EUA, e só ontem, lá pelas 11 da noite, chegamos aqui; considerando que saímos do Rio às 22 do domingo, 16 de maio, e que a diferença de fuso horário aqui é duas horas menos, viajamos mais de 24 horas! Você reparou que eu usei a expressão "o mais rápido possível"?)

Em Oaxaca, as coisas começaram a ficar mais tranquilas. Começamos a enviar as primeiras imagens por computador (e comecei a me divertir também com um teclado que já insere as exclamações e interrogações invertidas automaticamente ¡Olé!). Aliás, não posso esconder minha surpresa ao encontrar um cybercafé com *banda ancha* (banda larga), numa cidade tão modesta quanto Oaxaca. Logo achei que isso era um bom sinal

OUTRAS PARADAS

A vista inesquecível da praça central da Cidade do México, o Zócalo

"Vocês não queriam que a gente viesse pro México? Agora aguenta!" Esse foi o primeiro registro da nossa primeira parada da Fantástica Volta ao Mundo.
Mas o que exatamente eu estava desafiando as pessoas a "aguentar"?
Um bando de "mariachis"!

de que essa função seria fácil em todo lugar em que a gente parasse (o que mais tarde, claro, provou não ser verdade). O lugar era meio improvisado (como, aliás, a maioria dos cybercafés): um segundo andar de uma construção de pedra antiga, ao lado do Zócalo, a praça central da cidade antiga. Mas quem disse que a gente podia se dar ao luxo de escolher? Encontramos um lugar e a conexão é de mais de 70 Kbps, está ótimo!! Só preciso esclarecer que não sou nenhum técnico de internet, apenas decorei uns três procedimentos para mandar nosso material; assim, o que eu repetir aqui em termos de velocidades, conexões e afins, bem, é pura "decoreba"!

Mas vamos à própria cidade, que é bem bonitinha e, pelo menos no centro histórico, tão pacata quanto uma cidade do interior do Brasil. Tem ruas de pedestres, ideais para apreciar a arquitetura, que é bem hispânica. É preciso explicar que esses quarteirões são guardados do resto da cidade, que se espalha, moderna e feia, por alguns quilômetros. Mas nesse oásis colonial, com igrejas em vários quarteirões, a gente encontrou um pouco de paz. Aliás, quem viaja muito sabe que igrejas podem ser uma armadilha: lindos monumentos que vale a pena visitar ou (na maioria das vezes) apenas uma fachada interessante e um interior sem graça.

A Igreja de Santo Domingo de Guzmán, felizmente, faz parte das exceções: toda dourada por dentro, com esculturas, pinturas e relevos riquíssimos. A mais curiosa de todas é uma árvore genealógica que fica logo na entrada da igreja, representando a

OUTRAS PARADAS

Guilherme e Zeca experimentam a primeira refeição típica de Oaxaca

família de Dom Félix de Guzmán, o pai do fundador da ordem dos dominicanos.

Nas ruas, dezenas de loja de souvenirs não te deixam esquecer que, para um toque tipicamente mexicano na sua casa, você tem de levar uma pequena escultura de madeira na forma de um esqueleto (o Dia dos Mortos é uma das maiores festas mexicanas, comemorada, diga-se, com muita alegria e nenhum choro). Ou talvez um coração de lata pintado com cores fortes. Ou, se você estiver mesmo a fim de garimpar, uma daquelas pinturas bem simples que servem de ex-voto, agradecendo alguma graça (quase que invariavelmente à Virgem de Guadalupe!).

♣ Quer uma boa razão para pegar a estrada num fusca?

Encantados com a cidadezinha, foi com certa relutância que partimos para explorar as redondezas. Para tanto, contamos com um meio de transporte típico (se você lembrar que o último veículo desse modelo foi fabricado no México): um fusca!! 2002, lindão!! Munidos apenas de um mapa bastante duvidoso (Guilherme dirigia e eu ia de copiloto; por isso, sei bem que posso chamar o mapa de impreciso...), partimos para Mitla, que fica a leste de Oaxaca.

O que queríamos lá? Ver finalmente ruínas da civilização zapoteca, que existia aqui antes de os espanhóis chegarem. Eles estavam em constante guerra com os astecas (atenção, não confunda!!) pelo território mexicano, mas aqui, nesta região, eles

AS 4 PIORES EXPERIÊNCIAS GASTRONÔMICAS

- ESTÔMAGO DE BOI, no México
- "BALOT", o ovo de pato fecundado filipino
- "PAN", a folha enrolada com especiarias, na Índia
- JANTAR DE CONGELADOS no quarto do hotel em Honolulu, Havaí

dominavam. E nem precisamos chegar a Mitla para ter a prova disso: no meio da estrada, fizemos uma parada em uma escavação chamada Yagul - um verdadeiro labirinto de galerias e corredores, que só pode ser visualizado na sua totalidade do alto de uma colina que fica ao lado desse sítio arqueológico.

♣ Primeiras lições de zapoteca

Assim, quando chegamos a Mitla (é tudo bem perto, 20 quilômetros ou menos de um lugar a outro), as ruínas já nem eram mais novidade. Estão mais preservadas, é verdade, mas a essa altura eu já tinha me encantado com os camelôs instalados em volta das escavações. Foi num deles que experimentei manga com *chili*. Sim, *chili*, tradução: pimenta. E não pense que achei ruim, não. Tanto que até repeti a dose, com abacaxi (que não estava tão gostoso...). A senhora, ou melhor, "*la señora* Rocel", que nos serviu, mandava bem no antigo dialeto zapoteca - que, segundo ela, não se escreve, não se ensina nas escolas. Entusiasmada, ela até me contou o nome de algumas frutas em zapoteca. Mas, por favor, não me peçam para reproduzir aqui nenhuma delas.

De volta a Oaxaca, um festival de milho... na mesa! Pode chamar de "*quesadillha*", "*tortilla*", "*tamale*" - é tudo milho! Essa é a base da cozinha mexicana menos "aventureira" do que aquela que eu havia experimentado antes. Acredite, é uma delícia, só que é tudo feito com milho. Sorte de quem gosta (como eu). Aliás, a essa altura, eu não podia reclamar. Já tinha me apaixonado por

OUTRAS PARADAS

▋ Talvez a artista plástica mais conhecida do México, Frida Kahlo (que foi casada com outro pintor famoso, Diego Rivera) criou uma linguagem visual ao mesmo tempo ultrapessoal e imediatamente ligada à cultura e ao imaginário de seu país.

Oaxaca - e ainda nem tínhamos ido a Monte Albán. Deixamos isso para o último dia na cidade. E foi especial.

Monte Albán é mais um complexo de ruínas da civilização zapoteca. Mas, calma! Ao contrário de tudo o que já tínhamos visto, essas são pra lá de imponentes. Num planalto vastíssimo, bases sólidas do que parecem ser pirâmides enfeitam uma paisagem que se vê a quilômetros. Como chegamos bem cedo, éramos praticamente os únicos visitantes desse lugar tão especial. E a sensação era de sermos donos do lugar. Percorrer os muros baixos que dividem as construções, andar pelos campos que separam as pirâmides ou simplesmente pegar o vento do alto de uma delas - que presente!

Tenho muito pouco contato com o lado espiritual, místico, esotérico das coisas - tão pouco contato que nem sei escolher a melhor palavra para definir essa minha fraqueza. Monte Albán, no entanto, seria a primeira de uma série de experiências que eu iria viver nessa viagem que me obrigariam a repensar essa minha posição. Que deuses eram cultuados por lá? Que tipo de energia essas ruínas evocam? Não saberia dizer. Ficou apenas o registro de um lugar "forte".

E foi com esse registro que voltei para a Cidade do México. Bem, vindos de Oaxaca, parecia tínhamos chegado a Nova York (já começava a demonstrar minha sincera dependência de uma cidade grande). Ficamos num hotel bem antigo, do final

O prazer de passear só pelos espaços imensos das ruínas de Monte Albán, em Oaxaca

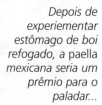

do século 19, na praça central, de onde se via uma enorme bandeira do México. Só que, infelizmente, tive o primeiro lembrete de que esta viagem não era de férias. Tínhamos de experimentar, pela primeira vez pra valer, a operação de enviar as imagens e textos para o Brasil, para que a matéria pudesse ir ao ar. Ah, se fosse tão simples quanto escrever esta última frase!

Quer detalhes técnicos? Basicamente, temos de selecionar as melhores imagens da câmera. Daí, Guilherme joga tudo no computador (um *laptop*), em arquivos bem pequenos, de cerca de 15 ou 20 segundos cada. Próximos passos: comprimir essas imagens, conectar numa banda larga e mandar para a emissora no Brasil. Simples, não é? Não tem ironia nisso, não, é simples mesmo. Só não é muito rápido. Ao longo da semana, foram horas e horas para mandar apenas algumas imagens. E dá-lhe "chá de cadeira" nos cybercafés de Oaxaca.

Na capital, percorremos algumas das melhores casas do ramo. Apostei várias fichas no bairro de Condesa (Condesa, com um "s" só no nome

Depois de experiementar estômago de boi refogado, a paella mexicana seria um prêmio para o paladar...

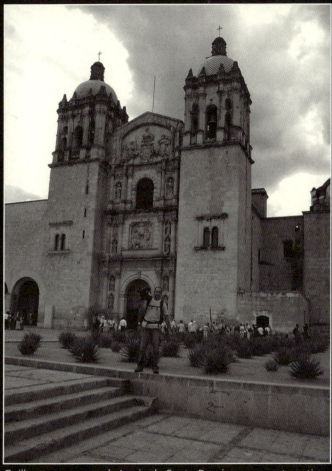

Guilherme na praça da Igreja de Santo Domingo, na parte antiga de Oaxaca, ponto de encontro no final das tardes

A enorme bandeira mexicana é hasteada todas as manhãs no Zócalo, a praça principal no centro histórico da capital

se eu voltasse a
[OAXACA]

POR UM DIA...

...iria logo cedo, às 9h da manhã, visitar as ruínas de Monte Albán (quinze minutos da cidade), na esperança de não encontrar nenhum turista por lá. No máximo em duas horas, já percorri toda a área, e estou com fome suficiente para encarar um almoço de *tortillas* e *tamales* em algum restaurante do centro antigo de Oaxaca. A digestão pode ser feita enquanto visito a Igreja de Santo Domingo de Guzmán. Passo o resto da tarde garimpando um souvenir entre as incontáveis lojinhas nas ruas Reforma, 5 de Mayo e Alcalá (a melhor delas). E lá pelas 18 horas dou um passeio pelo Zócalo, a praça principal. Os bares com mesas que invadem as calçadas de pedestres são um convite irresistível para ver a cidade anoitecendo.

uma viagem sem comprar um
[SOUVENIR]
não tem graça

Um coração de metal, pintado em cores bem fortes (o vermelho, claro, é obrigatório). O que parece ser apenas um símbolo romântico é também um poderoso ícone religioso.
Qualquer santo com razoável devoção (o que não falta no México) tem um coração desses, geralmente adornado com cororas, bordas rendadas, raios brilhantes e, em alguns casos, até flores.
As referências visuais vão de ex-votos até Frida Khalo! São pequenos (cabem num envelope) e baratos (de R$ 5 a R$ 10).

original), que é uma espécie de vizinhança alternativa - uma Vila Madalena, para dar uma referência bem "paulistana". Nas outras vezes que visitei a Cidade do México, fiz questão de passear por lá e comer num dos inúmeros restaurantes com mesas na varanda (pense em casas modernas, um clima meio anos 60, com prédios baixos, nada de muito tradicional).

Porém, chegamos à conclusão de que a melhor opção de internet seria usar o business center do próprio hotel. E encarar também uma boa dose de paciência. Para "suavizar" a espera, retornei entusiasmado ao primeiro livro que comecei a ler na viagem - e que é genial. Chama-se *Random Family* e conta a história de duas famílias latinas no bairro do Bronx, Nova York, ao longo dos anos 80 e 90. Isto é, se é que pode se chamar aquilo de família.

Drogas, crimes, sexo, prisão, muito dinheiro, pouco dinheiro, famílias desestruturadas, filhos, filhos, filhos. É um registro tão impressionante de como as coisas podem dar errado que fico tentado a imaginar maneiras de fazer uma pesquisa parecida no Brasil. Isso, claro, é para o futuro.

Para me despedir do México, mergulhei no livro (não posso deixar de mencionar a autora, Adrian Nicole LeBlanc), já que tive que passar o dia pajeando o computador - com o consolo de, de vez em quando, poder escapar para a praça e ver aquela enorme bandeira tremulando.

Estúdio improvisado na cobertura do hotel na Cidade do México

Do México para o
Havaí

Às 4 da manhã, a Cidade do México finalmente parece tranquila. Acordamos cedo assim para sair rumo ao Havaí e cruzamos as ruas amarelas do centro sem trânsito e sem gente até o aeroporto. Deixava para trás uma primeira semana intensa, de adaptações, pensando no próximo destino menos como Havaí e mais como Estados Unidos - e os americanos eu já conhecia, certo? Quase...

Antes de sair do Brasil, pedi aos meus melhores amigos que me dessem amuletos que não poderiam ser maiores nem mais pesados que um polegar; esse conjunto de lembranças foi fotografado em todos os cantos por onde andei, como aqui, na frente da igreja do Zócalo, Cidade do México

[Segunda ESCALA]

Mar azul, praias escandalosamente bonitas e muita natureza nos esperavam na escala havaiana

Capital: **Honolulu**
Área: **28.337 km^2**
População: **1.211.573 habitantes**
Renda per capita: **US$ 28 mil**

HAVAÍ

Aloha!

É ouvir e saber de um [HAVAIANO] que você é bem-vindo

Tudo bem, eu tentei fugir do clichê... Mas ele está por toda parte. Do aeroporto de Honolulu à recepção do nosso hotel - que tem *"aloha"* até no nome (também tem a palavra *"surf"* no nome, o que me deixou um pouco incomodado). Isso aqui é um parque temático, e, se você quiser se divertir um pouco, é melhor relaxar.

Até porque chegamos precisando de um descanso: acordamos às 4 da manhã na Cidade do México, pegamos dois voos (conexão em São Francisco, EUA) e chegamos a Honolulu antes das 2 da tarde - mesmo tendo viajado quase doze horas. Onde esses fusos horários vão parar?? Daqui a pouco vamos atravessar a linha do

OUTRAS PARADAS

■ Uma das versões para o surgimento do *ukelele*, (esse típico instrumento de corda que nosso amigo havaiano ao lado toca muito bem) diz que ele é a evolução de algo trazido por navegantes portugueses há anos: um cavaquinho!

tempo (seguimos sempre para oeste, lembra?) e um dia inteiro vai embora do nosso calendário.

Esses pensamentos tomam conta da minha cabeça - uma provável consequência do perfume forte (e bom, diga-se) do meu colar de flores. Já escrevi um parágrafo inteiro explicando que esta é a terra dos clichês; então, sem cerimônia, pelo menos no Havaí, resolvi relaxar e abusar deles. Por isso, nesse mesmo embalo, comprei uma camisa havaiana também. Difícil foi escolher uma que fosse menos ofensiva ao olhar.

Com esse visual, estava pronto para passar por um local - ou será que estava mais para um turista típico? Qual seria o melhor disfarce num lugar como este? Pensava nessas questões quando um problema bem mais importante surgiu. Aliás, foi assim que aprendi (na prática) mais uma liçãozinha nesta viagem (já devia ser a de número 23, e estávamos apenas na segunda semana...).

A lição foi: não saia de casa com um guia antigo. O que levei para Honolulu nem era tão antigo assim. Era de 2002. Achei que fosse me ajudar. Mas, naquela manhã, eu ia todo animado assistir a um show gratuito num parque aqui da cidade, que, segundo o guia, acontecia todas as terças, quartas e quintas (seria um daqueles shows para turistas, com havaianas, flores de plástico, "*aloha*" em letras garrafais, coreografia, mas mesmo assim eu queria assistir), quando resolvi perguntar numa barraca de informações se estava na direção certa.

"A direção está certíssima", me respondeu o havaiano. "Só

AS 5 PAISAGENS MAIS EXUBERANTES DA VIAGEM

- VULCÃO DIAMOND HEAD, Honolulu, Havaí
- PICO DO AREEIRO, ilha da Madeira, Portugal
- AS ROCHAS DE METEORA, Grécia
- LAGO WAKATIPU, Queenstown, Nova Zelândia
- PENÍNSULA DA TASMÂNIA, Austrália

que o show não existe há dois anos", completou. Fiquei frustradíssimo. Sério! Pois, apesar do gosto duvidoso da suposta performance, seria um programa tipicamente havaiano. Como já disse, a falta de expectativas e de autenticidade nas coisas deixou de me incomodar. Isso é o que move esta cidade: tudo parece ter um selo de garantia com a frase "Feito para agradar turistas".

Nada é muito original. Ou melhor, nada é para ser mesmo original. Às vezes, tenho a sensação de que peguei o avião errado e desci em Orlando, na Flórida. Mas isso não chega a ser uma reclamação. É uma constatação. O Havaí é assim, e se quiser aproveitar... *Aloha*!!

Enfim, na ausência de um showzinho, tinha de arrumar um outro programa para essa manhã escaldante (bafinho de fim de tarde no Brasil perde). E o que poderia ser mais convidativo do que uma caminhada ("escalada" talvez fosse o termo mais preciso) até o topo do vulcão apelidado de "Cabeça de Diamante"? Cratera acima, demos a sorte de pegar uma carona pouco convencional.

Subindo desanimados, de repente fomos abordados por uma limusine branca - daquelas que param à porta dos grandes shows de premiação nos Estados Unidos, de onde saem as celebridades mais cobiçadas. Aquela, porém, não parecia levar alguém famoso.

Para nossa surpresa, o motorista abre o vidro e pergunta: "Vão ao vulcão?". Ouvindo a resposta afirmativa, ele faz a proposta: para nos levar até lá, cobraria U$ 2,50 (menos de R$ 8) de cada um. Aceitamos na hora e entramos tão entusiasmados que quase

OUTRAS PARADAS

▌ Interior "espaçoso" da limusine que nos levou até a entrada do vulcão em Honolulu. O motorista (lá no fundo) cobrou só U$ 5 pela viagem, mas o minibar (peça fundamental num veículo como esse) estava vazio...

Do aeroporto de Honolulu à recepção do nosso hotel - que tem "aloha" até no nome (também tem a palavra "surf" no nome, o que me deixou um pouco incomodado). Isso aqui é um parque temático, e, se você quiser se divertir um pouco, é melhor relaxar.

não reparamos que a limusine já levava um casal de passageiros - provavelmente recém-casados, já que o Havaí é o destino número 1 para a lua de mel dos americanos.

Assim, esticando as pernas em assentos de couro tão longos quanto sofás, protegidos por cortinas de cetim e cercados de copos de cristal (já ouviu falar de limusine sem minibar?), chegamos rapidinho a um visual deslumbrante. As ilhas acabariam sendo uma marca nesta nossa volta ao mundo (um terço dos nossos destinos eram "cercados de água por todos os lados"), mas esta já de cara nos ofereceu um horizonte azul e hipnótico. De esquecer o calor que nos torrava...

Mar esse, aliás, que me inspirou a fazer algo que (atenção, lá vem mais um clichê!) "eu nunca achei que fosse fazer na minha vida". Taí! Fiz surfe. Peguei onda. E foi "manero". Por mais constrangedor que seja usar a expressão - afinal, estou longe de passar por surfista, mesmo amador -, não resisto a essa oportunidade (talvez única) de dizer que fiz uma coisa "muito manera". Primeiro, porque eu, em mais uma confissão das muitas que percebo que esta viagem está me forçando a fazer, nunca achei que fosse conseguir ficar de pé numa prancha em cima de uma onda.

OUTRAS PARADAS

❚❚ Incrível! Com apenas uma aula prática eu já embarcava no surfe! E em menos de uma hora na praia de Turtle Bay, eu já estava de pé, deslizando equilibrado sobre as ondas! Claro que minha prancha (ao lado) era de principiante.

Passei por alguns constrangimentos antes de subir na prancha, como aconteceu na aula teórica. (Não é genial? Aula teórica de surfe!) Numa sala apertada, junto com uma dezena de turistas japoneses (eu era, de fato, o único da minha "classe" que não vinha do Japão), treinei manobras "radicais" como dar braçadas, ajoelhar na prancha e - triunfo! - ficar de pé! Facílimo, claro, em chão firme. Mas e sobre as ondas?

Disposto a ir para as praias mais famosas, me separei da minha turma e fui numa van, sozinho com o professor, até a costa norte (Waimea, Pipeline, aqueles nomes que você achava que eram só grifes de verão no Brasil, mas são, na verdade, cenários dos grandes campeonatos de surfe no Havaí). Como principiante, ele me recomendou Turtle Bay, onde, de fato, as tartarugas nadavam soltas - e bem mais desenvoltas do que eu com a minha prancha.

♣ Surfar foi difícil, mas não tanto quanto fazer conexão com o Brasil...

Mas, meros 45 minutos depois de tombos acrobáticos (taí uma ideia para uma próxima modalidade olímpica!), eis que... fiquei de pé! Pois não só fiquei de pé, como deslizei por preciosos segundos. Cheguei a contar oito consecutivos!! Segundo meu professor, subi até com uma certa categoria (se bem que ele disse isso antes de eu acertar o dinheiro da aula com ele).

Voltando ao "manero" que usei lá em cima, devo admitir um certo constrangimento ao usar essa expressão, mas, com um pedido

OS 5 LUGARES QUE ESTRANHAMOS MAS APRENDEMOS A GOSTAR

- HONOLULU, Havaí
- BUCARESTE, Romênia
- SRI LANKA
- OAXACA, México
- QUÊNIA

de perdão aos surfistas que sabem que não tenho muita autoridade para utilizá-la, não há melhor maneira de descrever a experiência. É "manero" mesmo você estar ali, no meio do mar, natureza em volta, tartarugas nadando ao seu lado, um clima meio zen, uma certa concentração... Os surfistas "de carteirinha" sabem bem do que estou falando - e até devem (com todo o direito) estar achando graça desse meu "deslumbramento". Mas foi legal mesmo.

Nos dias seguintes ainda sairíamos para explorar outros visuais, como as praias da costa oeste da ilha. Mas nada superou a excitação de parecer um mané em cima de uma prancha. Mesmo que eu tenha feito um papel de (repetindo, no caso de você não ter prestado atenção) mané!

As aventuras havaianas não iriam muito além. O resto do tempo que tínhamos teve de ser dedicado a... Adivinhou? Transmissão do material! E, como começamos a aprender, em cada lugar tínhamos que inventar um esquema diferente.

No domingo, em Honolulu, o *Fantástico* começava às 13h30! Assim, no contrafluxo da quase totalidade das pessoas que estavam na ilha, em lugar de ir à praia, nós estávamos montando um sistema de transmissão improvisado. Para dar uma ideia, estávamos bem no coração de Waikiki, conectados num cybercafé (quer dizer, mais cyber que café, pois, se alguém quisesse tomar café, era melhor descer e ir até a esquina comprar).

Do terminal de onde eu trabalhava, saía um cabo pela janela (era numa sobreloja) em direção à loja de surfe de uns brasileiros (dá-lhe Antônio!) aqui na Kaiulani Avenue. Guilherme ficou lá

OUTRAS PARADAS

▌ Foram os havaianos que inventaram o tal do luau, uma celebração que começa com o pôr do sol e não tem hora para acabar. É uma festa cheia de tambores, dança do fogo e bailarinas de *hula*.

Alta tecnologia em ação! Essa era a configuração (com fios cruzando janelas de duas lojas) do nosso esquema para tentar uma entrada ao vivo no Fantástico

se eu voltasse a [Honolulu]

POR UM DIA...

...eu iria direto para Waikiki descansar. A manhã seria dedicada à praia, menos pela natureza (temos certamente areias mais bonitas no Brasil) do que pelo colorido das pessoas que circulam por lá. Depois de um almoço leve no Jamba Juice (uma casa especializada em *smoothies*, uma espécie de suco, só que mais grosso), daria um passeio na direção (mas sem subir) do vulcão Diamond Head até o aquário de Waikiki, que é pequeno e bonito. Uma aula de ioga ali no parque cairia bem. E depois, com novos amigos que teria feito durante o dia (é fácil encontrar brasileiros por lá), eu iria descobrir onde seria o churrasco legal daquela noite.

embaixo com a câmera e outro computador. Nossa comunicação foi de um jeitinho bem brasileiro. Pela janela! Mas não é que funcionava? Assim estávamos conectados com o Brasil, mandando imagens pela internet!

O programa no ar... Era até engraçado pensar... Deixa eu completar a descrição do quórum surreal do cybercafé. Dois japoneses, um americano de Nova Jersey, os dois donos do café (uma mulher de uns trinta e poucos anos que diz que "não trabalha aqui", mas trabalha, e que se apresentou como "Beautiful" - Bonita! - , e seu sócio, um americano já quarentão, provavelmente *ex-marine*, que eu classificaria como bipolar - tinha dias que ele me tratava como irmão, e dias que... bem, que eu tinha medo) e um cara completamente bêbado de cerveja (era domingo) e que dizia estar ajudando a gente, quando, como você pode imaginar, estava fazendo exatamente o contrário.

A situação seria cômica, se a gente não estivesse trabalhando. Como se não bastassem todos os detalhes da operação para que tudo desse certo (e, acredite, o número de coisas que precisavam estar "em cima" para que tudo desse certo era enorme), ainda havia os imprevistos. Mas a situação toda acabou sendo divertida.

Com um detalhe: como tudo acabou cedo (o *Fantástico* tinha terminado no Brasil e para a gente ainda

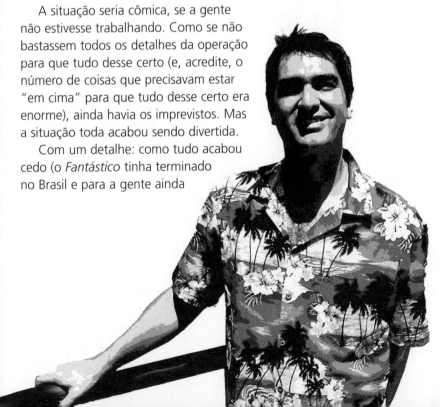

uma viagem sem comprar um [SOUVENIR] não tem graça

Com uma oferta e variedade tão grande, é fácil ficar atordoado com as lembrancinhas do Havaí. Dificilmente você vai ter coragem de usar uma camisa florida daquelas fora de lá - o que não significa que você não deva arriscar. Mas a lembrança mais simpática é uma pequena sandália havaiana de madrepérola com as tirinhas de ouro, vendida em algumas joalherias de Waikiki. Não sai muito em conta (preço médio, R$ 150), mas pelo menos você não tem o impulso de jogar fora assim que chegar de viagem...

eram 4 da tarde), peguei um cinema - algo que eu nem imaginava que teria tempo de fazer. E de tardezinha ainda dei uma bela passeada por Waikiki - para confirmar, infelizmente, que o Havaí me decepcionou.

Perto da praia, várias coroas de flores marcavam o local onde, apenas um dia antes, uma jovem turista japonesa fora atropelada e morta por um motorista octogenário que havia perdido o controle do carro. Uma triste colisão dos dois maiores grupos que circulam pela ilha.

Pensei em ir a um luau - todos muito organizados, em ônibus com guias que falam até quatro línguas e com um bufê *"all you can eat"* (tudo que você puder comer), colares de flores de plástico e danças coreografadas à exaustão. Saía por R$ 180. Preferi investir num suco de R$ 15 e ver as tochas sendo acesas na beira da praia. O próximo destino já estava escolhido: Queenstown, na Nova Zelândia. Quem sabe lá a gente não iria experimentar sensações um pouco mais verdadeiras.

Eu e Guilherme um pouco perdidos na costa leste da ilha de Oahu, na despedida do Havaí

Do Havaí para a
Nova Zelândia

Antônio nos levou em sua pick-up para o aeroporto, no final de uma tarde abafada e luminosa em Honolulu. Um cansaço daquela "máquina de turismo" onde passamos a semana ia tomando conta de mim - e só seria superado por um outro cansaço, mais físico, das horas gastas na travessia do Pacífico rumo à **Nova Zelândia, um lugar cuja beleza superaria todas as fantasias** que eu construía naquele longo voo.

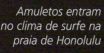

Amuletos entram no clima de surfe na praia de Honolulu

[Terceira ESCALA]

Logo depois de ter saltado de 175 metros de altura na Nova Zelândia, o barco era "terra firme"...

NOVA

Capital: **Wellington**
Área: **268.628 km^2**
População: **4.061.300 habitantes**
Renda per capita: **US$ 21,6 mil**

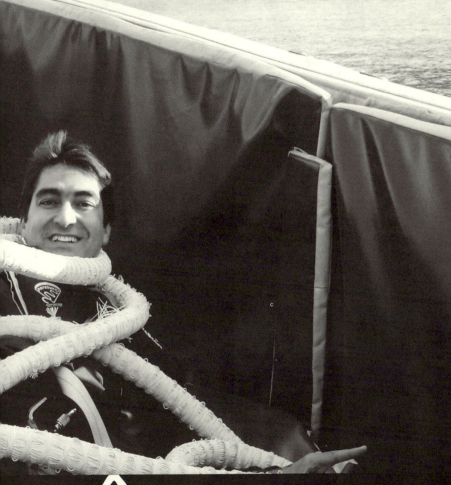

ZELÂNDIA

175!!
Como é o visual [NEOZELANDÊS] dessa altura (em metros)

Chegar a um dos lugares mais lindos do mundo tem um preço. No nosso caso, aterrissar na Nova Zelândia nos custou um dia. Um dia mesmo, desses de calendário. É até estranho falar, mas, depois dessa viagem, vai ficar faltando, para sempre, um dia na minha vida.

Nada de dramas... Mas eu queria deixar claro que saí de Honolulu às 23h55 do dia 31de maio, peguei no sono, voei por nove horas e acordei em Auckland, Nova Zelândia, às 7h15 da manhã DO DIA 2 DE JUNHO!! Esse é um assunto que eu adoro, mas é meio complicado de entender. A noção da linha do tempo parece às vezes abstrata demais para o nosso pensamento.

OUTRAS PARADAS

■ A Nova Zelândia ficou famosa como o cenário da série de filmes *O Senhor dos Anéis*. Agências de turismo já se especializaram em fazer excursões por paisagens que serviram de locação. Os guias, como a chilena Cecília (na foto), sabem de cor cada detalhe das filmagens.

Também não é muito simples explicar, mas vamos tentar.

Cruzamos a linha do tempo, certo? Ela fica bem no oceano Pacifico, escolhida arbitrariamente, talvez por ser uma faixa do planeta que não atravessa muitas porções de terra - vai saber! Enfim, não importa se é dia ou noite, cruzou a linha, você muda de dia. A oeste dessa linha é amanhã; a leste, é ontem. E "hoje" é sempre o lado onde você está. Confuso? Então recomendo a leitura do genial *A ilha do dia anterior*, de Umberto Eco.

É uma sensação estranha mesmo: você não pode controlar. Está voando num dia e, dali a alguns quilômetros, já virou a folhinha, virou o calendário. Tudo no Brasil continuava normal, ninguém pulou o relógio, ninguém mudou a rotina... Mas eu deixei de viver um dia. E, como estamos indo sempre na direção oeste, não vai dar nem para recuperar - literalmente - o tempo perdido. Quem já viajou, por exemplo, para o Japão e voltou pela mesma rota teve a chance de "perder" o dia e depois "ganhar" um novo, ou melhor, viver o mesmo dia duas vezes na volta (apesar de a sensação de sair num dia, viajar quase 24 horas e chegar no mesmo dia também ser meio esquisita).

Mas antes que isso fique confuso demais, deixa eu tentar descrever a alegria de chegar à Nova Zelândia - apesar do frio (passamos de uma média de 32 graus, no Havaí, para menos de 10 em Queenstown, pois cruzamos não só a linha do tempo, mas também a do Equador. Eu disse que isso estava ficando complicado demais...).

Depois de passar por Auckland e Christchurch (mais duas

AS 5 MELHORES PRIMEIRAS IMPRESSÕES

- Queenstown, Nova Zelândia
- Meteora, Grécia
- Samarkand, Uzbequistão
- Bilbao, País Basco, Espanha
- Istambul, Turquia

"escalazinhas"), já era fim de tarde quando aterrissamos em Queenstown - e fim de tarde por essas bandas significa "noite". Mesmo assim, a visão daquela plaquinha com vários destinos no mundo e suas respectivas distâncias até eles (coisa que eu só tinha visto até então em desenho animado) deu uma estranha sensação de fim de mundo.

♣ Era uma degustação de vinho ou "papo-cabeça"?

Fui dormir num nível de excitação absurda - e eu nem desconfiava do que ainda iria experimentar. No dia seguinte, começamos a passear por aqueles cenários. (E isso não é apenas figura de linguagem: já ouviu falar em *O Senhor dos Anéis*? E você acha que aquelas paisagens foram criadas em estúdio?) Recortes dramáticos, contrastes entre lagos e montanhas, um jogo de esconde-esconde que a paisagem parecia brincar sozinha.

Explorando uma cidade vizinha, Arrowtown, descobrimos por que o vinho da Nova Zelândia está ficando cada vez mais famoso. Fiz uma degustação, sim. Mas antes que você pense em alguma gracinha, vale a pena lembrar que, numa cerimônia dessas, você não bebe o vinho. Eu sei, também fiquei um pouco chocado. Você pega a taça, experimenta, dá uma bochechada - uma bochechada! - e cospe num balde. Em seguida, você gasta alguns minutos discutindo o que sentiu. Não tem muito o que discutir - ou, pelo menos, eu não tinha muito o que discutir. Mas foi uma experiência engraçada.

De volta a Queenstown, que também não é lá muito grande,

OUTRAS PARADAS

▌ Essa é a terra do *kiwi* - não só a fruta, como a ave (que, na verdade, batizou a fruta que se parece com ela). Os próprios neozelandeses se chamam de *kiwis* - e o dólar aqui também leva o apelido de... "dólar *kiwi*".

Nada de dramas...
Mas eu queria deixar claro que saí de Honolulu às 23h55 do dia 31 de maio, peguei no sono, voei por nove horas e acordei em Auckland, Nova Zelândia, às 7h15 da manhã DO DIA 2 DE JUNHO!!

andamos pelas ruas estreitas, cheias de lojinhas, cafés e uma moçada "em massa", daquelas que fazem você, aos 41 anos, achar que está um pouco deslocado. Nada grave, desconfortável, apenas estranho. Checamos o cybercafé de onde mandaríamos o material, que aqui (como em alguns lugares que encontramos depois) servia mais para os adolescentes virarem a noite jogando *games* pela internet. (Quantas vezes não tive de ajudar o indiano que tomava conta do local a acordar um garoto que tinha passado horas em frente ao computador!)

Se esse primeiro dia foi dedicado a explorar a área por terra, já podíamos, no dia seguinte, explorar as alturas. Que começaram baixas, é verdade. Não foi meu primeiro salto de *bungy* (a estreia foi numa outra reportagem para o *Fantástico*, em Paulo Afonso, na Bahia). O que não significa que eu estivesse preparado para um novo salto. Mas foi o máximo - certamente melhor do que o surfe. E, com a duração de apenas alguns segundos - uns três, para ser exato -, tremendamente mais eficiente que meu último esforço nos esportes alternativos.

A distância era pouco mais de

Pura emoção, segundos antes de saltar sobre o lago Wakatipu

OUTRAS PARADAS

■ Sequência de fotos imediatamente antes e durante o salto recorde (da minha vida, pelo menos!). O tempo se torna elástico nos momentos entre você estar sentado na cadeira atrelada ao paraquedas e terminar pendurado muito próximo à superfície do lago.

A Fantástica Volta ao Mundo 57

40 metros. Mas o mais legal de saltar sobre o rio Kawarau era saber que de lá foi feito o primeiro salto desse tipo. História de neozelandês? Pode ser, mas que ajudava no clima, ajudava. Saber a importância "histórica" do local, porém, não ajudou na concentração. Para a gravação, eu tinha até ensaiado uma frase, algo como: "Estou justamente no ponto onde um cara, há quase vinte anos, achou que dava para explorar isso como esporte e inventou o primeiro *bungy jump*..." - mas não saiu nada disso, claro.

O som emitido pelas minhas cordas vocais estava mais próximo de um grito de puro horror. Mas achei que foi rápido demais, mais rápido do que daquela primeira vez no Brasil. De lembrança mesmo só fiquei com aquele número, rabiscado na minha mão com caneta vermelha: 99. Pelos próximos dias, fui obrigado a olhar para ele toda vez que sentava para escrever em algum teclado.

Aliás, esse número só saiu da minha lembrança quando foi substituído por outro: 175. Dessa vez, porém, ele não se refere a nenhum registro na balança, mas à altura do próximo salto que dei em Queenstown. Impressionante? É um pouco mais que isso. De cara, é o salto de *bungy jump* mais alto que existe no mundo. Outra conversa de neozelandês -

Aqui está a prova de que pulei de 175 m!

você já está pensando. Mas dá pra acreditar. Mesmo aqui neste lugar, a chamada "capital mundial dos esportes radicais", o famoso salto sobre o rio Nevis tem "só" 134 metros.

Assim, quando os instrutores começaram a falar que a altura da qual eu ia pular poderia alcançar os 150 metros, confesso que torci para o tempo fechar. E fechou. Pelo menos por um dia. Na manhã seguinte, depois de uma leve nevasca, o sol estava brilhando sobre o lago - e lá se foi minha última desculpa.

De repente eu estava numa cadeirinha, amarrada a um paraquedas, sendo puxado por um barco no meio do lago Wakatipu, só esperando a contagem regressiva para pular. Não é mesmo um salto convencional: para aumentar o desafio, eles inventaram essa coisa de lancha. Primeiro, é preciso achar um lugar onde o vento não atrapalhe (se você, como eu, achava que a mais de 100 metros de altura o vento era uma das últimas preocupações, pense de novo). Então, você começa a subir... E subir... E o lago vai ficando lá embaixo... A Terra vai ficando lá embaixo...

Descrito assim, parece uma cena fria, mas frio mesmo estava todo o meu corpo - congelado!! O que quebrava o gelo era a vista espetacular. Só que, quando eu olhava para baixo, era aquela aflição. Várias vezes eu tentava calcular e achava que já estava alto o suficiente. Mas, quando resolvia perguntar, estávamos "apenas" a 50 metros da superfície. Depois, "apenas" 100, 150. E aí você começa a achar que seu instrutor é um sádico.

O estranho, porém, era que aquela vontade de desistir que

OUTRAS PARADAS

▌ Na primeira neve que pegamos na viagem, percebi que não estava preparado para um frio assim (pensando em não levar muita roupa, acabei levando só malhas leves). Assim, nessa noite, quando começou a nevar, eu estava literalmente congelando...

toma conta da gente num *bungy* normal aqui estava ausente. Talvez eu estivesse anestesiado pela paisagem. Até que chega uma hora em que você não está nem ligando. Só sei que, quando meu instrutor começou a contagem regressiva, eu já estava tão loucão que não pensei duas vezes: saltei da cadeira e... voei!

Esse é o verbo: voar... Ao contrário dos outros *bungys*, nos quais você sente uma força vertical te puxando, a gravidade ali parecia brincar com o meu corpo. A sensação era a de estar caindo para todos os lados... Até para cima! Era como se eu estivesse planando, e não mergulhando.

Mais do que no salto anterior, perdi o controle do que falava. Só me lembro que tinha vontade de repetir algo como: "Esta é a coisa mais legal que fiz na minha vida". Umas duzentas vezes. E foi mesmo. Foi disparado a aventura mais incrível que fiz para o *Fantástico*.

♣ Como um "mero" salto de 175 metros de altura pode te fazer pensar em outras coisas

E o melhor foi que isso aconteceu bem no final, a última aventura em Queenstown. Nos dias que passamos na cidade, não faltaram "desafios". Até um passeio num *speed boat* ao longo de uma corredeira - que parece algo que você deixaria sua tia de coração fraco fazer - exige uma coragem absurda. (Está duvidando? Então lembre-se de que a temperatura estava abaixo dos 5 graus, mais o

Aproveitando a vista do alto do teleférico de Queenstown

vento do barco e mais a água que espirrava: pronto, você tinha uma das atividades mais "perigosas" de toda a Nova Zelândia!) Mas nada, nada, pôde se comparar a esse salto.

Imediatamente, me senti um herói. É meio bobagem - uma sensação que passa rápido. Mas não tem como você não se sentir especial. O "barato" do salto estava não só em minha reação, mas também no olhar do Guilherme, que me recebeu no bote de resgate (de onde gravou tudo). Estava no comentário da garotada brasileira que fazia intercâmbio por lá e ficou muito amiga nossa (até mesmo assistente, na hora de mandar o material do cybercafé - Mariana, Helena, obrigado de novo!). Mas estava principalmente no filminho que eu passava sem parar na minha cabeça.

Nessa terceira semana, a realidade de passar tanto tempo longe de casa já começou a bater. A pilha de roupas para lavar já estava grande. O frio nos pegou de surpresa (minha mala tinha alguma roupa para temperaturas baixas, mas não tão baixas assim - e menos ainda para a neve). Os e-mails para a família e as pessoas queridas começavam a ficar mais longos. E a caminhada entre o hotel e o cybercafé já era feita com um pouco mais de resistência (e não por causa da temperatura de zero grau que fazia lá fora).

Mas o salto de 175 parece que compensava tudo. Não é que eu tenha feito algo que nunca pensei em fazer - como já disse em relação às aulas de surfe no Havaí. Eu não tinha noção de como seria, nem podia imaginar que sensação me traria, e que eu jamais vou poder esquecer.

Se eu faria de novo? Bem, vamos para a próxima escala?

OUTRAS PARADAS

▌ A turma de brasileiros que estavam fazendo intercâmbio em Queenstown (a Nova Zelândia, depois descobri, é um dos destinos favoritos dos estudantes "brazucas") nos ajudava a mandar as imagens pela internet, "pageando" nosso equipamento enquanto gravávamos matérias.

se eu voltasse a [QUEENSTOWN]

POR UM DIA...

... a primeira coisa que faria seria tomar o teleférico para matar saudades da vista do lago. Acho que é mesmo uma das paisagens mais lindas que vi no planeta. Depois, para sair do transe, vou direto dar um salto de *bungy* e ver se eu supero a minha marca de 175 metros de altitude. A essa altura talvez eu me lembre de que estou com fome e vá comer algo no Vudu Café - e aproveite para passear pelo centrinho. À tarde, pego um carro e vou até Arrowtown, que fica a menos de meia hora de Queenstown, fazer uma degustação de vinhos. E volto logo que anoitecer para experimentar algo que ainda não fiz: um *bungy jump* noturno do topo do teleférico.

uma *viagem* sem comprar um [SOUVENIR] não tem graça

Talvez porque eu tenha viajado para lá no inverno, a lembrança que tenho é de que a Nova Zelândia é o paraíso da lã. Os casacos são bonitos e, claro, bem quentinhos. Mas, como lembrança, é melhor trazer algo pequeno, como um chaveirinho com uma ovelha. Também tem um com um *kiwi* (o pássaro) de cabeça para baixo, pulando de *bungy jump*. Não sai nem por R$ 10 - e todo mundo que viu o que eu trouxe quis saber por que não comprei mais...

A FANTÁSTICA VOLTA AO MUNDO 63

Na corredeira perto de Queenstown, esperando para entrar no barco ultrarrápido, uma das atrações radicais (e bem molhadas) dessa parte da Nova Zelândia

Da Nova Zelândia para
Tasmânia

Finalmente nevava em **Queenstwon,** para a alegria de turistas e residentes, já preocupados com o atraso do inverno. Não que estivesse quente - estava gelado. Mas, sem neve, ninguém podia aproveitar outros esportes radicais. Esses, eu deixava para uma próxima vez, pois o que eu imaginava que seria **um paraíso intocado no fim do mundo me esperava na Tasmânia.** Pelo menos quanto ao fim do mundo, eu estava certo...

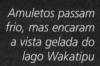

Amuletos passam frio, mas encaram a vista gelada do lago Wakatipu

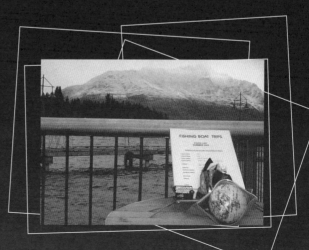

[Quarta ESCALA]

Só um pouco mais acordado do que o coala, cheguei cedo ao parque de bichos exóticos perto de Hobart

Capital: **Hobart**
Área: **90.758 km^2**
População: **478.400 habitantes**
Renda per capita: **US$ 18,2 mil**

TASMÂNIA

No worries!
Qualquer [TASMANIANO]
te faz um favor "sem problemas"

Um mês de viagem. E, para comemorar, uma das cenas mais desesperadoras até agora. Sydney. No limite de mandar os *offs* da matéria daquela semana (para os não iniciados, *off* é a narração da reportagem, o texto que vai ser coberto com as imagens que mandamos), estávamos em mais um cybercafé - na verdade, uma *lan house*, aquelas casas com jogos coletivos pela internet (dá para usar como um cybercafé normal, mas nós éramos ali a exceção).

OUTRAS PARADAS

▌A língua do país é o inglês. Em 1836, Charles Darwin passou por aqui, numa expedição que deu origem à teoria da evolução das espécies.

Bastante cansado do retorno da Tasmânia (já havíamos gravado todo o material), passei o dia escrevendo o texto e já eram mais de 11 da noite quando fomos gravar o áudio. Como o barulho da sala, com os videogames rolando, era terrível, tentamos nos esconder embaixo de uma escada. A interferência agora vinha da porta da rua, dos ônibus que passavam e dos nem tão eventuais bêbados que gritavam. Mas esse era o melhor lugar - apesar da luz fraquíssima, que mal me deixava ler o papel na minha frente.

Gravamos assim mesmo, nos sentindo as pessoas mais miseráveis de Sydney naquela noite. Estava até difícil lembrar do pequeno paraíso que visitamos nessa etapa: a Tasmânia. Aliás, como é difícil chegar a esse paraíso! Precisamos de quase 48 para sair de Queenstown e chegar a Hobart, capital e cidade principal da ilha.

Tentando resumir, ao sair da Nova Zelândia, nosso voo foi cancelado por problemas técnicos! Perdemos então quatro horas no aeroporto de Auckland esperando um novo avião. Já chegamos a Sydney meio "acabados"... Tanto que nem me animei a comer um bife de canguru na refeição que fizemos em seguida. Jantamos com uma australiana amiga minha, Linda, que conheci numa outra aventura para o *Fantástico*, a cobertura do Eco Challenge em Fiji (2002). Depois disso, dormimos direto, até porque nosso voo para a Tasmânia era cedo. Mas não é assim: um voo para a Tasmânia e pronto. Tivemos que passar antes por uma escala em Melbourne, no sul da Austrália. De lá, a conexão para Hobart demorou "só" mais quatro horas.

E tudo isso para chegar... a uma cidade do interior da

■ Futuro orgulho do futebol tasmaniano (quem sabe?), o Hobart United Soccer Club tem um treinador... brasileiro. Não que o time seja composto de "nativos". No calendário oficial de 2004, o escrete é composto basicamente de imigrantes africanos.

70 TASMÂNIA

Antes da Tasmânia, Sydney, com sua cenográfica Ópera

Inglaterra! Eu também (digo "também" porque imagino que essa seja a ideia que você tinha da Tasmânia) pensava que a cidade seria mais rústica, mais selvagem... Bem, é uma antiga cidade colonial inglesa - até meio sem personalidade. Bonita, mas ao mesmo tempo muito urbana, com um centrinho com praça de alimentação (sim, com cadeias de *fast-food*) e lojas de roupas.

Mas onde estaria aquela natureza selvagem? Ah, para isso você tem de dar uma viajada - literalmente! O problema era que, com tantas conexões (e já contando as da volta), a gente tinha muito pouco tempo para gravar o material. Assim, tivemos de optar por visitar parques que fossem próximos a Hobart.

Demos sorte: a menos de uma hora da cidade, encontramos um que parecia um albergue de cangurus. Aliás, de cangurus e

OUTRAS PARADAS

■ Ao contrário de outros bichos carniceiros, o demônio da Tasmânia chega a ser... bonitinho! Mas não se engane! Seus dentes são afiadíssimos e sua boca, que pode parecer pequena, chega a se abrir num ângulo de 120°. A força de sua mandíbula, segundo o instrutor que alimentava os animais no parque que visitamos, é vinte vezes maior que a dos humanos. E ele também não cheira muito bem...

Estava até difícil lembrar do pequeno paraíso que visitamos nessa etapa: a Tasmânia. Aliás, como é difícil chegar a esse paraíso! Precisamos de quase 48 para sair de Queenstown e chegar a Hobart, capital e cidade principal da ilha.

wallabies - que são aqueles menorzinhos, mas que, de perto, não parecem nada diferentes (peço perdão aos zoólogos). No momento em que chegamos, como que coreografados, eles começaram a se aproximar. Como era cedo e o parque ainda estava meio vazio, aquela aproximação maciça parecia um pouco sinistra.

Felizmente, eles logo se mostraram carinhosos. De perto, aquelas coisas fofinhas eram até meio... bem feias. Ou melhor, esquisitas. Experimente ficar olhando para um bicho desses sem se comover. Ele é totalmente desproporcional: um focinho comprido, um olho grande demais, um rabo que mais parece um contrapeso, patas dianteiras que lembram garras - e aquela bolsa! As coisas parecem que não se encaixam... Mas o que estou fazendo aqui, na verdade, é disfarçando o fato de que me apaixonei pelo bicho.

Tive de me esforçar para dar atenção às outras atrações: os coalas preguiçosíssimos, o *wombat* (outro marsupial na linha "fofinho", mas bem menor e diferente do canguru) e o temido demônio da Tasmânia!! Esse, aliás, eu parei para vê-lo devorar a carcaça de um coelho - estraçalhada em apenas alguns segundos. O bicho é carniceiro, como uma hiena (ou mesmo um urubu, se você preferir). Fedido e feio, mas capaz de me fazer ficar observando seu comportamento por uma boa meia hora (atenção: não confunda esse demônio com o tigre-da-tasmânia, que já foi extinto e, aliás, nem era tigre - tinha umas listras nas costas, mas estava mais para um coiote do que para um felino).

Com o dia curtinho, no entanto, tivemos de correr para tentar mandar algum material pela internet. O lugar onde era mais

OUTRAS PARADAS

■ Várias lojas de souvenirs na Austrália vendem trabalhos da riquíssima cultura aborígine - praticamente dizimada durante o processo de colonização inglesa. Para provar que as pinturas são autênticas (e que os aborígines não estão sendo explorados), as telas vêm com uma foto de seu autor segurando a obra.

A Fantástica Volta ao Mundo 73

provável achar um cybercafé era Salamanca Place, algumas quadras onde estão os melhores bares, alguns dos melhores restaurantes, as melhores galerias de arte - e, com um pouco de sorte, os melhores cybercafés. Como muitas vezes acontecia, demos sorte e encontramos o Mouse on Mars, de uns caras que abriram as portas - da banda larga - para a gente. Talvez emocionado com o nosso desespero, um dos donos do lugar, Johnathan, fez uma ligação direta no nosso computador e, pronto: lá estávamos, felizes, enviando o material a 200 Kbps (até então, um recorde para nós).

Com essa parte da operação garantida, partimos para explorar outros elementos típicos da Tasmânia. Como a culinária, por exemplo - não fosse o fato de lá não existir nada assim. E olha que fui atrás... Com uma forte presença inglesa desde o início de sua colonização, a ilha teve toda a sua cultura apagada.

Assim, é mais fácil encontrar tasmanianos que digam que o prato típico do lugar é uma boa carne assada com batatas - ou qualquer coisa preparada com frutos do mar - do que uma receita aborígine. (Aborígines são os nativos que habitavam a Tasmânia. Hoje, para se encontrar algum deles, é preciso ir ao continente australiano - e procurar.)

E como fiquei sabendo disso? Num jantar na casa de uma tasmaniana! Klim, nossa anfitriã, é casada com o Marcos, um

▌▌ Sydney está sempre cheia de atrações culturais. Consegui pegar a Bienal de artes plásticas num dia ensolarado. Mas ainda há sempre excelentes opções de concertos, companhias de teatro e dança. E qualquer banda de rock que se preze também passa pela cidade.

brasileiro que trabalha na Universidade da Tasmânia, coordenando cursos para outros brasileiros que queiram estudar por aqui. Marcos foi também nosso guia durante a visita à prisão de Port Arthur - um lugar de dar calafrios (e isso não é só uma "muleta" de linguagem).

♣ Só de pensar nos horrores vividos aqui...

A prisão é mesmo assustadora. E olha que visitei as ruínas de dia e com muito sol - apesar do frio. Só de pensar o que seria esse lugar há mais de cem anos... As celas, quase todas "solitárias", são os cubículos mais inóspitos que alguém pode imaginar. E as áreas comuns não são muito mais aconchegantes. Na capela, por exemplo, os presos eram obrigados a assistir à missa toda de pé, em cabines de 50 por 40 centímetros, com uma abertura voltada somente para o altar.

Chega a ser engraçado o fato de esse ser um lugar de turistas. Famílias inteiras viajam quase duas horas de Hobart até aqui (ainda que numa estrada muito agradável, é um pouco puxado), ônibus despejam grupos e mais grupos de estrangeiros para ver um cenário de horror? Turismo é mesmo uma coisa curiosa.

Mas, voltando ao Marcos, foi ele que organizou um encontro nosso com a

Réplica de ofício para sair de Port Arthur

OUTRAS PARADAS

■ O mais impressionante numa visita à prisão de Port Arthur, na Tasmânia, não são as ruínas em si, mas a sensação que se tem ao passear entre elas de que ali já foi um cenário de horrores. Andar pelas celas espremidas, pelos corredores frios ou visitar a capela onde os presos assistiam à missa em cubículos separados nos ajuda a entender por que aquele lugar merecia o apelido de "inferno na terra".

A Fantástica Volta ao Mundo 75

Chaves que imitam as das celas antigas

"numerosa" comunidade brasileira em Hobart - mais ou menos umas quinze pessoas. Já que não puderam oferecer a típica cozinha tasmaniana (simplesmente porque ela não existe!), o casal fez bonito e abriu uma garrafa de vinho espumante local. Eu e Guilherme nos sentimos "em casa". E com a volta ao mundo completando o primeiro mês, a gente bem que estava precisando disso.

Durou pouco, claro, essa alegria. No dia seguinte levantamos cedinho (naquele frio!) para voltar para Sydney - e viver aquela cena dramática que descrevi no início deste capítulo. E que, no entanto, não foi o único obstáculo que tivemos de enfrentar. Num dos momentos mais "trágicos" até então, nos vimos tendo que levar todo o nosso equipamento para nosso novo quarto: subir três andares de escadas bastante estreitas - e nem tente fazer a gracinha do tipo "vocês tentaram o elevador?", porque o hotel não tinha um!

Já comentei que nosso equipamento pesava aproximadamente 130 quilos? Agora imagine o que pesava enquanto subíamos essas escadas. E eram umas 8 da manhã. Some a tudo isso o episódio de gravação de *off* num cybercafé barulhento e você tem o retrato de um flagelo...

Talvez por isso o dia seguinte, nosso último na Austrália, tenha sido tão especial. Foi como se estivéssemos merecendo uma pausa. Resolvi caminhar do nosso hotel, que ficava numa região próxima

OS 3 LUGARES MAIS ASSUSTADORES POR ONDE PASSAMOS

- PRISÃO DE PORT ARTHUR, na Tasmânia
- AEROPORTO DE TASHKENT, no Uzbequistão
- ENTRONCAMENTO DE CAMINHÕES, Rajastão, Índia

de Darling Harbour, até a famosa marina onde a cidade guarda seu cartão-postal mais famoso, a Ópera de Sydney. Foi um passeio meio sem rumo, entrando em lojas para procurar uns CDs diferentes, passando por algumas galerias e, finalmente, acabando no Museu de Arte Contemporânea, que abrigava a maior parte de uma mostra que tinha acabado de abrir, a Bienal de Sydney.

♣ Matando saudades do Brasil em plena Bienal de Sydney

Nesse espaço tive duas boas surpresas: trabalhos de dois artistas brasileiros que, de alguma maneira, eu conheço. Primeiro, Monica Nador, antiga amiga de uns antigos amigos meus. Conheci a Monica (que tinha - não sei se ainda tem - o apelido de Conca) quando ela ainda fazia seus primeiros trabalhos, e depois sempre a acompanhei de longe. Hoje ela faz algo interessantíssimo: pinta padrões repetitivos em casas de gente simples, em Cuba, no México e no Brasil. Fiquei feliz de ver o Brasil representado aqui por ela. O outro artista é o Rubens Mano, fotógrafo com quem cruzei no tempo do meu primeiro emprego em um jornal (final dos anos 80).

OUTRAS PARADAS

❙❙ Você achava que era exagero? A foto ao lado dá uma ideia (mas só uma ideia) do que foi subir as escadarias do hotel com aqueles 130 quilos...

Encontros com bichos notáveis: os cangurus logo se animam a chegar perto de você

A Bienal, porém, acontecia espalhada pela cidade - e um outro lugar que eu deveria visitar era a Galeria de Arte de New South Wales, que, concluí, olhando o mapa, ficava perto do Jardim Botânico Real. Parti numa corrida rumo à galeria e, sem querer, acabei tendo uma das experiências mais zen da viagem. Já explico.

As coisas fechavam cedo - e com a Bienal não seria diferente: 17 horas era o limite. Só que eram 16h15 e eu estava perdido, andando pelo Jardim Botânico... Às 16h30 começou a dar um certo desespero, até que a paisagem por onde eu andava começou a "fazer efeito". Os jardins em que eu caminhava começaram a chamar minha atenção e percebi que estava andando em um lugar exuberante! Uma mistura esquisita de vegetação, uma certa desordem vegetal, quase uma sinfonia de folhas e tons de verde que, em apenas alguns minutos, me fez esquecer por completo minha ansiedade de terminar de ver a Bienal.

Perambulei sem destino pelo Jardim Botânico até que... Adivinha o que encontrei na minha frente? A Galeria de Arte de New South Wales!! A essa altura eu tinha só quinze minutos para visitar tudo. Mas era uma parte menor da mostra - e foi o tempo exato!

Onde está o zen da história? Bem, bem... A lição ficou comigo pelo resto da viagem. E nunca mais me senti tão "nas últimas" como naquela noite embaixo da escada do cybercafé de Sydney...

OUTRAS PARADAS

▍ Um lugar tão grande quanto a Austrália é também muito diverso geograficamente. Nossa opção de destino naquela semana era o deserto - uma paisagem tão diferente da Tasmânia que, talvez como o turista que visita várias partes do Brasil, estaríamos nos perguntando: será o mesmo país?

se eu voltasse à [TASMÂNIA]

POR UM DIA...

...pegaria um carro logo de manhã e iria na direção de Port Arthur, não para visitar a prisão, mas para ver novamente a região da península da Tasmânia, que é de tirar o fôlego. Torcendo, claro, para o dia estar ensolarado. Paro o carro longe da entrada principal (sigo uma placa na estrada que indica Port Arthur bem antes da "entrada oficial") e vou andando a pé pela costa, sem vontade de chegar à prisão. Almoço por lá, na estrada mesmo, e volto para passar o dia passeando por Hobart. Lá pelo fim da tarde já estou em Salamanca e visito as galerias antes que elas fechem, às 17 horas. Depois, é só aproveitar os barzinhos - por lá mesmo.

uma viagem sem comprar um [SOUVENIR] não tem graça

A maioria das coisas que a gente consegue comprar nas lojas de Hobart é perecível. Todas as comidas são deliciosas e naturais por lá, mas, a não ser que você vá consumi-las em menos de uma semana, a melhor lembrança é mesmo um bichinho de pelúcia de uma das estranhas criaturas da ilha. Os mais bem-humorados podem escolher um pequeno demônio da Tasmânia (cerca de R$ 15). Mas, para celebrar um bicho que já nem existe mais, o melhor é levar uma miniatura de um tigre-da-tasmânia (mais ou menos pelo mesmo preço do "demônio").

Passeio de domingo à tarde, no dia ensolarado, ao longo de Darling Harbour, Sydney

Da Tasmânia para Cingapura

Seria nossa última manhã gelada em muitas semanas. Com o sol baixo das primeiras horas, nos despedimos de Hobart gravando uma última cena no mercado aberto, tradição dos sábados na cidade. Tinha quase **certeza de que o público escolheria Bali como nossa próxima escala,** mas estávamos indo para **Cingapura.** No lugar da beleza dos templos, um frenesi urbano pela frente. Aliás, foi mais do que isso...

Amuletos guardados a uma distância segura da prisão de Port Arthur

[Quinta ESCALA]

Estátua símbolo de Cingapura, o Merlion, meio sereia e meio leão, fica na entrada do rio que dá nome à ilha

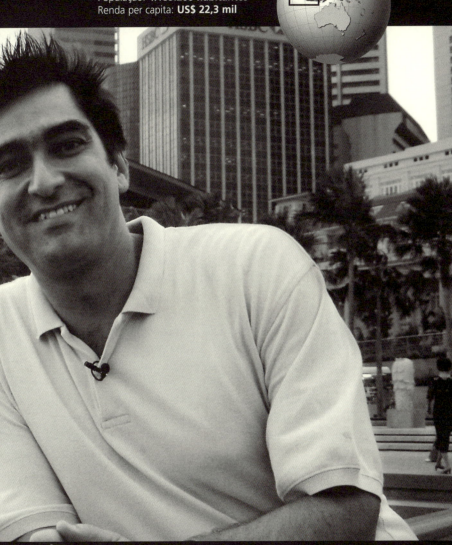

Capital: **Cingapura**
Área: **697,1 km^2**
População: **4.185.200 habitantes**
Renda per capita: **US$ 22,3 mil**

CINGAPURA

Kristang!
Uma variação de [PORTUGUÊS]
com charme cingapurense

A essa altura, entrando no segundo mês de viagem, já deveríamos estar acostumados a imprevistos, surpresas, mudanças de humor (para não falar nas climáticas). De fato, as experiências recentes de certa maneira nos prepararam para algumas reviravoltas. Mas não quando tudo acontece no espaço de um dia!

No trajeto de Sydney a Cingapura, em questão de horas, fomos da classe executiva de uma das mais conceituadas companhias aéreas do mundo (leia-se, tratamento vinte estrelas) à sarjeta, literalmente, esperando na calçada por uma vaguinha num hotel.

A saga começou assim: com apenas três horas de sono, acordamos cedo para ir ao aeroporto. A perspectiva era de oito

OUTRAS PARADAS

▌ Para quem gosta de altura, Cingapura é o destino. Só que os pontos mais altos da ilha não são exatamente formações naturais, mas os prédios construídos pelo homem. Se fosse depender da natureza, "Everest" deles é o pico Bukit Timah, com 165 metros - comprimento já superado por alguns arranha-céus da cidade...

horas dentro do avião. Cheguei até a achar que seria bom ter uma viagem longa, já que, no estado de cansaço que eu estava, até cadeira de classe econômica pareceria cama de sultão. E, de fato, eu já estava pegando no sono, antes mesmo de o avião levantar voo, quando o comandante anunciou que teríamos de sair da aeronave: ela não iria poder decolar por problemas técnicos. Seríamos todos transferidos para o próximo voo, dali a CINCO! horas...

Voltamos para a sala de embarque, onde o tempo passava tão depressa quanto a órbita de Plutão! Munidos de um cartão de milhagem que nos dava acesso a uma sala VIP (viajar pelo mundo dá pelo menos esse consolo imediato: você coleciona dezenas de milhares de milhas), ficamos matando um tempo ali. Menos mal. Mas existe um limite para você se empanturrar de queijo com bolacha de água e sal.

Raríssimo momento de "relax" na classe executiva que ganhamos "sem querer" a caminho de Cingapura

A peregrinação a cada quarto de hora até o balcão de check-in finalmente compensou. Quando foram distribuídos os cartões de embarque, recebemos uma excelente notícia: havíamos ganhado um *upgrade* para a classe executiva!! Guilherme e eu tivemos imediatamente um ataque de riso, mistura de alegria e cansaço. Entramos no segundo andar do Jumbo parecendo crianças. Mas você acha que a gente estava ligando? Eu sei, eu sei, essa viagem devia ser só "ralação", nada

---

Se o seu sonho é consumir, qualquer esquina e Cingapura é seu maior desejo realizado. Agora, se você quiser gastar mesmo, endereço é Orchard Road. Mesmo em época de "grande queima" de preços, como a semana em que nós chegamos, as lojas ali, representando as melhores grifes europeias e americanas, têm os preços nas alturas!

de luxo. Mas (preciso jurar?) não movi uma palha para conseguir esse *upgrade*. Foi cortesia espontânea da companhia aérea. Você recusaria?

Comemos bem, assistimos a filmes ótimos - e dormimos na horizontal! Quer dizer, na verdade dormi pouco, mas bem. O motivo de eu ter "esnobado" a confortável poltrona da classe executiva foi a variada programação de cinema. Começou com o que eu de cara tive a tentação de chamar de "o filme mais legal que você vai ver este ano". Essa produção genial chama-se *Casa de areia e névoa*.

Já estava bem curioso para vê-lo, pois, além das indicações que levou para o Oscar de 2004 (melhor ator, Ben Kingsley, e melhor atriz coadjuvante, Shohreh Aghdashloo), ele foi baseado num livro não menos genial, *House of Sand and Fog*, de Andre Dubus III (li em inglês; uma busca na internet me confirma que o livro infelizmente ainda não foi lançado no Brasil). E é uma história com aquele tema que me cativa recentemente (como o livro *Random Family*): como uma sucessão de eventos pode desencadear um desastre atrás do outro e levar à tragédia.

Fiquei muito abalado assistindo a esse filme nessa situação. Passei, sim, pelo constrangimento de chorar descontroladamente num ambiente pouco privado como uma cabine de avião. Há momentos em que a gente acha que o destino das pessoas é a tristeza. Ninguém tem controle sobre nada, a gente vive à mercê do acaso, que inevitavelmente leva à desgraça.

OUTRAS PARADAS

■ O nome mais fácil de você encontrar em Cingapura é o de Sir Thomas Stamford Raffles, o administrador inglês que deslanchou o desenvolvimento do país. Lá, quase tudo foi batizado em sua homenagem, inclusive o famoso hotel onde foi criado o drinque Singapore Sling. Quem aprecia o gim, sabe a receita de cor: 3 colheres de gim, 1 de xerez, 1 de Cointreau, 1/2 de suco de limão, 4 cubos de gelo picado, 4 colheres de club soda, casca de limão, 1 cereja escura.

Não houve outro jeito: com um guia na mão, saímos batendo de porta em porta, pedindo "humildemente" um quarto para dormir. Até que em Chinatown encontramos uma esperança: uma gerente chamada Sukhi disse que era provável que tivesse um quarto vago para aquela noite.

Oração na frente de um dos templos hindus em Cingapura

Parece um pouco pessimista? É um pouco pessimista! Ou pelo menos era logo depois que acabei de ver o filme. Como esses não eram os pensamentos mais desejáveis para quem está longe de casa (e com a perspectiva de ficar mais três meses nessa situação), procurei algo no cardápio de filmes que pudesse reverter esse estado de espírito.

E a salvação veio da Índia - Bollywood! Esse é o nome, descaradamente copiado de Hollywood, que a prolífera indústria cinematográfica indiana adotou. De fato, eles produzem mais filmes por ano do que os Estados Unidos. Mas isso pouco importava naquela hora. Eu precisava era de diversão. E foi exatamente isso que *Boys* me proporcionou.

OUTRAS PARADAS

■ Da calçada do templo budista chinês (ao lado), que fica a apenas alguns metros do templo hindu mostrado na foto acima, já é possível sentir o cheiro forte de incenso que vem lá de dentro, onde os fiéis queimam papéis com os pedidos e preces para a deusa da sabedoria.

Como uma boa produção "bollywoodiana", a trama tinha de tudo: romance, traições, viagens, números musicais - uma história pra lá de confusa e - adivinhe! - um final feliz. Peguei o filme quando ele já havia começado há uns dez minutos. Não estava entendendo muito bem: um grupo de garotos músicos, um deles apaixonado por uma menina. Os pais não querem o namoro (hummmm), eles fogem e se casam. E gravam um disco. E passam fome. E escrevem uma música considerada subversiva pelo governo. E vão presos. E são soltos. E tudo isso em meia hora...

Ainda acontece muito mais coisa - e muito rápido. Um deles morre, a menina descobre que, anos atrás, o marido saiu com uma prostituta, ela volta pra casa dos pais... E ainda tinha quarenta minutos de filme! E, costurando tudo isso, tudo - TUDO - o que você pode imaginar de cultura pop. Um vale-tudo delicioso que, de fato, reverteu meu estado de espírito - sem falar que me fez refletir um pouco sobre essa viagem: como é bom viver numa época em que toda a cultura é global, em que as referências são mundiais, étnicas e ao mesmo tempo de lugar algum.

Esses filmes de Bollywood são uma celebração da cultura pop universal - e foi mais ou menos isso que acabei encontrando pela viagem. É um prazer viver num mundo assim, e escapar dos clichês que sempre ouvimos: os tibetanos são assim, os neozelandeses são desse jeito, os havaianos são dóceis e amigáveis. Não aguentava mais ouvir esses lugares-comuns em tantas reportagens de turismo que li e a que assisti. E uma das minhas "missões pessoais" nesse projeto era justamente descobrir que esses clichês já não valem mais.

A ilha, ironicamente, não tem uma praia bonita. Sempre dispostos a superar os obstáculos, os cingapurenses elegeram uma ilhota vizinha, Sentosa, como "paraíso tropical" - e está dando certo. Agências de turismo vendem pacotes que te levam direto a esses *resorts* sem passar por Cingapura.

Acreditei que já estava no caminho. E comemorei. Não é por isso que o mundo fica menos interessante. Nem por isso a gente se sente menos parte dele. Pelo contrário! Que coisa boa é ser igual a todo mundo - ainda que seja na diferença!!

Adormeci por algumas horas e acordei em Cingapura ainda com esses pensamentos, quando a "dura realidade" de uma cidade "sem vagas" nos trouxe uma nova reviravolta. Tentei fechar alguma coisa pela internet antes de sair de Sydney, mas não consegui. Só mesmo no novo destino descobrimos que a ilha/cidade/estado/país não tinha um hotel decente (nem indecente) com vaga para dois jornalistas em missão de viajar pelo mundo para onde o público escolhesse.

Não houve outro jeito: com um guia na mão, saímos batendo de porta em porta, pedindo "humildemente" um quarto para dormir (lembrando sempre que estávamos com sete volumes, num peso total de 130 quilos). Até que em Chinatown (o bairro chinês de Cingapura) encontramos uma esperança: uma gerente chamada Sukhi disse que era provável que tivesse um quarto vago para aquela noite. Eram 19h. Se a gente esperasse um minutinho lá fora, talvez (TALVEZ) ela viesse com uma boa notícia. Bem, "lá fora" significava "no meio da rua com as bagagens" (como eu disse acima, "na sarjeta"!) e envolvidos por uma temperatura de 29 graus - repetindo, às 19h!!

Ah, e o "minutinho" dela acabou significando duas horas cheias. Mas não tínhamos opção. Pintou, é claro, um desespero - até uma irritação involuntária entre os membros da equipe (eu,

OUTRAS PARADAS

❙❙ O turismo é prioridade para o governo cingapurense. A ilha é repleta de hotéis e brochuras coloridas convidam os visitantes a explorar as atrações multiculturais de Cingapura.

Guilherme e, bem, só eu e o Guilherme mesmo). E quando tudo ameaçava piorar (a lembrança da classe executiva já evaporada na memória), Sukhi aparece e diz que tem um quarto pequeno, mas muito aconchegante. Poderia até ser o armário da tábua de passar roupa! Entramos exultantes. E o quarto acabou superando nossas expectativas: espaço relativo, ducha decente (não estávamos pedindo mais que isso) e, o maior presente: uma conexão de internet no quarto! Isso significava que não precisaríamos ficar horas em cybercafés!!

Seria até motivo de comemoração se não estivéssemos exaustos. "Despencamos" no quarto, sem fazer muitos planos para o dia seguinte. E rindo, de certa maneira, do motivo dessa "superlotação" surpreendente em Cingapura. Aliás, quando contaram pra gente, custamos a acreditar. A cidade estava cheia porque chegamos bem na época da maior liquidação da Ásia!

É preciso entender que Cingapura é sinônimo de compras. Na Orchard Road, avenida principal do comércio, é um megashopping atrás do outro. Todas as grifes internacionais que você pode imaginar estão ali representadas em espaços que fazem lembrar aquelas lojas enormes de material de construção. Só que, no lugar de louças para banheiro ou uma variedade de pisos de cerâmica, você encontra camisetas brancas por R$ 150, blusas de malha a partir de R$ 600 e bolsas por uma "pechincha": R$ 3.000!! E isso porque tudo está em liquidação!!

Existem também lojas mais populares, claro, onde os preços caem para uma fração desses valores. Os descontos vão de 30% a

AS 4 PIORES "ROUBADAS" EM HOTÉIS

▌ CINGAPURA, aonde chegamos na época da maior liquidação da Ásia, com os hotéis lotados
▌ MANILA, FILIPINAS, nossa reserva, feita pela internet, não havia sido confirmada e um tufão chegava à cidade
▌ EDIMBURGO, ESCÓCIA, um alarme de incêndio de madrugada, OK. Mas dois?
▌ SYDNEY, AUSTRÁLIA, tivemos de subir 130 quilos de bagagem pela escada até o 3º andar (não tinha elevador)

90%! É sério! Vem gente da Ásia inteira: Indonésia, Malásia, Coreia do Sul. Chegam grupos de turistas até da Austrália. E não é raro ver uma turma de burca, só com os olhos de fora, carregando sacolas com nomes que você está mais acostumado a associar à Avenue Montaigne, em Paris, do que a um calçadão em Cingapura.

Nesse frenesi de ofertas, quase ficamos na rua. Mas aproveitar os saldos era a última das nossas preocupações àquela altura. Até porque lojas como a gente via nos shoppings existem em qualquer lugar do mundo. Mais interessante saber que a gente tinha chegado também na semana em que Chinatown fazia uma festa para abrir a temporada do comércio noturno (Cingapura, não adianta, é isso!). Músicas exóticas, pratos de metal e um leão chinês (parecido com aquele dragão, composto por várias pessoas, uma na cabeça e outras ao longo do corpo) animavam a festa.

Num dos momentos mais curiosos, as pessoas que estavam em volta atiravam verduras e laranjas no "leão". Não sem um bom motivo. A pessoa que controla a máscara que representa a cabeça do bicho deve pegar essas laranjas, tirar os gomos e escrever com eles o ideograma (caractere chinês) que representa "prosperidade" - tudo no escuro e embaixo daquela fantasia, sofrendo com um calor dos mais úmidos que já experimentei!

Feito isso, o "leão" saía pelas ruas de Chinatown, de loja em loja, onde recebia mais frutas - e, se o lojista fosse um pouco mais generoso (ou supersticioso?), também alguns trocados. Entre incensos queimando, cheiros novos de comidas diferentes e um

OUTRAS PARADAS

■ Vi uma cena curiosa num templo hindu, em Little India: um homem dava banho repetidamente de água, sabão e perfume num altar com divindades hindus. Era proibido fotografar - só consegui te uma imagem do lado de fora, ao lado deste Ganesh

Detalhe de um templo hindu de Cingapura, onde estátuas coloridas de divindades enfeitam a fachada

colorido em que predominava o vermelho, tivemos uma das noites mais divertidas até então.

Mas isso ainda estava por acontecer. Antes, no nosso segundo dia na ilha, fomos fazer um *walking tour* - um roteiro a pé, com uma guia, para ilustrar um dos aspectos da cidade. Cingapura é tão diversificada culturalmente que você pode escolher que parte da sua história você quer conhecer no meio de um cardápio de mais de dez roteiros.

Escolhemos o que focaliza a herança árabe no território - e foi fascinante. Da religião muçulmana ao comércio, conhecemos em poucos minutos esse lado de Cingapura - não sem algumas descobertas inusitadas. Como a "escova de dentes do deserto" (um nome, claro, inventado pela nossa guia). Trata-se de um pedaço de pau, como um graveto, que as pessoas que viajavam pelo deserto usavam (e, segundo a guia, algumas usam até hoje) para a higiene bucal. Adivinha se eu não experimentei...

O resultado? Bastante razoável - apesar de eu não poder dizer que tenha sido confortável. Fiquei pensando que prejuízos o uso repetido do tal graveto poderia causar na minha gengiva. Está certo que, nessa viagem, a vaidade é uma coisa que a gente não trouxe na mala. Com espaço limitado (para você ter uma ideia, levei uma muda de roupas para dez dias - sete camisetas, três camisas, três calças e um short!), qualquer volume extra era considerado um luxo. Mas daí a abrir mão da dupla "escova & pasta" de dentes já era um pouco demais...

OUTRAS PARADAS

▌Outra superstição: na abertura da temporada do mercado noturno em Chinatown, Cingapura, o bonequeiro vestido de leão deve escrever no escuro, sob a fantasia, o ideograma de "prosperidade" com gomos de laranja atirados para ele.

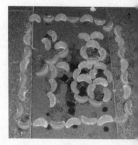

♣ Fomos tão longe para conhecer uma língua tão próxima do português

Essa cultura árabe era apenas uma das várias que, como já sugeri, ajudaram a transformar Cingapura na força econômica que ela é hoje. Só de andar nas ruas você pode perceber influências chinesas, indianas, indonésias, filipinas - até mesmo muita coisa ocidental, cuja fonte são obviamente os Estados Unidos. Mas o traço mais surpreendente que encontramos aqui talvez tenha sido o de uma cultura que nos permitiu escrever esta frase: *"Fantastiicu kaminyu na tudu terra di mundu"*. Isso é *kristang*. Isso também: *"Medico falah misteh tomah mizinia kuatu oras imbes"*. A primeira frase é fácil de entender... Conseguiu? Quer uma ajuda? Tudo bem, a tradução é "A Fantástica Volta ao Mundo". A segunda frase é mais complicada. Quer dizer: "O médico falou que o remédio deve ser tomado a cada quatro horas". Essa frase surreal está no *Eurasian Heritage Dictionary*, das senhoras Valerie Scully e Catherine Zuzarte.

Mas o que é *kristang* mesmo? É um dialeto de uma comunidade de eurasianos - as pessoas de "sangue misturado", como se diz por aqui, meio europeu, meio asiático. Se alguém aqui é de família malásia, cingapurense etc., mas tem antepassados europeus, pronto, é eurasiano. Em Cingapura, as principais "famílias" são de origem holandesa, inglesa e portuguesa - como a dona Valerie, ou melhor, sra. Scully, como ela prefere ser chamada.

❙❙ Brevíssimo dicionário de *kristang*
água - *agu*
bocejo - *boka di sonu*
casamento - *kazamintu*
coração - *kurasang*
difícil - *trabalu*
elefante - *alfanti*
escuro - *skuru*
gordo - *godru*
lábio - *besu*
magro - *margu*
ovo - *obu*
risada - *kakada*
sede - *sikura*
tentação - *tentahsang*
trabalho - *sibrisu*
vermelho - *bremelu*

Seus avós tinham o sobrenome Rodrigues e vieram de Malaca, uma cidade na Malásia que foi antiga colônia portuguesa. Da mistura do nosso português com o malaio surgiu o *kristang* - língua hoje praticamente esquecida (a sra. Scully se entristece ao falar que a língua vai "morrer"). Mas não em Cingapura. Como a ilha já fez parte da Malásia, algumas famílias de Malaca vieram pra cá - até que um dia um repórter que está viajando pelo mundo... Bem, você sabe o resto.

É muito estranho. É, claro, parecidíssimo com o português - mais no som do que na grafia. Nosso primeiro contato com o dialeto foi na casa da sra. Scully, que comanda um grupo de meninas de Cingapura que dançam e cantam músicas tradicionais de Malaca - e de Portugal. Ela preparou um pequeno espetáculo para nós na varanda de sua casa (e não pude deixar de sentir um pouco de pena daquelas garotas vestidas para dançar um "vira" naquele calor que já ultrapassava os 40 graus).

Depois ela ainda nos levaria a um jantar onde a cozinheira falava o *kristang* "castiço" - e fez um jantar "sabroso" (sem o "o" depois do "b" mesmo). No fim da noite, eu já nem estava achando frases como "*Abo podi bibeh ungua sentu anu*" ("Vovô pode viver até cem anos") muito estranhas. E, na despedida, eu mesmo já soltava a expressão *"bong fortuna"* com a maior desenvoltura...

Fizemos tantas coisas em pouquíssimos dias aqui - talvez porque, como o computador estava plugado no quarto, trabalhando, tivemos mais tempo livre. Mas, ainda no espírito da

OUTRAS PARADAS

■ Visualmente o *durian* lembra a nossa jaca, mas é mais saboroso. Sério! O problema é que para satisfazer o paladar, você tem que vencer a barreira do olfato, pois a fruta é fedida mesmo.

Nova Zelândia, eu achava que estava faltando alguma coisa radical. Foi então que resolvi experimentar o *durian*...

♣ Como eu sobrevivi à maldição da fruta mais fedida do mundo (diz a lenda): o *durian*

Desde que chegamos, todo mundo - TODO MUNDO - perguntava se eu já havia experimentado o *durian*. Esse é o nome de uma fruta que os locais adoram, ou, colocando melhor, com a qual eles têm uma relação de amor e ódio. Considerado um "néctar dos deuses", o *durian* tem só um probleminha: fede como o cão! As histórias eram tão absurdas (você fica uma semana cheirando à fruta; ao comer uma delas, ninguém senta perto de você; tem lugar que é proibido até carregar a fruta!!) que fiquei desconfiado, achei que era uma "lenda urbana".

Até que, na entrada de uma estação de metrô, uma placa que estipulava multas de mil dólares cingapurenses para quem entrasse fumando (Cingapura é famosa pela rigidez nas leis e nas penas - e também pela limpeza das ruas, diga-se) também trazia outro alerta: proibido o consumo de *durian*!! Não tinha nem o valor da multa. Era simplesmente proibido e pronto (será que a pena era de prisão?). E fiquei pensando se a fruta era tão ruim assim.

Cartaz na porta do metrô proíbe o durian

OS 4 "JET LEGS" MAIS RADICAIS QUE ENFRENTAMOS

▌De Sydney (Austrália) a Cingapura, 14 horas de viagem e 3 TRÊS HORAS MENOS de fuso horário

▌De Honolulu para Queenstown (NZ), 9 horas de viagem e 23 HORAS MAIS de fuso horário

▌De Tashkent (Uzbequistão) para Kiev (Ucrânia), 24 horas de viagem e DUAS HORAS MENOS de fuso horário

▌De Nairóbi (Quênia) a Bilbao (Espanha), 17 horas de viagem e UMA HORA MENOS de fuso horário

Pensei bem. Pensei muito bem. E criei coragem para ir ao mercado. Eram poucos os que estavam ali a desfrutar o tal "néctar", mas um cara que comia com a melhor cara do mundo me ofereceu pra tirar um naco da fruta dele. Cheguei perto e, de fato, o cheiro era insuportável, meio podre, meio azedo, meio de carniça... Não é brincadeira!!! Mesmo assim, era tarde demais pra desistir: tirei um pedaço bem pequeno - do tamanho da ponta de uma caneta esferográfica, só para, digamos, um experimento científico e... Você acredita se eu disser que estava uma delícia??? Não a ponto de eu me entusiasmar e comer uma fruta inteira - o medo da "maldição do fedor de uma semana" ainda era muito presente. Mas deu pra entender por que algumas pessoas arriscam a humilhação pública para comer um *durian*.

Esse foi um dos sabores finais dessa nossa escala - e olha que o paladar aqui quase enlouqueceu. Comidas de todos os tipos, de todas as culturas: vietnamita, tailandesa, chinesa - e até indiana. Já começávamos a nos acostumar com os sabores que iriam nos conquistar dali a algumas semanas. Aliás, foi num outro canto da cidade, Little India (Pequena Índia), que encontrei uma preciosidade: um DVD daquele filme a que assisti na classe executiva do avião de Sydney pra Cingapura, aquele mesmo *Boys* - aquela celebração de cultura pop enlouquecida!

Ficamos quase embriagados com tanta

Foi numa loja de CDs e DVDs em Little India que encontrei o filme de Bollywood que eu tinha visto no avião... e eles tinham! Viva Boys!

se eu voltasse a [CINGAPURA]

POR UM DIA...

...para começar, teria que ser nessa quinzena de megaliquidações! Para matar a vontade que eu tive de aproveitar várias ofertas e que não pude satisfazer porque não tinha espaço para levar nada... Orchard Road, me aguarde! Almoçaria em Little India, para poder fuçar nas lojas de CDs durante a tarde. No fim do dia iria passear no canal até a parte colonial da cidade. Antes de tomar um Singapore Sling, o drinque que foi inventado ali, tiraria umas fotos no Merlion, uma fonte com a figura de um bicho que é meio leão e meio peixe, que é a marca registrada de Cingapura. E à noite eu iria para Chinatown me perder naquelas lojinhas de bugigangas - para não falar nas barraquinhas de comida...

uma viagem sem comprar um
[SOUVENIR]
não tem graça

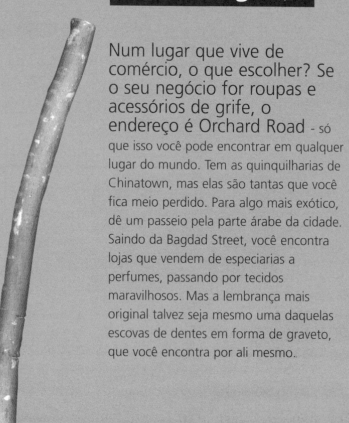

Num lugar que vive de comércio, o que escolher? Se o seu negócio for roupas e acessórios de grife, o endereço é Orchard Road - só que isso você pode encontrar em qualquer lugar do mundo. Tem as quinquilharias de Chinatown, mas elas são tantas que você fica meio perdido. Para algo mais exótico, dê um passeio pela parte árabe da cidade. Saindo da Bagdad Street, você encontra lojas que vendem de especiarias a perfumes, passando por tecidos maravilhosos. Mas a lembrança mais original talvez seja mesmo uma daquelas escovas de dentes em forma de graveto, que você encontra por ali mesmo.

diversidade - e mais a simpatia de praticamente todas as pessoas que encontramos por aqui. (Não posso deixar de citar a atenção de um casal sensacional que tivemos a sorte de conhecer, o André e a Simone; nem a descontração de dois garotões que estão lá por dois anos, o Dudu e o Danilo; ou ainda a gentileza do inacreditável Zoroastro, que organizou uma feijoada - em Cingapura, imagine - para nós justo quando a gente já estava começando a ficar com saudades.)

Juntando tudo isso, a montanha-russa de emoções e sensações que experimentamos por aqui, saí de Cingapura com uma certeza (talvez um pouco atrasada, mas enfim, uma certeza): a de que a viagem finalmente começou!

Passeio pela baía de Cingapura

De Cingapura para o **Camboja**

Saindo do hotel, nosso guia dos últimos dois dias, oferecido pela Secretaria de Turismo de Cingapura, perguntou casualmente se tínhamos um orçamento para gorjetas. Respondi, com a mesma sutileza, que não tínhamos. Foi um adeus ríspido de uma cidade dura - ainda que fascinante. A pespectiva de retornar às **maravilhas de Angkor, no Camboja,** me enchia de animação. E, dessa vez, não foi em vão.

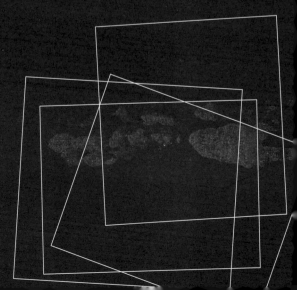

Em Cingapura, os amuletos visitaram o Merlion e a estátua de Sir Raffles. E onde está a foto? Bem... Tenho que confessar que minha "perícia" me fez apagá-la do memory stick da câmera. Mas foi a única vez, garanto! A aventura dos amuletos continua...

[Sexta ESCALA]

Prédio principal de Angkor Wat, o mais importante templo das ruínas que visitamos em Siam Reap

Capital: **Phnom Penh**
Área: **181.040 km^2**
População: **17.124.764 habitantes**
Renda per capita: **US$ 1,7 mil**

CAMBOJA

Angkor! Angkor!

Só o nome desses templos [CAMBOJANOS] *já impõe* respeito

São 9 horas da noite em Siam Reap. Estou na garupa de uma moto, com um computador debaixo do braço, tentando desmentir o cambojano que me falou que não existia internet de alta velocidade por aqui. Como assim?? Como vou mandar a matéria esta semana? Tem de ter uma - pelo menos uma - internet poderosa em Siam Reap, em nome de todo o império *khmer*!!

Esse era o pensamento que cruzava minha mente na primeira noite no Camboja. Até minha respiração e meu batimento cardíaco voltarem ao normal (o que só aconteceu quando encontrei um estabelecimento que anunciava *"the fastest internet access in*

OUTRAS PARADAS

▍ Descrever os horrores que Pol Pot impôs ao Camboja é lembrar um dos episódios mais trágicos da história. Calcula-se que ele foi responsável pela morte de 2 milhões de pessoas (quase um quarto da população do país durante seu governo). Um mapa do Camboja feito com 300 caveiras de vítimas do ditador (desmontado em 2002) era um monumento essa época de horror. Deposto, ele continuou a aterrorizar várias regiões com seu Khmer Vermelho até sua morte, em 1998.

town" - o acesso mais rápido à internet da cidade), fiquei tentando me lembrar da última vez que estive aqui, se eu tinha o registro de algum lugar assim em uma das ruas desordenadas desta cidade construída em volta de uma ruína preciosa, um patrimônio histórico da humanidade (oficial!).

Mas, como eu dizia, estava em cima da moto, dei aquela "saída de mim mesmo" (igual àqueles recursos narrativos em "filmes-cabeça" que a gente vê quando está na faculdade e frequenta uma espécie de culto chamado "cineclube") e vibrei! Vibrei de pensar que eu estava muito perto de reviver uma experiência fortíssima: voltar a Angkor.

A essa altura nem havíamos visitado os templos propriamente. Esse era mais um daqueles dias de "trânsito". De Cingapura, passamos antes por Bangcoc, na Tailândia, para dormir uma noite e pegar a conexão até Siam Reap (Bangcoc, dessa vez eu tive certeza, é um dos meus lugares favoritos no mundo; mas, como revisitei melhor a cidade no retorno do Camboja, vou deixar minha declaração de amor pela capital tailandesa para mais tarde). Quando cheguei lá, perdi o dia procurando hotéis, fazendo contatos e, bem, procurando uma internet!

Mesmo num dia apertado assim, não resisti e convenci o Guilherme (sem nem precisar de muito esforço) a dar uma fugida até Angkor Wat, o principal templo do complexo que iríamos visitar nos próximos dias. Ainda não tínhamos os passes que nos dariam acesso ao complexo arqueológico, mas o motoqueiro que nos levou ensinou o truque: depois das 17h30, a entrada é

OS 5 MEIOS DE TRANSPORTE MAIS BIZARROS QUE USAMOS

- A BICICLETA COM MOTORISTA em Siam Reap, Camboja
- O "TUK TUK" de Bangcoc
- O CESTO que derrapava ladeira abaixo em Funchal, Madeira
- QUALQUER TÁXI em Bucareste
- O FUSCA QUE ALUGAMOS em Oaxaca, México

Pausa para meditação no templo de Preah Khan

liberada. Ainda é possível aproveitar mais ou menos uma hora de luz. E foi isso que fizemos.

O sol estava se pondo, batendo direto na construção - uma ruína gigantesca e, considerando-se que ficou abandonada na selva por uns quinhentos anos, até que bem conservada. A água do lago que circunda Angkor Wat (assim como a maioria dos templos) estava alta por causa das chuvas. E o espelho natural refletia uma visão que já seria estupenda se não fosse duplicada. Foi sentar e admirar (lembrando que, em minha primeira visita, cheguei a vir a este templo de madrugada com uns amigos simplesmente para aproveitar a chance de ver esta preciosidade sem turistas por perto - e banhada por uma lua generosa).

Voltando à cidade, encontramos o Sam. Ou melhor, foi um

OUTRAS PARADAS

▌Tesouro dos "arqueólogos do pop", este CD lançado em 2004 traz uma coleção de raridades perdidas num arquivo americano: sucessos populares do Camboja do final dos anos 60 e início dos 70. Muitas faixas não têm nem nome (ou, às vezes, o cantor é desconhecido), mas a coletânea é uma preciosidade da "moderna cultura *khmer*.

São 9 horas da noite em Siam Reap. Estou na garupa de uma moto, com um computador debaixo do braço, tentando desmentir o cambojano que me falou que não existia internet de alta velocidade por aqui. Como assim? Como vou mandar a matéria esta semana?

reencontro. Sam é seu nome - um lorde inglês que nasceu ali apenas por acaso, e isso ficou claro quando ele trabalhou como meu guia no ano passado. Ele não é de Siam Reap, nem de Phnom Penh, mas de uma vila no norte do país - "no meio do mato", como ele gosta de dizer. Até os catorze anos, Sam trabalhava com o pai, a mãe e os dois irmãos nos campos de arroz - que predominam na paisagem cambojana. Para tentar a sorte como guia turístico, ele se esforçou para aprimorar seu inglês (ainda está na faculdade, que deve concluir em dois anos). Só não foi preciso aprender nada no que se refere à elegância. Magro, não muito alto, com uma cara larga e tímida - e uma voz vibrante e plácida -, Sam é de uma delicadeza comovente. Ouvir suas histórias sobre uma infância assombrada pela ameaça do Khmer Vermelho (o regime do ditador Pol Pot, que espalhou o terror durante anos pelo Camboja) é mais que comovente. Sua narrativa, é fácil perceber, é selecionada, como se Sam quisesse nos poupar das piores partes - como o que eles comiam quando ficavam dias escondidos num buraco no chão. Mesmo assim, ele é um ímã involuntário de atenção - um amigo que fiz no ano passado e que sei que vou ter sempre que voltar por lá.

Foi, aliás, com essa elegância toda que Sam nos comunicou que teríamos de pagar uma taxa para poder gravar em Angkor para uma tevê profissional. Turistas e cinegrafistas amadores só pagam a entrada (R$ 60 por dia, por cabeça, um pouco salgada). Mas nós teríamos de negociar. E deixamos isso para o dia seguinte.

Assim, já que estávamos no Camboja, descobrimos a melhor

OUTRAS PARADAS

▌ No nosso primeiro dia de exploração das ruínas de Angkor, tiramos esta foto, na visita a uma escultura de Buda, com nosso guia (e meu amigo da minha última viagem por lá), o cambojano Sam.

maneira de acordar respeitando as tradições: logo cedo, um banho *khmer* nos esperava nas acomodações do nosso albergue. Nossos aposentos aqui recebem essa designação, mas é um pouquinho melhor do que isso. No esquema em que estamos viajando, não dá pra ficar em albergues como esses em que a gente se hospeda quando não tem um tostão e mesmo assim resolve viajar pelo mundo. Esses são geralmente um amontoado de camas (quando não beliches) no mesmo quarto, onde todo mundo tem a chave, o banheiro é meio longe e a privacidade só existe em alguns dicionários bilíngues esquecidos nas mochilas dos viajantes.

Por que não podemos encarar um albergue desses? Ora, já esqueceu os 130 quilos de equipamento? Da fragilidade de alguns deles - pra não falar da segurança que temos de garantir, já que o material é profissional e custa muito caro? Não seria possível trabalhar (quanto mais relaxar). Assim, escolhemos sempre hotéis que estejam entre duas e três estrelas, compatíveis com o orçamento da viagem e com nossas necessidades, digamos, "técnicas". A faixa não muda, mas, em alguns lugares, é possível conseguir uma hospedagem melhor por um preço menor.

Com o que pagamos por um quarto bastante apertado em Sydney, ficamos aqui em um chalé, com varanda e jardim. Piscina também! Paraíso? Bem, vamos retomar o banho *khmer* (lembrando que *khmer* é não só a língua do Camboja, como também toda a herança cultural do passado desse povo). Espaço

▌ O complexo de Angkor tem quatro entradas principais, uma em cada ponto cardeal. Em cada uma delas, o portão é enfeitado com duas fileiras de esculturas: de um lado deuses, do outro, demônios. Na foto ao lado, estou bem no meio deles (portão sul), entre o bem e o mal.

não é problema nessa nossa acomodação. Mas o banho é para aventureiros: um vaso enorme de barro, com água fresca (trocada todos os dias) e uma cuia. Parece estranho, mas, com o calor sem trégua lá fora, o método *khmer* de se banhar parece bastante razoável. Existe também no banheiro um chuveirinho elétrico bem meia-boca, mas você acha que eu ia trocar isso pela experiência do banho *khmer*? Eu queria mais era uma cuia para me refrescar.

♣ Mistérios de uma civilização que desapareceu sem deixar pistas há mais de quinhentos anos

Bem, para falar de aspectos mais culturais da civilização *khmer*, visitamos a montanha sagrada de Kulen, onde tudo começou. Século 9 (nove mesmo!), coisa recente. Todas as ruínas que foram (re)descobertas na região de Siam Reap ficaram por séculos esquecidas no meio da floresta. Ninguém entende direito como um povo riquíssimo e cultíssimo simplesmente desapareceu. Se o início foi no século 9, o apogeu foi no século 12 - e, até o final do 14, já estava quase tudo terminado. Sem serem habitados, os templos e as construções foram sendo dominados, literalmente, pela natureza, escondidos do resto do mundo. Até que, no século 19, exploradores franceses se depararam com essas maravilhas. Mesmo assim, os tesouros permaneceram por décadas uma espécie de "segredo bem guardado". Poucos eram os turistas que se aventuravam por lá. Hoje, porém, os grupos de orientais apressados que entram e saem correndo pelos portões de cada

OUTRAS PARADAS

■ Siam Reap é uma cidade agradável de se andar a pé. Mas, se você preferir, centenas de *tuk tuks* (numa versão estilizada da charrete motorizada), ou mesmo a garupa de uma moto, podem ser alugados por um dólar (cerca de R$ 3) para qualquer canto da cidade. Se você pagar o dobro (fortuna!), um motoqueiro mais corajoso é até capaz de te levar para visitar Angkor no silêncio da madrugada.

Pose de oração no terraço dos elefantes, em Angkor

templo (não sem antes tirar algumas fotos) são uma visão comum.

A serenidade definitivamente foi embora (a não ser que você faça uma visita clandestina às 2 da manhã). Mas os turistas fazem a festa - e mal param para pensar se estão incomodando, ou ainda, perturbando a beleza de Angkor. (Questões como esta, sobre as vantagens e desvantagens do turismo de massa, começavam a povoar cada vez com mais frequência meus pensamentos. A tentação de condenar essa exploração é grande, mas, como viajante, se tomasse essa posição, eu estaria assumindo uma contradição. Como seria possível conciliar as duas coisas, a vontade que as pessoas têm de conhecer o mundo - e registrar sua presença neles em incontáveis cliques de máquina fotográfica, ainda que seja numa reprodução apenas digital desse sonzinho - e o desejo de que esses focos de visitação permaneçam "imaculados"?) Nós, como uma equipe de tevê, tentávamos

▐▌ Para tentar encarar o calor de final de tarde, o melhor é um abacaxi geladinho, descascado nessa forma de espiral, geralmente vendido nas portas dos templos (no caso, o de Preah Khan).

respeitar ao máximo os lugares por onde passávamos.

Para conhecer os destinos desse dia, não precisamos pagar nada extra. Fomos à parte mais antiga das ruínas, numa viagem de carro por estradas de terra e vilas que, segundo Sam, eram réplicas daquela onde ele viveu na infância - barracas erguidas por palafitas sobre terra firme, que sempre corre o risco de alagar na estação das chuvas. O modo de vida nesses vilarejos é o mesmo há anos, me contou nosso guia. "Não é uma vida muito feliz", parece que seu olhar ficou querendo completar.

Quando chegamos às ruínas, as belezas começaram a se revelar. Um rio cheio de esculturas em forma de falo (o órgão sexual masculino) tinha antigamente o poder de transformar a água que ali corria numa das mais férteis de todo o reino (hoje seu principal feito é encantar quem passa por aqui e admira esse leito repleto de pequenos cilindros de pedra já desgastados pelo tempo).

Mesmo os monumentos mais recentes, como um impressionante Buda deitado no alto de uma pedra, são bonitos. Mas nada do que tínhamos visto até então nos preparou para o deslumbramento do dia seguinte.

Negociado o pagamento da tal taxa ("meros" U$ 500, ou cerca de R$ 1.500), estávamos liberados para gravar no complexo de Angkor. Vou lembrar mais uma vez que eu já tinha passado por essa experiência no ano anterior, nas minhas férias. Mas agora tenho o Guilherme, repórter cinematográfico experiente e meu companheiro nesta viagem, para confirmar que o que tínhamos diante de nós não era um delírio. Os templos de Angkor não

OUTRAS PARADAS

▍ Que surpresa encontrar dois personagens favoritos do *Muppet Show* num café em Siam Reap! Para mim, os velhinhos rabugentos representam eu e meu melhor amigo.

Pose "clássica" embaixo da raiz de uma das árvores que invadiu a arquitetura do templo de Ta Prohm

"cabem" no olhar humano. Muito menos nas lentes de uma câmera de vídeo. Pobre então da câmera de fotos digitais (presente da amiga Eugenia, que não poderia imaginar que ainda não foi inventado um aparelho capaz de registrar fielmente o que tínhamos diante de nós).

Não que as imagens que fizemos - e que foram ao ar - não fossem espetaculares. Claro que são. Mas serão fiéis ao que aquilo representa? Não sei. Tinha a sensação de que era impossível capturar a beleza e a grandiosidade desse lugar com apenas um olhar.

Um exemplo é Bayon, para pegar um dos mais famosos e mais visitados templos do complexo de Angkor. Suas torres de pedra, cada uma com quatro faces de um Buda sorridente olhando para os pontos cardeais, são a coisa mais próxima de um jogo de espelhos - sem usar sequer um reflexo de vidro. Todos os rostos com a mesma serenidade, sem sequer esbarrar na monotonia. Você se fixa em um e imediatamente sua atenção é roubada por outro. É como se alguém estivesse jogando fliperama com seus olhos. São inúmeras possibilidades de você ficar cara a cara com o Buda, e, não importa quanto tempo você fique passeando nessas torres, a sensação é a de que ficou faltando ver alguma parte delas.

Ou as piscinas de Neak Poan. Mesmo vazias, elas evocam tanta calma e tranquilidade que é impossível não aceitar o convite à reflexão. Esse templo é um pouco afastado, e a longa entrada, no meio da floresta, é pontuada por uma pequena banda de cambojanos mutilados por minas e outras atrocidades do período

OUTRAS PARADAS

■ Você pode voar até Siam Reap direto de Bangcoc (Tailândia) em menos de 40 minutos. Mas a maneira mais bonita de chegar à cidade que abriga as ruínas de Angkor é pelo lago Tonle Sap (tão largo, que você tem a sensação de estar em mar aberto). É uma viagem de sete horas desde a capital do Camboja, Phnom Penh, mas nenhum minuto dessa travessia é aborrecido.

do Khmer Vermelho que toca a música mais evocativa para um lugar desses, com instrumentos que, não fosse uma flauta de madeira, nosso olhar ocidental teria dificuldade em reconhecer. No templo, cinco espaços abertos te levam à introspecção (e como ele é mais distante, os ônibus de turistas nem deságuam aqui). Antigos espelhos d'água cultuam os quatro elementos com quatro altares em pedra: o do ar com um cavalo; o da água com um elefante; o do fogo com um leão; e o da terra com o homem.

Cavalo de pedra no meio do lago maior de Neak Poan

Nas pequenas vilas ao longo das estradas que saem de Siam Reap, vê-se como os cambojanos vivem há séculos: casas simples erguidas acima do solo, com redes na parte de baixo para o descanso dos familiares durante o dia; e na parte de trás, claro, o campo de arroz, a base da sobrevivência das famílias.

120 Camboja

E mais a piscina central, com uma ilha de esculturas aonde antigamente só se chegava de bote. E as árvores que praticamente engoliram o templo de Ta Prohm? Raízes enormes se misturam à construção exuberante e fazem um cenário surreal. O que é mais bonito nesse local: a marca do homem ou a da natureza? Será que isso "coube" na nossa câmera? Ainda preocupados com isso, chegamos a Angkor Wat, o templo principal. E todas essas perguntas se calaram. Resolvemos simplesmente nos render ao que estava diante de nós: paredes forradas de relevos em pedras, jardins de palmeiras, as três torres quase barrocas (que estampam a bandeira do Camboja), as escadas que nos conduzem até elas, os corredores cheios de sombras, os monges budistas (garotos adolescentes que passeiam por lá como se fossem figuração contratada) que recortam o cinza das pedras com sua roupa laranja-forte. Me lembro de conversar com um deles, que disse que se chamava Daran - e que disse ainda que seu nome significava "estrela". A tentação de não sair nunca mais de lá só foi quebrada pela voz de Sam, que insistia para que a gente fosse descansar.

O dia seguinte traria alguns momentos ainda mais emocionantes na visita à cidade flutuante nas margens do lago Tonle Sap. Lago? Brincadeira... Esse lago é tão grande que está mais para um oceano! Duvida? Então experimente encontrar as suas bordas... E, no meio dessa imensidão, crianças que parecem que nasceram e cresceram na água. Bem, elas nasceram e cresceram na água - que nem parecia muito limpa. Mas, mesmo descontando o olhar benevolente (e anestesiado) de turista

OUTRAS PARADAS

▌ Na frente do grande templo de Angkor, eu e Guilherme paramos para conversar com monges. Vários circulam pelas ruínas e estão sempre dispostos a puxar um papo.

ocidental, elas pareciam extremamente felizes de brincar ali.

Essas experiências estavam ficando fortes demais. E, repito ainda mais uma vez, essa era a minha segunda vez ali, em menos de um ano. A perspectiva de passar um dia sentado em um cybercafé mandando imagens para o Brasil pareceu até equilibradora. E teria sido mesmo, se eu tivesse ficado fazendo só isso. Mas nunca é do jeito que gente planeja, não é? Eu cometi um pequeno deslize. Grave? Julgue você!

Primeiro você precisa entender que eu e o Guilherme entramos no cybercafé (o mais rápido da cidade) às 7 da manhã. Depois você precisa ponderar que existem pelo menos 763 coisas mais legais para se fazer em Siam Reap. Aí, você precisa lembrar que, entre essas 763 coisas, tem uma que se chama Angkor, um dos monumentos mais lindos do mundo - e que a gente nunca sabe quando poderá visitar de novo (Camboja!! Do outro lado do mundo!!). Pensou em tudo isso? Então eu acho que você vai me dar razão.

Dei uma fugida da rotina e fui me despedir de Angkor!! Na verdade, saí pra comer - tinha combinado um "rodízio" com o Guilherme: ele sairia por duas horas e eu, depois, por mais duas, para não deixar os computadores sozinhos. Era a minha vez de comer, mas passou um motoqueiro (como duzentos que

Guilherme dá uma relaxada no "confortável" cybercafé de Siam Reap

---

É praticamente impossível você visitar os templos de Angkor e não ser importunado pelos vendedores de souvenirs. De estátuas fajutas a cartões-postais ("só um dólar, mister!"), eles querem empurrar de tudo. Resista. Logo aparece outro turista e o vendedor (geralmente uma criança) vai atrás dele - e você pode prosseguir em paz com a sua visita...

passam todo dia por você na rua com essa proposta) e perguntou: *"Sir, want go Angkor Wat, sir?"* (a reprodução é apenas aproximada do inglês que eles usam para abordar o turista; imagine que a frase é dita sem articular o maxilar - esse é o som que se ouvia ali o dia inteiro). A gente nunca deu bola pra esses convites - estávamos trabalhando, lembra, sem tempo pra passear!! Mas me deu um estalo! Perguntei quanto era. Ele disse: *"ten dollar!"*. Ficou por cinco. E lá fui eu bem contente gastar minhas duas horas de almoço.

Só que, claro, 120 minutos pra passear no complexo todo (que levamos dois dias pra cobrir para a TV) não são nada... Foi aí que eu pensei em fazer um roteiro *"express"*. Passamos por Angor Wat e Bayon (de moto), pelo terraço dos elefantes (caminhando), pelo palácio real... até que uma placa me chamou a atenção: Preah Khan. Me lembrei que visitei esse templo da última vez que estive aqui. Não fomos dessa vez porque... Bem, cem templos! Você teria que escolher apenas alguns se quisesse fechar a reportagem para aquele domingo. Mas me lembrei que tinha gostado de Preah Khan. Se minha memória não me traía, era uma espécie de harém. Falei pro motoqueiro (Mr. Lee): "Toca pra Preah Kahn". Minha memória estava quase certa - pelo menos no quesito beleza. Apesar de bastante destruído, o templo tem esculturas lindíssimas. Mas, quanto ao harém, era na verdade um lugar dedicado às festas e às artes - especialmente à dança.

Várias *apsaras* (dançarinas, em *khmer*, segundo os guias) estão esculpidas na parede - e é inevitável notar um clima alegre entre

OUTRAS PARADAS

▐ No passeio pela cidade flutuante, na entrada de Siam Reap, descemos para visitar uma das casas - na verdade, um barco que serve como tudo: moradia, refeitório e até mercearia!

se eu voltasse a
[Siam Reap]

POR UM DIA...

... **tentaria repetir o roteiro *express* que fiz na minha escapada durante meu último dia por lá.** Com algumas extensões... Alugaria uma moto por toda a jornada e iria direto para o Terraço dos Elefantes passear onde o imperador se dirigia aos seus súditos. De lá correria até Preah Kahn, para alimentar o espírito com a beleza das bailarinas esculpidas em pedra. Num trajeto pouco usual, sairia de lá para Neak Poan, dedicando uma hora pelo menos à contemplação de suas piscinas. A fome seria tapeada com abacaxis inteiros, vendidos pelas estradas. À tarde, quando as hordas de turistas já estivessem de volta aos hotéis, iria me perder um pouco no labirinto de budas de Bayou e, de lá, procuraria um monge budista com quem pudesse falar em Angkor Wat. Daria adeus à paisagem nas ruínas de Phnom Bakheng, a melhor visão do pôr do sol.

uma *viagem* sem comprar um [SOUVENIR]
não tem graça

Se depender do que você escuta nas ruas, parece que toda a economia de Siam Reap gira em torno de um dólar. *"One dollar, sir, one dollar"*: não importa o que aquelas crianças estejam oferecendo - cartões-postais, pulseiras, amuletos, flores, tudo custa a mesma coisa... Elas são umas graças e um dólar (R$ 3) não parece muito dinheiro para você fazê-las feliz. Mas resista à tentação de comprar alguma coisa desses vendedores que ficam em volta dos templos. Deixe para ajudar uma criança das vilas mais pobres ao longo das estradas de terra. Foi lá que comprei (por um dólar, claro) a miniatura de uma armadilha bem rudimentar de pesca. É muito simples, uma pequena escultura de palha, mas foi uma das coisas mais especiais que eu trouxe na mala...

tantos destroços. Um garoto que perambulava por lá se ofereceu para me mostrar uma estátua da deusa de pedra, e, como não me lembrava de ter visto isso da última vez, aceitei. Fomos entrando em corredores e câmeras escuras (preciso acrescentar abafadas?) até que vi a escultura - e aproveitei pra fazer umas orações (sei lá pra quem, mas sei "por quem": pelas pessoas queridas que eu tenho!!).

Até que olhei no relógio. E olhei para o céu. A combinação tempo e clima me fizeram sair correndo - estava no fim das minhas duas horas e cheguei a pegar chuva (na moto) no caminho de volta. No relógio foi mesmo muito depressa. Mas na lembrança foi infinito, a melhor coisa que poderia ter acontecido pra eu sair feliz do Camboja.

Quando voltei para o cybercafé, as notícias não eram muito boas. Nada a ver com a velocidade da transmissão (que, apesar de estar variando entre 70 e 150 Kbps, se mantinha camarada). Mas é que percebemos que queríamos mandar muito mais material do que o tempo que tínhamos nos permitia. Foi o efeito Angkor. Queríamos dividir tudo o que vimos com quem fosse assistir ao programa naquele domingo. Mas não ia dar. Começou então a parte mais sofrida: selecionar alguma coisa pra cair fora.

Acabamos mandando muita coisa, sim. E, pensando melhor, mesmo se mandássemos tudo, não seria suficiente. Partiríamos do Camboja no dia seguinte. E eu, pela segunda vez, indo embora de um lugar que, nem se eu tivesse mil olhos, teria sido capaz de registrar.

Sala especial, onde era venerada a "pequena deusa"

Do Camboja para as Filipinas

Não me despedi direito do Sam, nosso companheiro. Ele não deixou espaço para emoção. **"Good bye"**, disse, seco. Como um bom cambojano, meu amigo não sabe expressar o que sente. Um pouco temeroso do que enfrentaríamos em **Manila, deixei Siam Reap meio desconsolado.** Apenas a lembrança de que passaria ainda dois dias em **Bangcoc** (atrás do visto filipino) me ajudava a equilibrar a emoção.

Amuletos fazem reverência ao magnífico Angkor Wat

[SÉTIMA ESCALA]

Impossível andar pelas ruas de Manila sem cruzar com um jeepknee, o transporte coletivo

Capital: **Manila**
Área: **300.000 km²**
População: **82.841.568 habitantes**
Renda per capita: **US$ 3,5 mil**

FILIPINAS

Balot!
Uma iguaria para [FILIPINOS]
e turistas "corajosos"

Ainda bem que existe Bangcoc! Quando recebi a notícia de que o público havia escolhido as Filipinas como nosso próximo destino, dei uma travada. Relendo minhas anotações, vi que registrei surpresa total. Manila era o menos favorito. Apesar de toda a minha curiosidade de visitar um país que eu ainda não conhecia, achei que Katmandu, no Nepal, com todas aquelas maravilhas, seduziria o público facilmente. Mas, como a gente já aprendeu com toda a nossa experiência de usar uma pergunta interativa no *Fantástico*, não dá para prever.

Enquanto eu me recuperava da surpresa de ter de me dirigir a Manila (ficava só tentando me lembrar onde tinha lido que alguma

OUTRAS PARADAS

▌ *As Filipinas são formadas por um arquipélago de sete mil ilhas. A população está espalhada por cerca de setecentas delas - ou seja, quase todas essas ilhas são inabitadas. Se somarmos superfície de todas elas, vamos ter uma área só ur pouco maior que a do Ric Grande do Sul.*

organização internacional declarou as Filipinas um dos lugares mais vulneráveis a calamidades de todo tipo - tufões, terremotos e outras temeridades afins), lembrei que antes de ir para lá passaríamos mais alguns dias em Bangcoc. E as coisas começaram a melhorar.

Minha referência não era exatamente a confusa experiência que tivemos com os transportes na capital tailandesa. Nesse episódio, descobrimos como é simples se perder em Bangcoc. Facílimo: é só pegar um táxi! E rezar para ele te levar aonde você quer ir. Isso aconteceu na escala que fizemos entre Cingapura e Siam Reap (Camboja). Paramos lá não só porque não havia voo direto entre os dois destinos, mas também porque precisávamos passar na embaixada cambojana em Bangcoc para pegar nosso visto de entrada no país. Essa, aliás, foi a parte fácil da escala.

Chegamos à embaixada, onde fomos, aliás, muito bem tratados pelas autoridades. Mas pra chegar lá... Quem disse que o nosso motorista acertava? Aliás, quem disse que ele falava alguma língua além do tailandês? Aliás, quem disse que ele lia alguma coisa em alfabeto que não fosse o dele (só para a informação, eu também não tenho ideia de que som têm as letras do alfabeto tai! Infelizmente, pois elas são tão lindas!)? Enfim, foram noventa minutos no táxi, no já famoso trânsito estagnado de Bangcoc, até chegar à embaixada do Camboja. A comunicação entre nós dois - se é que a gente pode chamar aquilo de comunicação! - era caótica. Mas isso também acontecia entre os próprios motoristas tailandeses.

OS 5 LUGARES MAIS QUENTES POR ONDE PASSAMOS

- MANILA, Filipinas
- CINGAPURA
- BANGCOC, Tailândia
- NOVA DÉLHI, Índia
- ATENAS, Grécia

Para descobrir onde ficava o endereço que eu havia anotado em um papel, ele foi pedindo informações a vários *tuk tuks* - e quem disse que eles sabiam. Ah, o que é *tuk tuk*? Bem, essa instituição do transporte oriental (você pode encontrar variações dela em vários lugares, da Índia ao Vietnã) é uma moto (ou uma bicicleta, ou apenas um cara a pé) que conduz um banquinho com lugar para dois passageiros (mas que não é difícil ver algum levando cinco, seis e até mais pessoas!). Pense numa charrete, só que mais feia, mais suja, mais apertada, mais desagradável e, importante, com uma capacidade muito maior que a de qualquer burrico de elevar a poluição, sonora ou atmosférica!

São milhares deles pelas ruas de Bangcoc. Nem por isso, como a gente estava percebendo, eles se entendem. Ou não estão a fim de ajudar um pobre motorista de táxi procurando a embaixada do Camboja. Na tarde desse mesmo dia, com o visto garantido, peguei outro táxi! Dessa vez, perguntei antes se ele sabia aonde a gente ia (uma área chamada Sukhumvit, cheia de lugares pra comer e barracas no meio da rua). Sentindo que a comunicação ia ser novamente impossível, caí fora. Peguei um *tuk tuk*, já que eles pareciam ser um pouco mais orientados.

Bem, tenho novidades: o *tuk tuk* que eu peguei manchou feio essa reputação!! Demos uma volta absurda para chegar aonde eu queria - e o passeio, que começou divertido, foi ficando, digamos, tenso. Isso estava estampado na minha cara e na do Guilherme. Demos uma circulada por shoppings completíssimos (e lotados). E, para não arruinar nosso dia na cidade (era o primeiro do meu

OUTRAS PARADAS

■ E se você tiver um dia apenas em Bangcoc, a caminho das Filipinas, anote o roteiro rápido: pegue o *skytrain* (metrô elevado) até a estação de Taksin. De lá, vá de barco pelo rio Chao Phraya até o Grande Palácio para visitar o Buda de esmeralda. Volte de *skytrain* até a estação de Asok, passear por Sukhumvit. Encare mais um trem e vá até Sala Daeng, para explorar a noite no bairro de Silom.

Apesar de toda a minha curiosidade de visitar um país que eu ainda não conhecia, achei que Katmandu, no Nepal, com todas aquelas maravilhas, seduziria o público facilmente.

colega, não queria causar uma impressão ruim), voltamos no superpoderoso, superlimpo, supereficiente Sky Train, uma linha ultrarrápida de trem urbano que corta a cidade por cima das avenidas, e que reduziu nosso trajeto, dos quarenta minutos de *tuk tuk*, para meros sete minutos.

Se fosse minha primeira experiência por lá, quem sabe isso me deixaria um pouco assustado. Ou irritado. Mas em 2003 eu já havia passado pela cidade como turista e já tinha aprendido a gostar de lá. Quer dizer, eu já tinha aprendido a me apaixonar por Bangcoc. Assim como em Angkor eu desejava ter mil olhos, esse é o lugar onde eu gostaria de ter mil narizes! Para um país que nem estava no nosso roteiro oficial, peço licença aqui para uma breve declaração de amor a uma cidade.

Não conheço outro lugar onde você pode ter um banquete olfativo que salta do cheiro de fritura para o de jasmim, depois de fumaça, em seguida goiaba, suor, perfume de grife falsificado, peixe, sabão em pó, lichia, fruta podre, sabonete barato, água parada, manga, cachorro molhado, jasmim de novo e mais uns dois ou três aromas que seu nariz tem trabalho pra reconhecer – e tudo no mesmo quarteirão!

Depois, há a mistura incomparável de tradição e modernidade. Você pode passar a manhã no templo do Buda de esmeralda, a tarde numa rua movimentada de camelôs e a noite num restaurante tão sofisticado e moderno que lhe dá o direito de achar que está em Londres. Você pode passar a noite num albergue, num hotel-muquifo numa avenida agitada com vista

OUTRAS PARADAS

|| A moeda nas Filipinas é o peso – geralmente identificado com países que foram colônias espanholas. Quando passamos por lá, em julho de 2004, um real comprava 20 pesos filipinos – e um refrigerante nas ruas de Manila.

para o Skytrain ou no luxo do Sukhothai, onde flores frescas decoram todas as noites o lençol da sua cama.

Ainda tem as pessoas na rua, gente, gente, gente, não importa a que horas. Quando se está viajando - e principalmente numa viagem de trabalho como essa -, a prudência mandaria a gente descansar. Mas o mercado noturno aqui de Silom (um dos bairros mais frenéticos de Bangcoc, onde ficamos hospedados) estava bombando, a menos de uma quadra do nosso hotel. Tive de sair. O chamado era mais forte que eu. Fui enfrentar todos aqueles cheiros. Comer alguns sabores inusitados. Ver as cenas mais estranhas - dos "vendedores" de shows de sexo na rua às barracas com cópias fidedignas de bolsas das marcas mais caras de Paris por apenas uma fração do preço das verdadeiras. Uma paisagem noturna impossível de ser coreografada.

E de manhã então? Mais cheiros, mais sons - a essa hora vindos dos surreais cantores cegos que andam pela cidade com uma caixa de som e um microfone, soltando a voz (quase sempre desafinada numa base musical distorcida) e pedindo esmola. Uma espécie de karaokê ambulante que eu só vi aqui. Passear pelos estreitíssimos caminhos desenhados pelas barracas de camelô que revezam a vaga

Mapa para andar na confusa Manila

com os que passaram a noite no mesmo ponto tentando vender suas mercadorias. Olhar na cara das pessoas, turistas do mundo todo, que estão também sob hipnose nesse espetáculo cotidiano. E imaginar que a sua cara também deve carregar a mesma expressão...

Acho que agora já dá para eu me recompor e retomar o roteiro da Volta ao Mundo. (Se bem que, destino registrado ou não, Bangcoc acabou também fazendo parte da viagem. Como separar? Em outros momentos, fizemos escalas recorrentes em Bangcoc, de modo que, no total, passamos mais dias ali do que nos próprios destinos escolhidos pela audiência: Atenas, Londres. E que lugares são esses senão partes importantes da nossa jornada?)

♣ Que tal chegar ao "paraíso" dos acidentes naturais?

E o roteiro oficial nos mandava ir para as Filipinas! E que recepção tivemos por lá! Já mencionei que me lembrava de ter lido em algum lugar que esse país era um dos lugares mais vulneráveis do mundo, mas não sabia a fonte da informação. Fui pesquisar. Está no guia *Lonely Planet*: em 2000, um centro de pesquisas da Bélgica declarou as Filipinas como o lugar na Terra mais provável para a ocorrência de acidentes naturais. As evidências? Tufões, terremotos, erupções vulcânicas, enchentes, deslizamentos de depósitos de lixo.

Mas pra que a gente precisa de um guia pra nos contar isso quando a própria natureza já deixa claro que, se você vier pra cá, é

OUTRAS PARADAS

■ A recomendação é unânime: se você é turista, não pegue táxi nas ruas. O preço é sempre incerto, e ainda há a questão da segurança... Prefira carros com motoristas contratados na recepção dos hotéis. Há ainda o *jeepknee*, o transporte urbano onde você vai sentado de frente para o outro passageiro, joelho com joelho (daí o nome em inglês). Mas essa opção é só para os amantes do "esporte radical"...

melhor vir preparado. Mesmo! Para começar, a aterrissagem em Manila foi, digamos, a mais turbulenta até então. O céu estava fechado, tudo bem. Mas a violência dos ventos reforçava a mensagem de que estávamos entrando em território arriscado. Uma banda animada nos aguardava no desembarque, mas nem isso nos fez esquecer a iminência do dilúvio. Foi o tempo de chegar à recepção do hotel e o céu começar a desabar.

Foi quando a gente descobriu que a reserva que eu havia feito pela internet no dia anterior não estava batendo com os registros do hotel. Quer notícia melhor que essa quando lá fora o vento e a chuva estão arrancando folhas de palmeiras e jogando algumas pessoas no chão? Nossa cara deveria ser de puro desespero, pois o recepcionista, ainda que com uma certa relutância, acabou nos indicando outro hotel. Como era uma emergência, ficamos em um que, bem, estava um pouco acima do nosso orçamento. Mas era uma emergência! O mundo despencando lá fora e você, cheio de malas, sem lugar onde ficar? Ah, eu pagaria até uma suíte presidencial!!

Instalados no quarto, exaustos e sem poder sair (por conta das intempéries!), ligamos a tevê. O país estava em festa! Chegamos no dia da posse da sra. Arroyo, reeleita para comandar o país!! Todos os noticiários só falavam nisso. E no tufão que devastava o norte da ilha onde fica Manila. Nesse quadro geral nada animador, ainda faltava a fome.

Esse hotel que finalmente conseguimos ficava um pouco distante do centro. Quer dizer, do que nós imaginávamos que seria

---

❚❚ Segundo um site da ONU (www.unpan.org), esses são os cinco piores desastres naturais que já assolaram as Filipinas: 1. terremoto, 1976 (6.000 mortos); 2. tufão, 1991 (5.956 mortos); 3. terremoto, 1990 (2.412 mortos); 4. tufão, 1970 (1.551 mortos); 5. vulcão, 1906 (1.500 mortos).

o centro. Do alto do nosso apartamento, de onde se avistava a baía, ficava difícil saber como era a cidade. Mas ali ao lado, era possível ver, havia um centro comercial, que lembrava aqueles de beira de autopista nos Estados Unidos - lembrança que se provou bastante enganosa depois que chegamos ao local.

Saindo do casulo cultural que é o Camboja, caímos num resíduo de civilização ocidental com todas as distorções que uma sociedade de consumo é capaz de trazer a um país que não está preparado para abraçá-la. Largos corredores com lojas tristes salpicadas. Nas vitrines, nada de muito atraente. Os cybercafés, nossa principal preocupação (sempre!), não pareciam confiáveis. E nem vou começar a descrever a praça de alimentação. Não foi isso que viemos ver aqui, eu sei. Mas o primeiro dia em Manila terminou num clima de desânimo.

♣ Surpresas da cidade antiga (inclusive batucada brasileira!)

Tudo, claro, é uma questão de dormir bem. No dia seguinte, partimos para explorar a parte antiga da cidade, chamada de Intramuros. No meio do caos que é essa capital, essa relíquia colonial é uma surpresa. Igrejas (estávamos no país com a maior população católica - e fervorosa! - da Ásia) e casas de mais de quatrocentos anos ajudam a escapar da confusão que é a cidade lá fora. Com a luz do sol, Intramuros parecia vibrante. Mas no dia seguinte ainda iríamos encontrar uma vibração ainda maior - à noite!

OUTRAS PARADAS

‖ Como a maior nação católica da Ásia, as Filipinas têm importância vital para a Igreja Católica. O papa João Paulo II fez duas visitas ao país, em 1981 e em 1995, quando, como os próprios filipinos se orgulham de contar, reuniu aproximadamente 4 milhões de pessoas numa missa.

Três momentos de absoluto terror na degustação do balot, o tal ovo de pato fecundado - você encararia?

O André, marido da Simone, que conhecemos em Cingapura, deu a dica: existe uma banda de música brasileira em Manila. Qual seria sua reação ao saber disso? Procurar imediatamente esses músicos, claro! André me passou o e-mail da Eileen - e pronto: já tínhamos um show de bossa-nova programado num café em Intramuros!

Quem duvidar da coleção gastronômica de sapatos de Imelda Marcos pode visitá-la! Não os famosos 3 mil pares (que já viraram lenda urbana), mas "apenas" 1.500 modelos que pertenciam à viúva do antigo (e corrupto) presidente filipino. Eles estão expostos num museu que fica em Marikina City, um distrito de Manila, conhecido por ser uma região de manufatura de calçados.

Eileen acabou sendo uma ótima companhia. O nome da sua banda é Guaraná - só com percussionistas filipinos! E os vocais ficam por conta dela, num português que, para quem aprendeu só ouvindo os discos de bossa-nova que o pai colecionava, não é de todo mau. Ela já visitou o Brasil três vezes (claro que já saiu em escola de samba também!). Por conta desse currículo, coloca todo mundo pra dançar em aulas para grupos pequenos. É samba no pé dos filipinos!

Foi um dia intenso, em vários sentidos. E o show de batuque não seria nem o toque final.

Foi nesse dia que comi a coisa mais estranha de toda a viagem. Agora já posso falar: nada superou o *balot*! Para os não iniciados (meu caso), a iguaria me foi apresentada de maneira mais crua: ovo de pato fecundado. Não sei bem como chamar isso. A pronúncia é algo como "balúth". Tentando descrever: é um ovo cozido, de pato; só que a gema, bem, não é mais gema, é um embrião; entendo pouquíssimo do desenvolvimento dos bichos antes de eles nascerem (aliás, entendo pouco também do desenvolvimento depois de eles nascerem...), mas acho que o que é cozido ali no *balot* já é um feto.

Quer conferir? Penas? Tem. Ossinhos? Tem. Bico? Tem. Pescoço? Tem. TEM TUDO! E fica lá, enroladinho. E não seria exagero contar que a sensação é a de que o bicho está te olhando...

Quem me levou para comer isso foi uma mulher chamada Batsy, casada com um cara que conheci em Bangcoc, o Bon (Bonifácio!). Como boa parte dos filipinos, ele trabalha fora de seu país e manda dinheiro para a família. (Em Cingapura, por exemplo, praticamente

OUTRAS PARADAS

▋ Nossa Leila ("Leilíssima", como depois eu descobri que ela foi apelidada em Atenas, durante as Olimpíadas), quem diria, é venerada aqui nas Filipinas. É o sonho de casamento de qualquer solteiro no país. Seu rosto, meio oriental, poderia bem ser de uma beldade filipina. Junte isso com a adoração que os nativos têm pelo vôlei e você tem uma musa pronta!

todas as diaristas que trabalham em casas de família de classe média e alta são filipinas). Bon passa meses longe de casa - mas fala com a família (eles têm um filho de cinco anos) diariamente. Ou melhor, tecla diariamente. Batsy me contou que os filipinos se orgulham de ser o povo que mais manda mensagem por celular no mundo! O que ela me contou, claro, teclando para alguém. (É incrível como eles fazem isso: mantêm uma conversa normal enquanto o olhar se divide entre a tela do celular e você.)

Naquele momento, ela perguntava aos amigos aonde poderia me levar para comer o tal *balot*. Ao mesmo tempo que é considerado uma iguaria, o ovo é também um prato popular. Contradição? Nem tanto. Já ouviu alguém defender a delícia de uma "buchada de bode"? Ou um artigo em uma revista de gastronomia estrangeira elogiando esse prato? É mais ou menos a mesma coisa com o *balot*. A informação que chega é que é mais fácil encontrar um sendo vendido no meio da rua, no começo da noite, pois as pessoas compram pra levar para casa. Nós, porém, tínhamos de gravar com a luz do dia. Assim, Batsy descobriu um restaurante, num shopping na área mais sofisticada da cidade (Macate, que está dentro do que eles chamam de Grande Manila), que servia o ovo durante o dia.

Despedida da semana complicada em Manila, no aeroporto Ninoy Aquino

Com pinta de moderno, o restaurante inspirava confiança. Havia cinco variedades de *balot* no cardápio. Escolhi a que era preparada com alho - precisa explicar? Era a minha esperança de que o gosto se perdesse quando eu colocasse aquilo na minha boca. Não deu muito certo. Quando a "delícia" foi servida, eu já nem estava mais preocupado com o gosto. O problema era o visual! Você vê o patinho! E para comer?

Eu comecei a suar nas mãos, algo que nunca acontece comigo. Como o garfo tremia, eu nem conseguia disfarçar meu desequilíbrio emocional enquanto decidia o que fazer com a comida que estava diante de mim. Enquanto isso, Batsy já estava no segundo ovo (a porção era generosa, vinha com três!) - e com uma cara ótima. Mordi metade. E achei que fosse vomitar. É meio grosseiro colocar assim, mas não tem como dizer isso de maneira mais bonita. A vontade era mesmo de colocar tudo para fora. Até que lembrei que a câmera estava ligada...

Controlei a náusea não sei como. O pior não era mesmo o gosto, mas a consistência do que eu mastigava. Você sente tudo rolando no céu da boca, as peninhas, os ossinhos... E, enquanto eu registrava tudo isso, dois ovos (e meio!) ainda me aguardavam no prato! Batsy, vendo meu nervosismo, se ofereceu pra comer um dos meus *balots*. Aceitei na mesma hora! Aliás, ofereci os dois - que ela, por sua vez, aceitou feliz. Restava então a outra metade do que eu tinha experimentado. Mas não deu. Não deu. Mal deu para engolir o que eu tinha colocado na boca... O resto ficou ali mesmo. Sem dó.

OUTRAS PARADAS

▌ Ouvir o "pilipino" (com "p" mesmo, como eles mesmos se chamam) falar sua língua é experimentar uma curiosa mistura de sons. O nome do idioma é *tagalo*, a princípio incompreensível para nós, brasileiros. Mas, de repente, no meio de uma frase, você consegue "pescar" uma palavra em espanhol - resquício dos tempos coloniais. Sem falar em expressões em inglês, que também são jogadas durante uma conversação

Balot, samba filipino e sexo na internet! Que dia! Ah, eu não contei ainda sobre o sexo na internet? Esse foi talvez o maior susto que levamos até então. Uma situação constrangedora e ao mesmo tempo tão corriqueira que, quando nos deparamos com ela, nem eu nem o Guilherme sabíamos como reagir.

Encontrar um cybercafé em Manila, como eu já sugeri, não foi simples. O garimpo nos levou até uma rua agitada no centro. Daquele tipo de agitação que começa quando o sol cai e as luzes de néon se acendem. Dezenas de clubes (e outros estabelecimentos que, quando ainda nem tinha idade para passar sequer na porta de um deles, eu chamava de "inferninho") se enfileiravam nessa área que também esconde um cybercafé de alta velocidade! E que ficava aberto até 3 da manhã!

Logo descobrimos que o principal motivo disso não era ajudar jornalistas que estão viajando pelo mundo a mandar imagens para o Brasil, mas promover contatos virtuais bem íntimos entre garotas filipinas e seus "admiradores" - também virtuais. O espetáculo começa tarde, depois da 1 da manhã. De repente, o lugar é povoado por meninas (duvido que a maioria delas tivesse mais de dezoito anos; aliás, se elas dissessem que tinham dezesseis, eu já ficaria desconfiado). Elas teclam lentamente, porém com grande animação. Mesmo sem olhar as telas dos computadores que elas usavam, dava para imaginar que estavam conversando com seus "namorados" (senhores bem mais velhos, com uma cara bem ocidental, andando de mãos dadas com garotinhas, são uma visão comum - e triste - pelas ruas de Manila).

▋ Um suco de manga salgado (outra experiência exótica para o paladar em Manila) é decorado com sapinhos, que o cliente leva de brinde desse restaurante de comida típica das Filipinas.

Até aí, normal. Só que, a certa altura, comecei a reparar que as meninas deslizavam a cadeira com rodinhas onde estavam sentadas para trás, afastando-as do teclado uns 2 ou 3 metros - e riam. Vai ver eu estava cansado - ou sou mesmo meio bobo para essas coisas -, mas custei a perceber que, ao mesmo tempo que faziam isso, elas levantavam as saias, deixando assim um ângulo perfeito para a minicâmera, disposta em cima do computador, revelar o que elas tinham de mais íntimo para seus interlocutores na tela.

Era um estranho balé. E um contraste meio drástico com o que estávamos fazendo. E a gente nem podia reagir. O segurança do cybercafé nem se preocupava com a cena, suspirando como se dissesse: "Mais uma madrugada". Mas eu mal conseguia disfarçar quanto estava estupefato.

Os problemas de transmissão (o último dia de conexão antes de o *Fantástico* daquele domingo ir ao ar foi particularmente cruel com a gente, exigindo que vários arquivos de imagem fossem reenviados, resultando numa perda de tempo absurda) mal conseguiam me distrair. Nessa última noite, louco para voltar para Bangcoc (onde ficaríamos mais dois dias pré-produzindo nossa próxima etapa), tinha os pensamentos um pouco confusos.

Misturava registros de pobreza que muitas vezes lembravam o Brasil (quem disse que prostituição infantil não é um problema que a gente também tem?) com as imagens dos condomínios de luxo, fortemente guardados por seguranças armados (outro *flashback* do Brasil?), que eu conheci graças à simpatia da Jaciara (uma gaúcha que mora aqui há sete anos e é vizinha de muro da

OUTRAS PARADAS

■ Manila é obcecada por segurança. Mesmo sendo hóspede, você tem de passar por um detector de metais antes de entrar no hotel. E isso vale também para lugares públicos, como shoppings.

se eu voltasse a
[MANILA]

POR UM DIA...

...tentaria passar a maior parte dele em Intramuros. Qualquer motorista de táxi sabe o caminho - pegaria um e gastaria minha manhã passeando com calma pelas igrejas e construções coloniais, tentando esquecer a confusão das ruas do lado de fora. Comeria por lá mesmo e, à tarde, tentaria ficar amigo de algum filipino para passear pela baía de Manila conversando com ele sobre o tempo em que o país era governado por Ferdinand Marcos (as histórias sobre Imelda vêm naturalmente como bônus). À noite, voltaria a Intramuros para conferir a boemia dos filipinos, que não dispensam uma festa. Além dos monumentos antigos, é nessa região que ficam os bares e cafés mais animados (quem sabe você não encontra até uma banda local tocando bossa-nova por lá?).

uma **viagem** *sem comprar um*
[SOUVENIR]
não tem graça

Se fosse possível levar para fora do país um *balot*, esse seria o souvenir ideal de um "amigo da onça"... Mas, se quiser uma lembrança agradável das Filipinas, procure por uma das várias miniaturas de um dos meios de transportes mais típicos de lá - e também um dos mais curiosos do mundo. É o *jeepknee* (que se pronuncia "djipni"), uma espécie de van onde as pessoas vão sentadas no compartimento traseiro, umas de frente para as outras - com os joelhos se tocando (daí o nome, que vem da palavra em inglês para essa parte do corpo, "*knee*"). Assim como nas ruas de Manila, é difícil encontrar dois iguais. Custam entre R$ 20 (os de plástico) e R$ 100 (os mais artesanais, feitos de lata).

Crachá para trabalhar como jornalista nas Filipinas

personagem mais folclórica das Filipinas, Imelda Marcos - aquela da coleção de três mil sapatos). Essa etapa da viagem acabou sendo um pouco complicada. Aliás, complicada é pouco. Foi praticamente impossível. Comecei a achar que as pessoas que votam para escolher nossos destinos o fazem como uma certa provocação, como se lançassem um desafio do tipo: "Vamos ver se eles conseguem se virar por lá...".

Em Manila, quase não conseguimos. Foram dias de dificuldades absurdas - e eu não estou nem falando do tufão! A poluição e o trânsito tornavam nossa rotina impraticável. Tivemos nosso primeiro contato com gente que quer tirar seu dinheiro, explorar, simplesmente porque você é estrangeiro. Não fosse pelas pessoas maravilhosas que encontramos (Basty, Eileen), eu teria saído com uma impressão bem pior das Filipinas.

Sei que é um país que tem praias em ilhas lindíssimas. Mas as condições climáticas que pegamos não permitiram que a gente viajasse para nenhum lugar fora de Manila. Filipinas, não foi dessa vez.

Das Filipinas para o Rajastão

Poderia ser pior. Poderíamos estar indo para o aeroporto num apertado "jeepknee". Calor, umidade e uma digestão complicada colaboravam para eu não sair muito feliz das Filipinas. Falei dos problemas de transmissão que tivemos?

O caos que me esperava no nosso ponto de partida para o Rajastão, Nova Délhi (já meu conhecido) parecia um alívio. E a escala "forçada" em Katmandu, Nepal, só tornava a partida cada vez mais desejada.

Amuletos admiram (de dentro do hotel) a costa de Manila

[Oitava ESCALA]

A caminho da Índia, recebi uma marca na testa de um guru que andava pelas ruas de Katmandu, no Nepal

Capital: **Jaipur**
Área: **342.239 km^2**
População: **56.470.000 habitantes**
Renda per capita: **US$ 2,8 mil (Índia)**

RAJASTÃO

Theek Hai!
"Tudo bem",
para fechar uma conversa entre
[INDIANOS]

Palácios de marajás, elefantes no meio da rua, danças exóticas, multidões... Mas meu momento favorito na Índia foi bem mais simples. **Lá pelas 3 da tarde do sábado,** eu na internet, na casa do Tuli - um grande amigo indiano que nos hospedou em Nova Délhi -, quando entra a mãe dele no escritório e diz, olhando bem séria pra mim e de maneira definitiva: *"You must eat something!"* ("Você tem de comer alguma coisa!"). Lembrando: estávamos no meio da tarde, e a gente tinha tomado um daqueles cafés da manhã (preparado por ela, claro) poderosos há menos de quatro horas!! Mas quem era eu pra desafiar a "ordem" de comer de novo? E, quando ela começou a cozinhar, o cheirinho me convenceu. Em questão de minutos, ela me apareceu com um prato de ovos e tomates (e mais uma meia dúzia de

OUTRAS PARADAS

▌O Rajastão é uma das regiões mais áridas da Índia, mas é conhecida por ser uma das mais ricas em beleza e história. Domínio dos marajás, as cidades dessa região, começando pela capital, Jaipur, são famosas por seus palácios dignos de... bem... um marajá!

▌A primeira vez em que fui ao Nepal, Katmandu era um paraíso de templos e tranquilidade budista. Isso foi em 1986. Dezoito anos depois, os templos

temperos impossíveis de decifrar). E eu estava entregue, refém, mais uma vez da cozinha - e da hospitalidade - indiana.

Foi a primeira vez na viagem que ficamos hospedados na casa de alguém. E foi um alívio. Acho que estávamos precisando mesmo dar um tempo de hotéis. Nossas novas acomodações também tinham suas particularidades indianas - já conto. Mas, quando vimos o Tuli no aeroporto e imaginamos a perspectiva de ir para a sua casa, ficamos cheios de animação.

Nosso voo chegava de Katmandu. Foi curto, mas, na nossa logística sempre labiríntica, era a etapa final de mais uma série de conexões. Está estranhando a gente ter passado pelo Nepal? De fato, Katmandu era uma opção de destino da nossa viagem, mas uma que o público não escolheu (preferiu nos mandar para Manila). Mas tivemos de sair das Filipinas, passar mais um dia em Bangcoc e seguir para o Nepal - para só então chegar à Índia.

Apesar do ziguezague, fiquei contente de passar 24 horas (na verdade, um pouco menos, 22) na cidade que visitei em 1986. Faz tempo, eu sei. Mas nessa época eu já era louco por viagens, e fui para lá com um grupo de dança, a caminho de Bali (um projeto longo e rico demais para eu contar aqui tão rapidamente). Tinha lembranças fortes de Katmandu, onde passei um *réveillon* com esse meu antigo grupo num hotel que até tentei revisitar. Talvez porque elas fossem tão fortes, tive uma certa decepção. Não com a parte religiosa e mística.

Os templos ainda estão lá, resplandecendo. As construções antigas, uma variação bem peculiar dos pagodes orientais, estão

---

ontinuavam lá - mas o ima de tranquilidade cou no passado. Numa tmosfera de insegurança, rovocada por militantes aoistas que ameaçavam a apital nepalesa, a única coisa que sobrou das minhas lembranças foi a beleza das *stupas* que fotografei (ao lado).

meio derrubadas, mas ainda guardam um certo charme. No templo mais suntuoso, conhecido popularmente como Templo dos Macacos, os olhos de Buda ainda te vigiam, imponentes. Pintados no que parece ser uma grande *stupa* (uma espécie de urna funerária budista), eles são o símbolo da cidade, estampados em muros, portas, camisetas, bonés - e até em capas para celulares! Nas lojas do centro antigo, uma infinidade de mandalas (capazes de entreter esses dois viajantes brasileiros por algumas horas - imagina se não compramos algumas), todas pintadas à mão, te lembram que arte e religião no Nepal estão ainda muito ligadas.

Mas, em volta dessas coisas maravilhosas, uma pobreza terrível. Uma sujeira que se percebe em apenas uma caminhada. E uma apreensão latente nos rostos dos nepaleses. A situação por lá não era das melhores. Explicando rapidamente, um grupo maoista (e extremista) que é contra o governo central vinha aterrorizando a população (àquela altura, Katmandu estava praticamente sitiada). Essa instabilidade política, mais a corrupção, colabora para pintar um quadro não muito positivo desse que já foi um dos destinos mais exóticos e procurados do mundo.

Os turistas, que estavam a cada esquina quando fui lá da última vez, são escassos. Consegui encontrar o hotel em que fiquei da última vez, Vadjra, mas a atmosfera era de abandono. E mesmo assim ele parece ter resistido melhor do que a paisagem à sua volta. Mesmo descontando o fator "nostalgia", eu me lembrava de um vale verde cercando o hotel. Hoje, é uma grande favela. E os nepaleses que encontrei (eu, que já paro para falar com todo

OUTRAS PARADAS

■ Em Katmandu, são tantas as lojas que vendem uma variedade tão grande de mandalas que escolher uma só não é das tarefas mais simples. Esta que comprei do meu amigo Amrit é tão ric[a] em detalhes, que fica fácil entender por que elas são objetos de meditação. É olhar para elas e deixar a mente viajar...

Está estranhando a gente ter passado pelo Nepal? De fato, Katmandu era uma opção da nossa viagem, mas uma que o público não escolheu (preferiu Manila). Saímos das Filipinas, passando por Bangcoc, Nepal, para chegar à Índia.

156 Rajastão

mundo, senti mais vontade ainda de me aproximar das pessoas em Katmandu) estão tristes.

Será possível que um país tão abençoado pela natureza (o nome Everest te diz alguma coisa?) e pelo sagrado (sabia que o lugar onde nasceu o Buda fica no Nepal?) possa estar tão decadente? Uma decadência que parecia mais cruel ainda quando contrastada com a simpatia das pessoas que encontrei nessa passagem tão rápida. Duas pessoas, em especial, me comoveram: uma mulher que trabalha na secretaria do turismo, Ujjwala Dali (na verdade, uma indiana casada com um nepalês), e um comerciante chamado Amrit Satyal (que não é de Katmandu, mas de uma vila a apenas 40 quilômetros da capital e que não pode visitar seus pais porque a mãe escreve dizendo que a situação lá está perigosa).

Entrei na sua loja seduzido pelas mais belas mandalas que vi naquela tarde. Parecia que estava vazia, e eu já ia indo embora quando Amrit surge de trás de um sofá onde estava dormindo - e começa a conversar. Conta a história triste da sua família, uma história de separação, e chora quando comenta o que está acontecendo em seu país. Dali, o assunto pulou para a grande paixão de sua vida: uma australiana por quem ele dizia que seria capaz de se matar. Como a conversa foi parar aí? Não tenho ideia. Amrit tinha uma narrativa delirante, e impossível de ser interrompida. Da sua loja, passamos para um restaurante e, de lá, para meu hotel, onde o carro já me esperava para ir para o aeroporto.

Acho que, emocionado com todas as sensações que Katmandu despertou em mim, me despedi com lágrimas desse meu novo

OUTRAS PARADAS

❚ Os macacos são animais sagrados no Nepal. Neste templo, na parte antiga de Katmandu, as crianças se divertem observando (sem chegar perto) uma família de bichos que brinca nos degraus.

amigo-relâmpago. Ganhei dele uma espécie de cachecol de seda – segundo ele, prova de amizade eterna. (Ainda trocamos alguns e-mails depois desse encontro, até que a comunicação foi interrompida. Com a situação no Nepal cada vez mais turbulenta, cheguei a pensar que algo de muito ruim tivesse lhe acontecido. Só quando voltei ao Brasil recebi notícias dele, um e-mail da Coreia do Sul, para onde ele havia se mudado. Amrit abriu uma nova loja em Seul – e continua achando que vale a pena morrer de amor pela australiana.)

Saí de lá com a lembrança dessa conversa: um cara de coração enorme, que mora num lugar lindo e que não sabe o que fazer pra ser um pouco mais feliz. Saí, sim, com saudades. Não é engraçado? Saudades de um lugar que mal visitei? Acho que parte da sensação é meu desejo de, se um dia eu voltar, reencontrar a beleza que tanto me fascinou da primeira vez.

Quando eu já estava quase melancólico, caí na bagunça que era o aeroporto de Katmandu - um mercado livre de pedintes, carregadores de mala, miseráveis de toda sorte querendo um pouco mais do dinheiro que os turistas deixam por lá. Entre check-in e outras formalidades (pagamento de taxas de aeroporto, excesso de bagagem), eu já tinha perdido parte do humor e da fantasia.

Coisa boa é um amigo indiano te esperando...

O que, de certa forma, foi uma boa preparação para o que enfrentaríamos em Nova Délhi. Nunca agradeci tanto ter um amigo

OS 5 TRAJETOS (PSICOLOGICAMENTE) MAIS LONGOS

- 17 HORAS de carro de Nova Délhi a Udaipur, na Índia
- O BATE E VOLTA de 11 horas de estrada, de Tashkent a Samarkand, Uzbequistão
- as 24 horas de avião de Tashkent (Uzbequistão) a Kiev (Ucrânia), COM ESCALAS em Almaty (Cazaquistão) e Frankfurt (Alemanha)
- As 2 horas e meia no avião da UZBEK AIRWAYS, de Nova Délhi (Índia) a Tashkent (Uzbequistão)
- O voo de volta, LISBOA-RIO, dia 19 de setembro de 2004

numa terra estranha. Tuli, como eu contava, foi nos buscar no aeroporto e nos levou direto para a sua casa - que ficava bem longe. Aliás, tudo é longe em Délhi, mas só iria me lembrar disso nos dias seguintes. Meu amigo passa metade do ano na Índia e a outra metade viajando, principalmente pela América Latina. Quando está em Délhi, fica na casa dos pais, para onde nos dirigíamos. Lá chegando, o primeiro baque: o calor, que não dera trégua durante todo o trajeto (eram 11 horas da noite), ficou ainda mais intenso dentro de casa. Com o sol aquecendo o interior o dia todo, a sensação era de estar andando por uma daquelas galerias antigas de Copacabana, no Rio, onde os velhos aparelhos de ar condicionado das lojas jogam um bafo quente sobre sua cabeça. Essa era a atmosfera do segundo andar do sobrado, onde eu e Guilherme tínhamos duas opções de dormitório: um com ventilador e um com ar condicionado. Precisa dizer qual escolhemos?

É preciso esclarecer que as coisas são difíceis na Índia. A família desse meu amigo vive bem. O pai, aposentado, mal sai de casa, e a mãe, idem - ambos têm uma rotina tranquila. Mesmo assim, sofrem com as limitações de um lugar que tem uma superpopulação e uma infra-estrutura sofrível. Quer um exemplo? A água é racionada. Tuli me conta que nunca, nos seus quarenta anos, lembra de ter sido diferente. Por isso, as caixas-d'água só podem ser enchidas

Os olhos de Buda estão nos souvenirs do Nepal.

OUTRAS PARADAS

■ Na tradição da delicada pintura indiana, esse trabalho sobre um antigo papel timbrado de Jaipur é um trabalho recente, comprado em uma das inúmeras galerias da cidade. A originalidade de seu desenho mostra a riqueza da cultura desse país.

durante uma hora por dia. E o banho, matando as saudades do Camboja, é no estilo "tina & cuia"!

Nada disso impediu nosso sono, pois dormimos exaustos. E, no dia seguinte, quando começamos a ponderar se não seria melhor ficar em um hotel, a mãe do Tuli preparou seu primeiro café da manhã para nós - e tivemos a certeza de que estávamos no melhor lugar de Nova Délhi! Se este fosse um livro de receitas, eu até iria pesquisar exatamente os pratos que ela nos servia. O que posso dizer, no entanto, é que seus pratos eram dignos de banquetes. Tudo vegetariano e tudo uma delícia!! Me lembro de um caldo de tomate (café da manhã, lembra?) com aqueles pães chatos, macios e crocantes que nos fizeram ficar bem mais tempo do que devíamos na sala de jantar.

Esse primeiro dia na Índia seria dedicado a um passeio rápido por Délhi - se é que isso existe por lá (com um trânsito impossível de administrar, nenhum deslocamento na cidade acontece "rapidinho"). Saímos com o Tuli para visitar lugares específicos, que eu queria rever (essa era minha terceira vez na cidade), para fazer algumas imagens antes de partir para o destino da semana, a região do Rajastão. Mas antes de chegarmos a um monumento, meu amigo já estava parando numa barraquinha de comida... Pediu para o cara atrás de um balcão preparar um *pan* - uma folha verde-escura e grossa, onde o homem colocava uma lista misteriosa de ingredientes, que incluía tabaco, folha de louro e... bem, esses foram os únicos que consegui identificar. Os outros, misturados pelo indiano com a mão nem tão limpa, eu deveria

OS 3 DESTINOS QUE EU LAMENTEI NÃO TEREM SIDO ESCOLHIDOS

- NEPAL
- ISLÂNDIA
- BALI (Indonésia)

descobrir com o paladar - mas sem mastigar ou engolir. Para aproveitar o *pan*, você deve colocá-lo na boca, entre a bochecha e os dentes (de baixo) e deixar que a saliva vá absorvendo aqueles sabores. O efeito é meio anestésico, mas aditivo. Não era nem meio-dia e eu já tinha experimentado mais sabores do que em toda a viagem até então!

Às 2 da tarde, esse número teria dobrado: passeando pelo centro antigo de Nova Délhi (a "velha" Délhi), entre visitas breves ao Forte Vermelho e às ruas do comércio, Tuli foi nos apresentando a um cardápio digno de uma alquimista culinário: bolinho frito num caldo doce; pasteizinhos apimentados; chás de *masala* - e uma guloseima que ele disse que eu não devia experimentar: era forte demais para um estômago "ocidental" como o meu (sem saber as coisas que eu já tinha experimentado...).

Acatei o conselho, mas fiquei observando o que seria essa delícia: de um quarto azulejado aberto para o meio da rua, um indiano (que dizia que aquele ponto de venda existia ali há mais de cem anos) ficava atrás de um balcão com fogareiro, panelas e bandejas de quitutes. Um deles, que o Tuli escolheu, era um tipo de empadinha vazia, de massa bem fina, que era quebrada com o dedo e mergulhada em um caldinho verde de uma das panelas - e engolida rapidamente, enquanto o líquido ainda estava escorrendo. Fiquei com uma ponta de inveja do meu amigo, que comia aquilo com a "boca boa". Justo eu, que gosto de uma "aventura gastronômica", estava perdendo aquela oportunidade? Mas eu não estava em condições de experimentar mais nada. Além

OUTRAS PARADAS

▌▌ O hindi é a língua oficial da Índia. Ou melhor, a "principal" língua oficial de uma lista que inclui outras quatorze: *gujarati*, urdu, tâmil, sânscrito, punjabi, *oriya*, marati, sindi, *telugu, assamese*, bengali, *kannada*, caxemira e malayalam.

Ainda no Nepal, um rápido intercâmbio espiritual com um dos monges que circulam pela parte antiga de Katmandu

No meio da "velha Délhi", a visão impressionante do Forte Vermelho

de toda as coisas que eu já tinha comido nesse dia, o calor era absurdo; a roupa estava já marcada de suor e a sensação de que eu não estava muito "limpo" só era aumentada pela agitação das ruas por onde passávamos, em busca do que Tuli chamava de "o *kebab* perfeito". (Imagina se eu estava pensando em comida! Mas ele queria nos levar a esse lugar onde o tal espetinho de carne - *kebab* - era quase um motivo de peregrinação de tão perfeito, o que, apesar da aparência nada sofisticada do restaurante, provou ser verdade.)

Agitação, aliás, é palavra branda pra descrever o que acontecia ao nosso redor. Andar por Délhi pode ser atordoante. Fiquei até

OUTRAS PARADAS

▌ Já que a Índia tem quinze línguas oficiais, como um turista pode se comunicar viajando pelo país? Falando inglês, mais para o da Inglaterra, e com um charme de conservar a maneira como se falava no tempo do Raj – o império britânico. Por exemplo, muitas vezes, ao pedir alguma coisa "por favor", ouve-se a expressão *kindly* no lugar de *please* – o qu não deixa de ter seu charme...

A Fantástica Volta ao Mundo 163

tentando imaginar como é ser indiano e não sentir a interferência disso tudo. Meu amigo certamente nem prestava atenção ao corre-corre. Mas nós, como turistas (e mesmo eu que nem estava lá pela primeira vez), não conseguíamos resistir às imagens que disputavam nosso olhar. Dezenas de homens magros e sujos agachados em frente a restaurantes, esperando o cozinheiro doar um pouco de comida (na tradição muçulmana, você tem o dever de ajudar os pobres); passageiros discutindo com motoristas de *tuk tuk* sobre o preço de uma corrida; famílias inteiras (e agregados) sentadas em corredores transformados em lojas de tecidos, com centenas de opções de saris (a roupa tradicional para as mulheres), esperando seus clientes; velhos homens de idade imprecisa caminhando apenas com um pedaço de pano na cintura pela fachada do Forte Vermelho. Coisas demais, precisávamos descansar.

Antes de voltar para casa, porém, precisávamos dar uma pesquisada em cybercafés. Resumindo: não havia. A melhor conexão que pudemos arranjar era em um hotel de luxo, do tempo dos ingleses (o nome é Imperial - dá pra imaginar como era?). E, mesmo assim, ela não era suficiente para mandar imagens. Ligamos o alerta laranja e fomos dormir - não sem antes comer uma "coisinha" preparada pela mãe do Tuli.

No dia seguinte, acordamos cedíssimo para enfrentar o que inocentemente apelidamos de "A Fantástica Viagem de Dez Horas de Estrada!". Digo "inocentemente" porque ainda achávamos que seriam só dez horas dentro do carro. Na verdade, foram dezessete.

A distância a percorrer era de cerca de 500 quilômetros. (Ou

Antes de existir o *tuk tuk*, havia o riquixá. Sem motor (cujo barulhinho dá nome ao *tuk tuk*), ele é apenas uma cadeira colada a uma bicicleta – e haja pernas para o condutor conseguir levar dois (ou mais) passageiros pelas ruas da "velha Délhi" (como o Tuli e o Guilherme nesta foto).

seriam 600? Nada na Índia é muito preciso.) Queríamos chegar a Udaipur, uma das pérolas do Rajastão, essa região do centro-norte do país cujo nome significa algo como "terra dos marajás". A expectativa era de palácios e construções magníficas - e não nos decepcionamos. Mas, para chegar até lá...

Como em qualquer viagem, começamos animados, prestando atenção em tudo. Até chegar a um trecho que eu pudesse chamar de estrada - daquelas estradas que a gente conhece, com verde, vaquinha, montanha, acostamento (calma, acostamento não! - estamos na Índia!!), enfim, "estrada com cara de estrada", foi mais de uma hora. Só então começamos a ver coisas mais curiosas, como os peregrinos vestidos de vermelho carregando uma estrutura cheia de bandeiras, com um balde em cada extremidade. Tuli me explica que eles estavam vindo do rio Ganges (o mais sagrado para os indianos) com um pouco da água preciosa para levar aos templos das suas cidades - a pé! Jornadas que não raramente levavam dias! Eram tantos que logo eles começaram a fazer parte da paisagem, que ia se tornando cada vez mais rural. Mulheres de saris coloridíssimos andavam em meio a plantações levando volumes desproporcionais na cabeça. Camelos começavam a sobressair como modo de transporte - e não é difícil ver elefantes usados para o mesmo fim.

Na hora do almoço, "já" estávamos em Jaipur, uma das cidades mais ricas da região - e quase metade do caminho. Com suas casas rosas (todas as construções do centro antigo são obrigadas a ter a mesma cor - sem entrar muito na história, um marajá do século 19

OUTRAS PARADAS

■ Os aposentos mais caros do palácio (e hotel!) Shiv Niwas custam cerca de R$ 1.500. É a suíte de lua de mel, com três dependências (fora *closet* e banheiro), vista estupenda de Udaipur e do lago Pitchola – e ainda uma torre particular (sou eu ali, nesta foto).

mandou pintar todas as casas nessa cor para receber o então príncipe de Gales, e a moda "pegou") e um forte lindíssimo, Jaipur quase nos rouba a vontade de

Do teto do palácio-hotel que nos hospedou em Udaipur, a vista do lago Pichola

chegar a Udaipur. Quando lembramos que ainda teríamos mais umas horas de estrada (quantas exatamente? Seis, sete, oito? Impossível saber) e que nosso motorista *sikh* (o turbante e a barba não deixavam dúvidas) alertava para o fato de que o estado da rodovia piorava consideravelmente dali em diante, quase ficamos por lá. Mas o espírito aventureiro falou mais forte e fomos adiante.

O que fazer para matar o tempo? Uma cena em um entroncamento, ao qual chegamos umas três horas depois de ter saído de Jaipur, deu bem o tom dessa segunda perna da viagem. Paramos num "descanso" para caminhoneiros, os mesmos que nos aterrorizavam momentos atrás com seus veículos que traziam a sugestiva inscrição pintada nas suas traseiras: *"Horne please!"*, que em português significa "Buzine por favor". O que aparentemente é um pedido absurdo para um motorista parece bastante razoável quando você já passou mais da metade do dia numa estrada indiana: eles (os caminhões) não estão nem aí pra quem quer ultrapassar. Ninguém olha no espelho retrovisor (mesmo na cidade, os motoristas mantêm seus espelhinhos fechados na direção da carroceria, inúteis). Quer ultrapassar? Ora, BUZINE!

■ Para os indianos, o animal mais sagrado é a vaca. É fácil ver uma delas vagando pelas ruas de Nova Délhi (ou de qualquer outra cidade do país) sem ser incomodada, parando até o trânsito. Aliás, a presença de bichos na paisagem urbana da Índia é tão comum que você logo se acostuma a ver elefantes e camelos passeando ao lado de pedestres com a maior naturalidade.

166 Rajastão

Assim, qualquer estrada se transforma numa sinfonia atonal, com sons se misturando e impedindo você de tirar um cochilo. Mas quem quer cochilar quando sua vida está em jogo? E ainda faltam quantas horas de viagem mesmo? Nossa sorte era que o motorista tinha uma postura zen (*sikh* zen, será que existe?) e passava incólume pelas manobras mais radicais!

Mas estávamos então nesse entroncamento, fazendo novos amigos entre totais estranhos, quando veio uma nova previsão do tempo - e que fez até nosso motorista perder o rebolado "zen". Mais quatro (ou cinco... Índia...) horas até Udaipur. A informação (correta, aliás) de que a estrada melhorava consideravelmente dali pra frente não reanimou nem um pouco nossas expressões faciais. Mas fazer o quê? Voltar? Mais dez horas - pra trás??? Peguei mais um livro (já que o assunto no carro estava rareando) e devorei. Nem era um livro muito bom: *Popular Music from Vittula*, de um sueco, Mikael Niemi, que eu estava lendo de curioso, pois sabia que tinha sido o livro mais vendido da história da Suécia, fora a Bíblia. Não estava gostando, ou melhor, teria mexido comigo se eu tivesse quinze ou dezesseis anos, mas nessa época eu estava lendo um outro livro, que, esse sim, virou minha cabeça: *Porcos com asas*.

Essa divagação dá uma boa noção de como minha cabeça estava se abstraindo daquela estrada e partindo para uma outra. Comecei a pensar na expressão que as pessoas ali faziam quando eram apresentadas a mim. Era como se perguntassem com o olhar: "O que esse indiano tem de estranho?". Mesmo quem cruzava comigo na rua irradiava essa questão. Ao longo dessa viagem (e

OUTRAS PARADAS

❚ A cultura indiana tem mais de uma escola clássica de dança, todas bem distintas. No *kathak*, por exemplo, os movimentos são rápidos e fortes, com a força tirada da percussão com o pé e muitos giros. O *odissi* usa movimentos mais suaves, mas não menos elaborados. E o *bharata natyam* (nas fotos, um

em várias outras que fiz no passado), com bastante frequência surgia a pergunta: "De onde você é?". Eu respondia que era brasileiro - e logo vinha a contestação: "Impossível! Você é indiano...". Uma, duas, três - dezenas de vezes. Já vou logo dizendo que isso me deixa bem contente. (Claro que eu adoro, tenho paixão, me orgulho, sou feliz - tudo porque sou brasileiro; mas essa confusão de nacionalidades sempre me pareceu bem interessante.) Mas naquele momento, na própria Índia, ninguém precisava mais perguntar. As pessoas automaticamente presumiam que eu era indiano - e pronto! Mas logo vinha aquele olhar que questionava: "Mas tá faltando alguma coisa pra ele ser realmente indiano...".

Acho que sou alto demais para média da população. O cabelo, um pouco fino demais. A cor da pele, um pouco menos forte (apesar de eu estar então bronzeado - de trabalhar debaixo do sol forte, vamos deixar bem claro!!!). E o sotaque em inglês não enrola a língua nos "erres" na medida certa. Ah! e falta eu balançar a cabeça enquanto falo (numa das características mais simpáticas dos indianos, todas as conversas são pontuadas por balançadinhas de cabeça, como aqueles bichinhos que ficam apoiados no vidro traseiro de alguns carros; não conheci linguagem corporal mais simpática do que essa). Mas, descontados esses obstáculos, tenho o prazer de circular por aqui como se fosse indiano.

E foi com essa desenvoltura que dormi a primeira noite em Udaipur - quando finalmente chegamos lá. Sem tempo para escolher, acabamos numa residência real "modesta": a residência de caça do marajá. Mas, no dia seguinte, estávamos prontos para

ensaio de uma das melhores dançarinas indianas, Leela Samson) tem passos complicadíssimos e movimentos angulosos, que contam antigas histórias de mitos e lendas da cultura indiana.

um tratamento realmente especial: uma noite no palácio do marajá de Udaipur - quando finalmente chegamos lá!! Dono de metade da cidade - ou melhor, de quase 90% dela -, ele é o descendente da dinastia *mewar*. Ainda vive por aqui, mas, com o orçamento apertado, resolveu abrir parte de suas dependências para hospedar turistas. Quando vimos o tal palácio, não resistimos. Consultei o Guilherme para saber se ele também estava a fim e resolvemos fazer uma pequena extravagância (para o nosso orçamento) e ficar uma noite no palácio Shiv Niwas ("apenas" um dos quatro que ele tem em Udaipur). Quando entramos no quarto, nosso maior medo era nunca mais querer voltar para os hotéis em que estávamos ficando nessa viagem. Nunca vi tanto espaço - e essas coisas acostumam a gente mal....

Sem falar na vista do lago Pichola (onde, claro, mais dois minipalácios repousam sobre as águas). Que lugar maravilhoso!! O tratamento - só para dar uma variada - era VIP mesmo. Por exemplo, logo depois do check-in, quando o recepcionista ficou com o meu passaporte, fomos relaxar com um "drinque de boas-vindas" e visitar a parte do palácio que funciona como museu. Quando chegamos ao nosso quarto, uma pasta com papel de carta personalizado me esperava. Perfeito - não fosse por um detalhe engraçado. O nome impresso no papel era José Masculino! Demorei um pouco para entender, mas o que deve ter acontecido foi que, ao olhar meu passaporte, eles procuraram meu primeiro e meu último nome. Só que ele é muito comprido (quer na íntegra? José Carlos Brito de Ávila Camargo), tão longo que, no

OUTRAS PARADAS

❙❙ O deus hindu Ganesh é considerado o senhor do conhecimento. Numa das lendas sobre sua origem, seu pai o teria decapitado e depois ressuscitado com a cabeça do primeiro animal que passou.

documento, praticamente se junta com a informação seguinte, que é o sexo do portador do passaporte: masculino! O pessoal da recepção não teve dúvidas: José Masculino. E o pior é que fui registrado com esse nome. Será que foi por isso que a produção do Brasil não conseguiu falar com a gente em Udaipur?

Relaxados e já num clima de realeza, por que não encarar um jantar também de marajá, com comida típica do Rajastão? A desculpa era comemorar nossos dois meses de Volta ao Mundo. E assim tivemos uma refeição inesquecível, no salão de retratos do marajá. A variedade de sabores - alguns que eu nunca tinha experimentado - só encontrava rival nos quitutes que a mãe do Tuli preparava pra gente. Nessa onda de nobreza, saí para passear pela cidade e ver a movimentação nesse lugar que recebeu, não sem merecimento, o apelido de "Veneza da Índia". Faltam alguns canais, é verdade, mas, em termos de atmosfera, Udaipur tem tanto ou mais do que a cidade italiana. Gente na rua (mas não tanto como em Délhi); templos pequenos, lojinhas, cheiros e mais cheiros de comida; vacas, cachorros, elefantes. E um espetáculo de dança dentro de um outro palácio, já com a noite caindo. Se não fosse aquela cama de marajá me esperando, eu bem que teria dado uma esticadinha na cidade...

Um outro espetáculo de dança fecharia essa nossa escala indiana. Antes dele, porém, tínhamos de retornar a Nova Délhi e mandar o material para o Brasil (alegria de marajá fajuto dura pouco). A questão ali era o tempo - e por isso o retorno foi de avião (mais dezessete horas de carro e nossa sanidade estaria

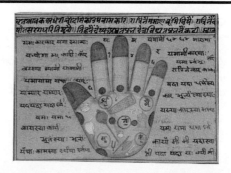

Nas pinturas vendidas nas pequenas lojas espalhadas por Udaipur, símbolos antigos indianos se misturam num mosaico original, como este, sobre o contorno da palma da mão.

arruinada!). E, chegando à cidade, começamos a grande busca a um cybercafé com banda larga. Pensávamos que não seria tão difícil assim. Afinal, a gente sempre ouve falar que a Índia está exportando tecnologia de informática. Só que isso acontece em outra parte do país, mais ao sul, na região de Bangalore. Em Délhi mesmo, nada. Tuli tentava me explicar que, com uma população pobre como a da capital, ninguém ganharia dinheiro com um negócio desses. Eu tentava argumentar que isso era uma contradição num mundo moderno como o nosso, quando ele encerrou a discussão me provando que Délhi não tinha nem supermercado, que dirá um lugar com conexão de internet de alta velocidade. Nesse momento encerraram-se também nossas buscas.

Provando iguaria "suspeita" na "velha Délhi"

Começamos a entrar em desespero. Era sábado à tarde e o Brasil ainda não havia recebido nada - nenhum material. O alerta havia passado para vermelho! Foi então que tomamos uma medida desesperada. Contrariando a proposta inicial do nosso projeto, procuramos uma emissora de tevê para mandar as imagens por satélite. Sem entrar muito em detalhes técnicos, o processo acabou sendo mais complicado. No lugar de mandar horas de imagens pela internet, como vínhamos fazendo,

OUTRAS PARADAS

▋ De todos os sabores que a gente experimenta na Índia, o mais especial é o cardamomo, uma sementinha bastante perfumada que não é muito fácil de ser encontrada no Brasil. Para os principiantes, é bom experimentá-la no café. Depois você vai se acostumar a esse sabor tão especial em tudo, dos grelhados ao... sorvete!

se eu voltasse a
[UDAIPUR]

POR UM DIA...

...eu iria direto passear no Palácio Shiv Niwas. Dormir nele é uma "extravagância", mas quase todas as suas dependências estão abertas à visitação pública (é só comprar um ingresso simples). Almoçaria num dos restaurantes do palácio, para experimentar os sabores da culinária do Rajastão, e depois subiria até o teto de uma das construções para fazer a digestão admirando a vista do lago Pichola, com mais dois palácios que parece que flutuam sobre ele. Uma visita rápida ao templo de Jagdish e, no fim da tarde, um "garimpo" pelas lojinhas em volta do palácio para procurar um pintura (sobre papel ou seda) que reproduz uma cena antiga da história indiana ou talvez um retrato de um marajá. Ainda sobraria tempo para procurar um espetáculo de dança tradicional do Rajastão, apresentado numa daquelas construções antigas - de preferência com vista para o lago.

172 Rajastão

uma **viagem** sem comprar um
[SOUVENIR]
não tem graça

Um passeio por qualquer rua de Udaipur é de desorientar qualquer turista. São tantas as lojinhas com ofertas, que vão da seda mais preciosa à pintura mais delicada, que você fica sem saber o que escolher. A maioria dessas lembranças você pode encontrar em outras partes do país. Mas alguns comerciantes oferecem um pequeno altar, que é na verdade um brinquedo de criança. Não é um altar no sentido religioso, mas no formato: uma casinha cujas portas vão se abrindo e, pintada na superfície, está uma história antiga indiana. É totalmente artesanal, cheio de cores e imagens indianas - uma peça evocativa. Você o encontra de vários tamanhos (e preços, a partir de R$ 30), mas, quanto menor ele for, mais delicado o trabalho que você vai levar para casa.

por uma questão de custo (aluguel de horário de satélite, como você pode imaginar, é caríssimo), só poderíamos gerar vinte minutos! Numa mudança radical de rotina, enquanto a produção no Brasil tentava um contato com tevês indianas, Guilherme e eu passamos a tarde tentando editar a matéria num programa de computador, para reduzir tudo de maravilhoso que vimos a vinte minutos (era uma triste ironia: num dos lugares mais lindos por onde passamos, tínhamos de mandar menos coisas). Eram 19h30 em Nova Délhi (meia-noite de sábado no Brasil), quando chegamos ao estúdio que geraria tudo para o Brasil - uma tevê estadual. O clima era meio de derrota. Tinha sido uma semana puxada. Ficamos meio decepcionados com o impasse "tecnológico". Estávamos tentando não sair da Índia nesse baixo astral.

Felizmente, nossa despedida dessa etapa incluía o tal espetáculo de dança que mencionei há pouco. Era, na verdade, um ensaio, mas da companhia de uma mulher, amiga do Tuli, chamada Leela Samson, uma das grandes mestras e dançarinas de *baratha natyam* da Índia (essa é uma das escolas de dança clássica indiana; são várias - a minha favorita é o *kathak*).

Na quadra de um colégio, seu grupo dançou para a gente ver. E foi esse o estado de espírito que eu quis guardar dessa semana. Ao partir para o Sri Lanka, eram essas imagens da dança que me vinham à memória, acompanhadas da simpática expressão em hindi que eu tinha acabado de aprender: *"theek hai"*. Significa mais ou menos "tudo bem" e soa como *"tik-rái"*. O ideal é falar com aquela quebradinha no pescoço tão típica dos indianos.

No aeroporto e durante o voo, eu ia dizendo *"theek hai"* para o nosso próximo destino. Sabe aqueles lugares para onde você acha que nunca vai um dia?

Do Rajastão para o
Sri Lanka

Nada foi fácil na Índia, nem ir embora. Acordamos junto com Nova Délhi, a tempo de ver os mendigos espalhados indiscriminadamente pelos buracos da cidade se arrastarem nos primeiros passos de mais um dia vagando a esmo. Feliz como há muitas semanas não ficava com a escolha da audiência, eu estava partindo para o Sri Lanka disposto a gostar. Não foi nem preciso fazer força...

Amuletos contemplam a serenidade do lago Pichola, em Udaipur

Banho dos elefantes do orfanato de Pinnawela, perto de Kany, no interior do Sri Lanka

Capital: **Colombo**
Área: **66.000 km^2**
População: **19 milhões habitantes**
Renda per capita: **US$ 2,5 mil**

SRI LANKA

Nalam!

Sempre diga isso ao ao cruzar com um amigo

[CINGALÊS]

Desde que voltei da viagem, a pergunta mais comum que me fazem é: "De que lugares você mais gostou?" É uma pergunta, claro, que eu mesmo ia me fazendo constantemente durante nossa jornada - com respostas sempre volúveis. Até que cheguei ao Sri Lanka. (No final da viagem, perguntando-me pela última vez, o país estava firme entre as três primeiras posições. Por que, exatamente?)

Poderia sair com uma resposta fácil - e encantada. Não seria uma explicação muito completa, mas parte dela. Foi no fim de uma visita a um templo em Kandy, no interior do Sri Lanka, logo depois de visitar o altar onde fica escondida (para a apreciação apenas da família real e alguns poucos privilegiados) uma relíquia

OUTRAS PARADAS

■ Quem nasce no Sri Lanka é cingalês. Antes que você ache muito estranho, vale lembrar que até 1972 o nome oficial do país era Ceilão. Mas essa também era só uma adaptação dos europeus. Na origem, o nome era Lankaweepa, que em sânscrito quer dize "terra resplandecente".

conhecida como "o dente de Buda". Já falo sobre essa estranha passagem, mas o que quero destacar logo é uma árvore na saída do templo. Nosso motorista-guia, falante, contou que ela cresceu de um ramo tirado da própria árvore onde Lorde Buda (usar só o nome dele, sem o "lorde", pode ser considerado extremamente desrespeitoso) se sentou por centenas de anos até atingir o nirvana. Ou alguma coisa assim.

Não sou budista. Sei tanto dessa religião quanto de todas as outras em que esbarrei nesta viagem, do hinduísmo ao islamismo: o suficiente para respeitá-las e saber que delas é sempre possível tirar belos ensinamentos para a vida de todo mundo. (Poderia discorrer aqui sobre o fio condutor que me forcei a encontrar em todas elas, mas é um pensamento complicado demais para esta narrativa.) Geralmente, quando ouvia histórias ligadas às religiões, mais do que com os próprios fatos, ficava encantado com o poder que essas histórias tinham. Foi a mesma coisa com essa árvore, plantada do lado de fora do templo, sobre um morrinho cercado por um muro baixo.

Paz, perto da árvore nascida de um ramo daquela onde Buda meditou

---

Explicar o budismo em poucas linhas? Vamos tentar. É uma religião que pretende levar as pessoas à iluminação, à sabedoria, através da meditação e da busca do conhecimento. Foi o que aconteceu com o próprio Buda – um príncipe chamado Siddhartha, que um dia abandonou a riqueza para procurar a luz. Por quê? Para aprender a superar o sofrimento, libertando-se dos desejos.

Para chegar perto dela há uma escada não muito alta, que se sobe descalço. Lá em cima, dezenas de bandeiras coloridas enfeitam seus galhos, que nem são muito altos, mas se estendem para longe. Ao pé da árvore, há muitas imagens de Buda, todas diferentes, e algumas pessoas orando em torno dela. E só isso. Mas o que se sentia ali era uma paz tremenda. Guilherme tinha ido dar uma volta para fazer mais algumas imagens do templo e eu disse ao nosso guia que queria ficar lá perto da árvore um tempo. Acabei ficando quase meia hora, e só saí porque o guia mesmo veio me lembrar de que tínhamos de chegar a Colombo antes de anoitecer para evitar pegar a estrada sem a luz do sol.

Se eu não estivesse já em outra frequência, teria ficado irritado com ele pela interrupção. Minha reação, no entanto, foi aceitar a partida na mesma hora, ainda que estivesse hipnotizado pela árvore. Tão calmo quanto o rosto das pessoas que andavam à sua volta, desci as escadas, entrei no carro e deixei Kandy para trás.

Não era um dia muito bonito (por ficar nas montanhas, a cidade sofre com um clima um pouco mais frio e úmido), mas era como se eu estivesse abandonando uma manhã ensolarada. E sem arrependimento.

Relendo os últimos parágrafos, percebo que não consegui nem de longe reproduzir a sensação daquele dia - e tenho a impressão de que nunca vou conseguir. Talvez seja suficiente reforçar que esse foi um dos momentos mais importantes para mim nessa volta ao mundo - e que me fez querer voltar ao Sri Lanka, um dia, de férias. Há muito mais o que explorar além de Colombo e Kandy (o

OUTRAS PARADAS

▌▌ Quando o Sri Lanka ainda se chamava Ceilão, a bandeira do país tinha só a figura do leão dourado cercado por símbolos budistas. Em 1972, ele foi rebatizado, as duas faixas da esquerda foram acrescentadas. A primeira, verde, representa os muçulmanos. A segunda, laranja, os hindus.

Ao pé da árvore,
há muitas imagens
de Buda, todas
diferentes, e
algumas pessoas
orando em torno
dela. E só isso.
Mas o que se sentia
ali era uma paz
tremenda.

norte especialmente é famoso por sua beleza natural). E, talvez pela distância, a ilha tem algo de inexplorado, como se suas tradições ainda não tivessem sido totalmente influenciadas pelo Ocidente. No Sri Lanka encontrei o melhor do que se pode esperar de uma cultura antiga com uma infraestrutura eficiente de turismo – impressão essa que começou a se formar logo na nossa chegada a Colombo.

Não sei se por causa da bagunça de Nova Délhi, que havíamos acabado de experimentar, a primeira imagem que tivemos foi de tranquilidade. Pegamos algum trânsito do aeroporto até nosso hotel (uma bela construção colonial, com quartos espaçosos de frente para o mar, por um preço que, na Europa, nos forçaria a ficar num albergue!). A língua principal, o tâmil, é tão impenetrável quanto qualquer dialeto que encontramos na Índia. Mas a vibração já era diferente. Felizes com a acomodação, saímos para procurar um cybercafé - ainda traumatizados com a experiência indiana. Não encontramos nada de muito bom, mas as perspectivas eram positivas (ou, pelo menos, queríamos muito achar que eram positivas). Com tempo, fomos cedo para o hotel para falar com o Brasil.

Para contar mais um pouco sobre nosso processo de trabalho, as imagens que eram geradas de cada destino eram então finalizadas por uma equipe no Rio, um editor de texto e um de imagem. Por motivos variados (técnicos, editoriais, de tempo), o que ia ao ar nem sempre era o que eu tinha imaginado como texto original. Ciente do processo de trabalho do *Fantástico*, eu

OUTRAS PARADAS

❚❚ Eu até que tentei encontrar alguma música tradicional do Sri Lanka... mas o pop indiano domina por aqui – e é irresistível. Espere encontrar qualquer coisa, qualquer ritmo, nessas compilações. Como os CDs são baratos (cerca de R$ 10), vale correr o risco e ter boas surpresas.

era sempre muito flexível a essas mudanças - até porque a dupla responsável por elas sempre trabalhou comigo num alto grau de afinidade (e admiração e respeito, e todas essas coisas que faz a gente ter prazer em fazer parte de uma equipe). O episódio da Índia, porém, com o desgaste dos seus magros vinte minutos de material, deixou todo mundo mais sensível. Some-se a isso o fato de que já estávamos completando o segundo mês de viagem, a comunicação muitas vezes reticente entre as duas partes (a nossa e a do Brasil) e pronto: você tem aí a receita para uma discussão.

Cansado e ansioso, terminei a conversa num tom amargo - um claro sinal de que eu estava precisando me divertir um pouco com a viagem. Mudar de postura - urgente. Já na manhã seguinte, quem sabe. E foi assim que parti para Galle, que aqui se pronuncia "gal" (ninguém exatamente sabe dizer por quê). Antiga colônia portuguesa, o lugar já estava na minha lista de visitas prioritárias (desde que fiz aquela série para o *Fantástico*, "Aqui se Fala Português", em 1998, tenho fixação por lugares por onde os portugueses passaram na sua impressionante saga de descobrimentos). E o que encontrei, já com uma nova atitude depois que me comprometi a mudar, foi uma cidade encantadora. Quantas vezes você chega a uma cidade com o espírito tão aberto a ponto de prestar atenção ao lugar que os casais jovens elegem para namorar?

Em Galle, esse local era o forte holandês. É só escapar com seu parceiro depois da escola (ou numa hora de almoço, como era o nosso caso). E levar uma sombrinha para se proteger do sol

AS 4 LUGARES MAIS PERFUMADOS QUE VISITAMOS

▌DALADA MALIGAWA, o templo onde fica o dente de Buda, em Kandy, Sri Lanka, cheiarava a incenso e flores
▌MERCADO DE ESPECIARIAS EM TASHKENT, Uzbequistão, que ainda oferecia o tentador aroma do pão quentinho
▌BAZAR EGÍPCIO, em Istambul, Turquia, com sua mistura única de fragrâncias que vão do queijo de cabra às pétalas de rosa
▌QUALQUER RUA DE BANGCOC que tenha vendedores ambulantes de comida

Casal namorando escondido sob a sombrinha no forte de Galle

intenso. Ali, entre os espaços quadriculados que recortavam as muralhas, comecei a perceber casais muito jovens em alto grau de intimidade - isto é, alto grau de intimidade para uma cultura conservadora como essa. Mesmo assim, essas eram as cenas mais românticas que eu tinha visto até então (um passeio num parque em Bucareste, semanas mais tarde, superaria essa experiência no Sri Lanka).

À medida que passeava pelo forte, eu ia encontrando mais pares de amantes, escondidos nas cavidades da muralha, dezenas deles, namorando em clima de calçadão carioca. Tudo bem, calçadão carioca pode ser um exagero. Os meninos aqui estão sempre vestidíssimos (calça de tergal com vinco, camisa social bem abotoada), e as meninas, quando muito, revelam a cintura numa fresta do sari. Mas a atmosfera me fez lembrar, num arroubo de saudades, do Brasil, de uma das minhas músicas favoritas de Kelly Key (lembrar de Kelly Key em Galle, isso é o que eu pude chamar de uma experiência realmente cosmopolita): "... juntinhos de mãos dadas, um amor no calçadão..." E quer coisa melhor do que ter aquele visual como paisagem?

Fomos a Galle, como expliquei, em busca de raízes portuguesas (não sabia bem o quê – quem sabe uma variação do *kristang* que

OUTRAS PARADAS

■ Na festa de Esala Perahera (julho e agosto), em Kandy, os cingaleses celebram a relíquia sagrada: o dente de Buda. Os elefantes saem vestidos como na miniatura ao lado, numa procissão que antigamente avançava com o próprio dente à frente. Hoje em dia, ele não sai mais de seu templo.

encontramos em Cingapura). Mas fora esse festival de namoricos (será que nossa capacidade de namorar não vem um pouco de Portugal?), acabamos encontrando mais influências holandesas que lusitanas na arquitetura e na colonização da cidade.

O que não significa que perdemos o passeio. O caminho até lá foi lindíssimo, pouco mais de 50 quilômetros percorridos em duas horas e meia - com pausas. A primeira delas, numa oficina de *batik*, uma técnica de tingir tecidos bastante primitiva, com parafina (que vai sendo aplicada em imersões consecutivas do pano, conforme o desenho que se quer fazer). Eu, que não sou muito de artesanato, fiquei fascinado com a técnica. (Há muitos anos, numa visita a Bali, conheci os *batiks* mais sofisticados do mundo, mas não tinha muito ideia de como eram feitos. Precisei vir para o Sri Lanka para satisfazer minha curiosidade.)

♣ Pelas estradas do Sri Lanka, atrações que fazem esquecer o caminho tortuoso (e demorado) da viagem

Mais adiante, paramos numa vila famosa pelas suas máscaras. Nos dias subsequentes, descobriríamos que elas são uma marca registrada da ilha, souvenirs baratos que podem ser comprados em qualquer butique de turista; mas ali, numa das oficinas mais antigas do lugar, ficamos loucos pelos visuais mais estranhos: o exotismo de figuras que lembram uma medusa, cheia de cobras no lugar de cabelos; um rosto emoldurado por labaredas; ou a careta

OS 5 LUGARES PARA ONDE EU VOLTARIA DE FÉRIAS

- SRI LANKA, pela espiritualidade
- NOVA ZELÂNDIA, pelo visual
- ISTAMBUL, pela festa
- BUCARESTE, pelos amigos
- CAMBOJA, porque não existe lugar igual

esculpida com dezenas de pequenas cabeças, usada apenas pelos curandeiros para espantar - adivinhou? - os maus espíritos.

Quando chegamos a Galle, aquela imagem dos casais apaixonados, escondidos atrás das sombrinhas, tentando esquecer as complicações do resto do mundo, completou o dia. Como é bom ver que não é só em shopping que as pessoas podem namorar, nem só na "balada", num barzinho... Que delícia ver o mundo de outro jeito. Muito além das comidas exóticas que ando experimentando, essa viagem estava sendo especial pra me ajudar a comprovar a tese que apresentei na introdução deste livro, de que as pessoas são muito parecidas. Pode estar usando um sari, um turbante, túnica branca, jeans, ter um rosto em outros tons, o cabelo um pouco mais liso, a testa pintada de vermelho, a língua um pouco mais enrolada... Mas sabe o que todo mundo quer? A resposta me veio no caminho de volta para Colombo, na forma de mais uma música: "Ela só quer, só pensa em namorar..."

Nosso motorista falante (o mesmo que nos levaria no dia seguinte a Kandy) nos ajudou a encontrar um cybercafé poderoso naquela noite. Fizemos um teste e aguardamos, na manhã seguinte, a resposta do Brasil - a única questão capaz de tirar nosso sono: será que os arquivos tinham chegado? Acordamos com a boa notícia de quem sim, estava tudo lá. E assim eu fui sendo encantado pelo Sri Lanka - e ainda nem tinha visto a árvore de Lorde Buda.

Ela me esperava então em Kandy, para onde partimos em mais uma jornada, sem saber a que horas iríamos chegar. A distância de

OUTRAS PARADAS

■ Além de Kandy e Galle, o norte da ilha tem pontos turísticos especiais. Anuradhapura ainda conserva a beleza da época em que era a capital. Em Polonnaruwa, a atração é um enorme buda esculpido na pedra. E, em Sigiriya, um forte sobre uma pedra guarda pinturas antigas ao lado).

107 quilômetros não nos permitia ter certeza do tempo de percurso - numa incômoda ressonância com nossa experiência no Rajastão. Aliás, a situação das estradas aqui parecia um pouco pior, como vimos na viagem do dia anterior: quando um carro consegue desenvolver 50 km/h por aqui, já se qualifica automaticamente para a Fórmula 1. Mas partimos de boa vontade, curiosos para ver a tal relíquia, motivo de peregrinação de budistas do mundo inteiro - e visita obrigatória, pelo menos uma vez na vida, para todos os praticantes da religião no Sri Lanka. Quebrando a monotonia da estrada, visitas a jardins de especiarias (a ilha é famosa por isso), lanches dos mais variados, até que, quando já entrávamos na quarta hora de viagem, serra acima, uma placa perto de Pinnawela anunciava: "Orfanato de Elefantes - 6 km". Você faria esse desvio?

Nós fizemos - e não nos arrependemos. O elefante pertence àquela categoria de bichos que os ativistas ecológicos chamam de "carismáticos", ou seja, mesmo que não estejam no topo da lista de extinção, é fácil fazer com que as pessoas simpatizem com eles. Com toda a meiguice necessária para emocionar essa outra categoria do reino animal, os humanos, eles já são fofos. Agora imagine um orfanato... E era isso mesmo: um orfanato de elefantes. O que começou como uma organização para ajudar filhotes que ficaram sem mãe (por causa da devastação de seu hábitat natural e/ou caça indiscriminada), nem faz muito tempo (28 anos), agora é um verdadeiro parque de elefantes, criados soltos. Você passeia entre eles com intimidade, como se fossem bichos de estimação.

No orfanato de elefantes de Pinnawela, vale a pena esperar pela hora da amamentação. Nesse momento é possível chegar bem perto dos filhotes - com a mãe sempre ao lado, de olho no "bebê".

Alguns, claro, estão acorrentados - a explicação dos funcionários do orfanato é que são jovens em idade de reprodução, que não controlam bem seus impulsos sexuais. Adolescentes - se você preferir. Mas os menores, os bebês (ainda que seja difícil aceitar que um bichão com mais de 200 quilos e pouco mais de um metro de altura possa ser chamado de bebê...), ficam soltos, circulando bem pertinho das ultraprotetoras mamães. É demais - mesmo se você for "vacinado" e imune ao fascínio dos bichos carismáticos...

Chegar perto é fácil - e, ao tocar vários deles, me lembrei de um adereço que estava bem na moda quando eu era adolescente: pulseira de rabo de elefante. Se você tem menos de 35 anos talvez nem saiba o que é isso (a não ser que tenha acontecido um *revival* sem eu saber). Era uma pulseira feita de finas tiras pretas que lembram fios de telefone. A grande questão, na época, era saber se a que a gente usava - e que nem custava caro - era mesmo de "rabo de elefante". Voltando ao orfanato, ao tocar os elefantes, você sente claramente os pelos que cobrem a maior parte da pele (e o rabo, claro), e a textura é exatamente aquela... E a conclusão é chocante... Fiquei pensando quantos elefantes foram depilados para alimentar uma moda dessas...

Tentei afastar essa lembrança para aproveitar o passeio, que acabou durando a tarde inteira. Depois de ver os "bebês" sendo amamentados, acompanhamos uma manada até um rio largo, a alguns metros dali, onde os elefantes se esbaldavam na água. Claro que não era a primeira vez que via esse bicho, mas a intimidade do espetáculo era inédita. Na água, e cercados por uma boa centena

OUTRAS PARADAS

▌ A estrada que vai de Colombo a Galle é cortada por vários canais, e em alguns deles é possível pegar um barquinho para um passeio de "safári aquático". Nosso barqueiro se esforçou para mostrar alguns bichos para a gente, mas vimos poucos - apenas alguns pássaros coloridos que eles chamam de "*king fisher*". O espetáculo mesmo era o da natureza nossa volta.

de turistas, eles estavam tão à vontade que era possível até conferir um namoro (não exatamente daquele tipo que vimos em Galle, mas uma abordagem um pouco mais reprodutiva). Foi preciso nosso motorista, sempre alerta, dizer as palavras mágicas - "dente do Buda" - para nos animarmos a sair de lá.

Kandy, aonde chegamos em menos de meia hora, fica num vale lindíssimo. E se você tem a sorte, como nós tivemos, de ter um motorista que conhece todo mundo na cidade (e que também tirava a sua comissão de cada lugar a que nos levava!), é fácil arrumar um hotel bem perto do templo sagrado e com uma vista estupenda - e isso porque a cidade nos recebeu com chuva leve e muitas nuvens.

O relógio do forte de Galle não funciona, mas ajuda a criar um clima

Tínhamos apenas a manhã seguinte para tentar ver a tal relíquia que faz a fama da cidade. Os guias que consultei (um deles dizia que o objeto era tão grande que ultrapassava proporções humanas) já me informavam que a possibilidade de ver o dente do Lorde Buda era remota. Privilégio da família real, a visão do dente só é liberada em grandes festas religiosas, com um intervalo de anos entre elas - nem me preocupei em consultar o calendário. Mesmo porque, sem poder chegar além da porta que guarda o cofre desse tesouro, os peregrinos não param de visitar o lugar. Mas isso seria na manhã seguinte.

Há anos, o Sri Lanka já foi ligado por terra à Índia. Hoje eles são separados pelo golfo de Manar, mas, no ponto mais próximo, apenas 18 quilômetros separam os dois países.

Naquele fim de tarde, nosso programa era ver um espetáculo de danças típicas - para turistas mesmo. Não tenho nenhum preconceito com relação a esses shows preparados. Os mais exigentes dizem que eles não são autênticos - e não são mesmo. Mas, num esquema corrido de viagem como nós fazíamos (e como grande parte dos viajantes pelo mundo fazem), não vejo nenhum mal em assistir a um espetáculo que pelo menos tem como referência uma prática tradicional. Acho engraçado que as pessoas visitem parques temáticos pelo mundo sem a menor culpa, mas se sintam enganadas quando vão a um lugar e veem algo distante de uma "experiência verdadeira" (seja lá o que isso for). Esse grupo que vimos, por exemplo, já se apresentou no mundo todo. Faz o mesmo espetáculo há anos - "com o pé nas costas", para usar um clichê. Mas não senti em nenhuma das danças uma vibração menor do que haveria se elas estivessem sendo executadas numa vila nas montanhas. Já gosto de uma dancinha étnica, é verdade. Só que a experiência daquela noite foi além do mero olhar de fã. Fui dormir em paz. Vibrando e em paz.

E já acordei procurando uma cestinha de pétalas de lótus para não chegar de mãos abanando diante da relíquia. O templo que guarda o dente de Buda é até simples, mas quem disse que um objeto de tanta devoção precisa estar cercado de luxo? O grande impacto do lugar é a espiritualidade que transborda de cada cingalês ajoelhado em frente à relíquia. Não me impressiono facilmente com experiências espirituais, mas confesso que saí fortalecido dessa visita. E ainda tinha aquela árvore na saída...

OUTRAS PARADAS

▌ É comum ver no Sri Lanka a bandeira do budismo. Criada para marcar o renascimento da religião na ilha, ela traz cinco cores (da esq. para a dir.): azul (compaixão), amarelo (o "caminho do meio"), vermelho (bênção), branco (pureza e libertação) e laranja (sabedoria). A última faixa junta todas as cores e seus significados.

se eu voltasse ao
[Sri Lanka]

POR UM DIA...

...iria direto para Kandy, e tentaria chegar bem cedo ao templo que guarda uma das maiores relíquias para os budistas: o dente de Lorde Buda. Compraria uma cestinha com pétalas de flor de lótus para levar como oferenda, tiraria os sapatos e ficaria em silêncio em frente ao altar que guarda o tesouro. Do lado de fora, mais um momento de meditação diante da árvore que nasceu de um galho de outra árvore ainda mais sagrada, aquela sob a qual Lorde Buda sentou-se até sua "iluminação". Enfrentaria as quatro horas de estrada durante a tarde, para pegar o pôr do sol no gramado ao lado do Hotel Face Galle e acompanhar o movimento das famílias que passeiam por lá à noite. E encerraria o dia tomando uma cerveja quente à beira da praia, ouvindo as ondas estourarem com força na areia.

uma **viagem** *sem comprar um*
[SOUVENIR]
não tem graça

A melhor lembrança que você pode levar do Sri Lanka é espiritual... Mas, para quem prefere um presente que seja possível tocar, nada é mais típico do que as máscaras tradicionais. As originais, claro, são de um tamanho que não facilita o transporte transatlântico. Mas, de olho nos turistas, várias oficinas de artesanato já produzem as máscaras (de madeira) em tamanhos acessíveis. O desafio então é escolher entre as diversas formas: a que traz tochas de fogo vermelhas; a que cobre a cabeça com serpentes; a emoldurada por plumas estilizadas - são muitas, por preços que começam em R$ 40. A mais bonita, porém (e também a mais cara de todas, cerca de R$ 100), é a dos curandeiros: em volta do rosto principal, várias outras carinhas (dos espíritos evocados nas danças) adornam essa peça especial.

Tranquilos com o envio das imagens, eu e Guilherme voltamos ao nosso revezamento diante dos computadores. No nosso último dia em Colombo, no final da tarde (era um sábado), eu estava livre para passear no enorme gramado que ficava ao lado do nosso hotel, acompanhando toda a estreita praia que marca a cidade. A ideia, claro, não foi só minha. Centenas de famílias estavam lá também. Mulheres com véus pesados, cercadas de crianças correndo com comida na mão; casais de namorados (será que alguns deles já tinham passado a tarde no forte holandês de Galle?) demonstrando uma tímida intimidade num passeio tão público; amigos animados molhando os pés no mar; pipas, balões de gás, cachorros na coleira, outros soltos, pais dando broncas nos filhos, outros correndo atrás deles numa clara brincadeira sem consequências – cenas que poderiam estar acontecendo em qualquer cidade do interior do Brasil, ou numa praça de nossas maiores cidades. O que havia de diferente ali? As túnicas pretas? A pele mais escura? A marca de pó colorido na testa das meninas? Mais uma vez, eu estava ali, pensando que essas diferenças estão só na superfície. O que via naquele fim de tarde em Colombo era um monte de gente querendo um pouco de diversão, um pouco de carinho, um momento com a família, enfim, ter uma vida legal. E, naquele momento, nenhum outro pensamento podia me encher de mais felicidade.

Detalhe de pintura antiga do Sri Lanka

Do Sri Lanka para o

Uzbequistão

É longo o caminho entre Colombo e o aeroporto do Sri Lanka. Mais longo ainda quando não se quer ir embora. Mas me atrasei tentando aproveitar os últimos minutos perdido na visão do mar da varanda do hotel. E agora ia aflito, preocupado em não perder o avião que nos levaria de volta a Nova Délhi, para de lá seguirmos para o Uzbequistão, onde novas e impensáveis aflições estavam para acontecer.

Amuletos "escondem" um Buda no alto de Kandy

[DÉCIMA ESCALA]

Praça central de Samarkand, nossa escala no Uzbequistão, considerada uma das cidades mais lindas do mundo

Capital: **Tashkent**
Área: **448.900 km^2**
População: **25.563.441 habitantes**
Renda per capita: **US$ 2,5 mil**

UZBEQUISTÃO

Kabrotchkaya!
Inventei uma expressão em [UZBEQUE] para esse "fenômeno"

Quando o relógio (ou talvez o calendário) já tiver avançado o suficiente para justificar a famosa equação: "Comédia é igual a Tragédia mais Tempo", me lembre de escrever um texto chamado "O que as outras companhias aéreas devem aprender com a Uzbekistan Airways". Agora ainda tá muito cedo...

Foi exatamente isso que escrevi no blog da viagem no dia 22 de julho de 2004. Recuperando esse texto para escrever este livro, refleti: será que esse tempo já passou? Talvez sim. Acho que já estou preparado para descrever o que foi o voo Nova Délhi-Tashkent. Mas antes, como introdução, um relato de como foi difícil comprar a

OUTRAS PARADAS

■ Momentos antes de embarcar no avião da Uzbekistan Airways, quando ainda tínhamos esperança de ter um voo tranquilo... (se bem que a gente já deveria ter desconfiado de um avião onde a entrada é no meio da cabine...).

passagem na Uzbekistan Airways. Esse trâmite, nada simples, foi um claro anúncio do que estava por vir. Deveríamos ter dado mais atenção a isso, mas não tínhamos opção. Era a única maneira de fazer o percurso naquela semana.

Antes ainda do bilhete, nos preocupamos com o visto. De Colombo, no Sri Lanka, voltamos a Nova Délhi, na Índia, para aguardar a decisão do público naquele domingo. Mais uma vez, estávamos "fazendo o peão", como me ensinou uma tia querida - a tia Ordélia. Me lembrei dela - e da sua expressão - quando me vi novamente rodando por uma cidade que, apesar de não ser um destino escolhido pelo público, acabou tendo um papel importante na nossa viagem, já que dela fizemos nossa base para outros lugares (como o que aconteceu com Bangcoc). Não tinha certeza se estava contente de voltar para a confusão de Délhi num momento em que tínhamos de organizar mais uma etapa. Mas a parada era estratégica: dali poderíamos sair tanto para o Uzbequistão como para o Cazaquistão - as duas opções de destino para aquela semana.

Como deu Uzbequistão, o Tuli (meu amigo indiano que nos hospedou lá na semana anterior) já sabia aonde nos levar. A embaixada do Uzbequistão na Índia fica numa casa imponente - claro, no bairro das embaixadas, não muito longe da do Brasil -, onde fomos recebidos com muita simpatia e eficiência, o que já me surpreendeu. Pelo pouco que sabia do país que estávamos prestes a visitar, tinha motivos para desconfiar de tudo. A experiência da embaixada, no entanto, ajudou a baixar essa guarda. Foi, porém, o

OS 5 SOUVENIRS DA MINHA BAGAGEM DE MÃO

- MAPA DOS ANOS 50 do Uzbequistão, comprado na feirinha de antiguidades em Tashkent
- PINTURA DE MANDALA comprada na loja de Anrit, em Katmandu, Nepal
- PEQUENA ESTÁTUA DE GANESH em bronze, comprada no templo de Ta Prohm, Angkor, Camboja
- PINTURA ABORÍGINE, com a foto da sua autora colada atrás da tela, Sydney, Austrália
- PÔSTER DA EXPOSIÇÃO DE LUC TUYMANS, na Tate Modern, Londres

único evento que colaborou nesse sentido. No momento em que pisamos no escritório da Uzbekistan Airways, comecei a ter mais de um motivo para achar que o pior nos esperava.

Para começar, o próprio escritório da Uzbekistan Airways não vende passagens da Uzbekistan Airways. Eles te mandam para um agente de turismo para fazer a operação. No mundo todo, o esforço da maioria das companhias aéreas é para eliminar o intermediário e não ter de pagar uma comissão. Não por aqui. Num esquema explicado pelo Tuli - e que faz todo o sentido -, os funcionários da Uzbekistan te mandam a um agente de viagens, pois assim podem dividir com ele a comissão que lhe é devida, ao passo que, se eu comprasse a passagem direto ali no balcão, o dinheiro da tarifa iria todo para a companhia aérea. Cheira a corrupção? Pois é corrupção mesmo!

No escritório do agente de viagens, tivemos ainda mais certeza disso. Ficava num prédio que, também segundo o Tuli, não é muito diferente de tantos outros ali em Nova Délhi: uma entrada apertada levava diretamente a uma escada imunda, com as paredes manchadas de vermelho (muitos indianos mascam uma substância que deixa a boca dessa cor e, quando ela já está bem mastigada, eles simplesmente cospem na primeira parede que veem; mais uma informação cortesia do Tuli). No primeiro andar, tapumes de madeira formavam um corredor que escondia espaços abandonados (e depredados) e nos levava a uma fresta de luz fraca ao fundo. Na porta, a placa que dizia, em inglês, algo como "representante exclusivo da Uzbekistan Airways". Tudo bem. Dentro

OUTRAS PARADAS

■ Uma relíquia encontrada nas ruas de Tashkent: uma pequena réplica da antena que é um dos monumentos gigantes dessa cidade que conserva o estilo soviético. Com 375 metros, ela é "só" 6 metros mais baixa que o Empire State Building, em Nova York (a miniatura, porém, não passa de 1,5 metro).

O mundo - é duro
reconhecer - é feito
também de um monte
de lugares tristes.

das salas, amontoados de arquivos, pôsteres antigos dos aviões da companhia (ou o que eu achava fossem pôsteres antigos e que, descobri depois, eram fotos relativamente recentes de aviões antigos ainda em operação!), uma atendente até bem sedutora para os padrões do recato indiano (seria ela uzbeque? não parecia) e um "gerente de operações" que entrava e saía de uma salinha, sempre dando um palpite nas nossas passagens. Que, aliás, custavam US$ 500 cada uma - e tinham de ser pagas em dinheiro vivo!

Claro que não tínhamos aquela quantia no bolso. Assim, passamos por uma segunda situação inacreditável na mesma tarde (já sempre imaginando quantas mais poderíamos ter). Já sabíamos que tudo na Índia é mais complicado, mas a burocracia que enfrentamos para fazer uma operação simples passou um pouco da conta. Sabe quando alguém reclama que não pode te ajudar porque falta um carimbinho em um documento do qual você está há dias correndo atrás? Multiplica isso por 140! A cena se passou numa agência do Bank of India. Tudo o que queríamos era sacar com o cartão de crédito o valor das passagens para Tashkent. Numa sala de, no máximo, 12 metros quadrados trabalham oito pessoas. Cada uma em sua mesa. E com seu lanchinho. Um funcionário circulava quase sem descanso com uma bandeja e ia trocando as xícaras de chá. Pacotes de biscoito circulavam com certa reserva - nem todo mundo oferecia pra todo mundo, numa delicada trama de cortesias e intimidades. No teto, quatro ventiladores, mas dizer que eles estavam refrescando o ambiente é sugerir que rádio de pilha poderia animar a plateia de uma *rave*. O

OUTRAS PARADAS

▌ Imensa e espalhada, Tashkent dá a impressão de ser uma cidade-fantasma. Ruas largas e vazias, e construções simples e gigantescas, só aumentam essa impressão, que tentei resgatar nessas fotos que fiz num passeio pela capital.

único consolo refrescante da sala era o papel de parede de um computador, com a imagem de um vale nevado (não é a primeira vez que reparo que imagens de neve ilustram telas de computador - seria um efeito psicológico?). Eu e Guilherme (o Tuli tinha saído à rua para tirar uma cópia do meu passaporte - havia 25 minutos! Devia estar tendo outras dificuldades, mas sem a tal cópia nada aconteceria naquele banco) engrossamos a lotação da sala - com prejuízos imediatos para a circulação já precária naquele espaço tão amontoado. Esperávamos a fotocópia, para que a sétima pessoa que assinara o formulário de retirada de dinheiro com cartão pudesse enfim me dar o dinheiro. Mas quem chegou antes do Tuli foi o técnico em ar-condicionado, para consertar não o da sala em que estávamos, mas o do compartimento ao lado, um cubículo que guardava o computador central. A temperatura subia e a tarde ia embora. Era incrível! O que poderia ter sido resolvido em questão de segundos num caixa automático, em Délhi ganhou um ritmo estagnante... Exatos 50 minutos depois da nossa chegada ao banco, entrou enfim o Tuli com a cópia do meu passaporte. A última assinatura estampava o formulário e só faltava eu me dirigir ao caixa... Teriam sido mais 2 minutinhos se a pessoa atrás do balcão não tivesse me confundido com um indiano e me pedido informações extras (mais?) em hindi. Sem o Tuli por perto, tive dificuldade em entender o que estava acontecendo - e quando tentei me comunicar em inglês a confusão piorou. Na conta final, toda a operação (reserva da passagem, retirada do dinheiro, compra do bilhete) demorou 2 horas e 35 minutos!

AS 5 CONSTRUÇÕES MAIS MARCANTES DA VIAGEM

- SAMARKAND, Uzbequistão
- MONTE ALBÁN, Oaxaca, México
- ANGKOR WAT, Siam Reap, Camboja
- MESQUITA AZUL, Istambul, Turquia
- FORTE VERMELHO, Nova Délhi, Índia

♣ Quando a viagem não vai ser boa, os problemas já começam na hora de comprar o bilhete

Para não dizer que o dia foi um total desastre (ainda que um desastre que seria possível encarar, posteriormente, com humor), nossa despedida da Índia foi num dos melhores restaurantes de Nova Délhi, o que, nessa cidade, quer dizer um dos melhores restaurantes de hotel. Délhi tem essa dinâmica curiosa: a vida social urbana acontece principalmente em hotéis. Uma *happy hour* para relaxar no final da tarde? Quatro ou cinco estrelas? Um jantar romântico para comemorar o aniversário de casamento? Que tal aquela grande cadeia de hotéis americana? Dançar até se acabar? A melhor pista fica num estabelecimento de mais de setecentas salas. Assim, para uma pequena festa gastronômica, Tuli me levou a um desses restaurantes, merecidamente batizado de Masala Art, já que a comida lá era, mais que um prato, uma forma de expressão. Ah, e esse era também o único lugar em Délhi para o qual a mãe do Tuli (que cozinhou maravilhas para nós enquanto estávamos hospedados lá) aceita convite para jantar fora. Sábia mulher...

No dia seguinte, porém, depois desse alegre "fechamento", as coisas começaram a ficar mais complicadas já no balcão da Uzbekistan Airways no aeroporto. Aquele senhor que entrava e saía da sala na agência de viagens me recebeu com uma mala tipo 007 - da época em que o agente inglês ainda era interpretado por Sean Connery - e informou que devíamos pagar por excesso de bagagem. Mais uma operação simples, coisa a que já estávamos

OUTRAS PARADAS

▌▌O Uzbequistão se desligou de Moscou em 1991. Era uma das antigas "repúblicas socialistas soviéticas". Entre outros países, hoje independentes, que também faziam parte desse grupo estão o Cazaquistão, Quirguistão e Azerbaijão. E ainda: Belarus, Estônia, Letônia, Lituânia, Moldávia e a Ucrânia (além, claro, da própria Rússia).

acostumados (viajando com 130 quilos, em média, saímos do Brasil inclusive com um orçamento para isso). Não na Uzbekistan Airways. Após me convidar a ir até o balcão do lado, o tal senhor abriu sua maleta e disse que teríamos de pagar cerca de US$ 250 direto para ele. Em rúpias indianas! Como já estava na hora de embarcar, disse que não seria possível fazer o câmbio e pedi a ele que aceitasse o pagamento em dólares mesmo. Foi quando ele disse para eu não me preocupar, pois o avião só decolaria quando ele mandasse. Comecei a procurar uma caixa de câmbio automática (a ala de embarques do aeroporto - pasme! - não tinha um quiosque para isso). A mais próxima ficava no estacionamento, mas, como já havia entregue minha passagem no balcão, eu não poderia reentrar no aeroporto (prática em vários países da Ásia e África: só entra na área de check-in quem está com o bilhete na mão!). Tive de pedir uma licença especial para a polícia - e uma agente me acompanhou na operação. Com um pequeno defeito na perna, seu passo era lento - mas eu já tinha relaxado. Afinal, o cara da Uzbekistan não tinha dito que o avião só sairia quando ele mandasse?

Cheguei uns 25 minutos mais tarde para encontrá-lo, impassível, com a mala aberta. Tive a ligeira impressão (que depois se transformou em certeza) de que aquele dinheiro iria direto para ele. Mas eu tinha outras coisas com que me preocupar em relação à chegada a esse novo país. (Acho que divido com você o fato de, antes dessa volta ao mundo, ter pronunciado "Uzbequistão" pouquíssimas vezes - talvez nenhuma. O nome lembra um daqueles territórios

Na saída do Uzbequistão, fizemos escala no Cazaquistão - só que não passamos do aeroporto de Almaty

que estão estampados no tabuleiro do jogo War, que me fez fantasiar durante anos - e um pouquinho até hoje - com um lugar chamado Vladivostok. Quem sabe um dia ainda não vou pra lá?)

Estávamos saindo aos poucos da Ásia, não sem uma boa dose de saudades (apesar das confusões). Qualquer pensamento mais emocional, porém, foi cortado no momento em que encaramos de frente o avião da Uzbekistan Airways. Nunca fui especialista a ponto de poder dizer, num olhar, que avião era aquele. Russo, sem dúvida. Mas que aeronave era aquela em que a única porta de entrada ficava bem no meio da fuselagem? Se isso fosse a única coisa esquisita...

Como eu dizia naquele texto do blog, no início deste capítulo, tentei fazer, durante o voo, uma lista irônica de dicas que as outras companhias aéreas poderiam aprender com a Uzbekistan Airways. Se bem me lembro, a primeira delas é: "Corte o ar condicionado antes da decolagem". Já pensou na economia? E quando os passageiros, preocupados com o efeito do calor indiano na cabine estacionada ao sol (mais 40 minutos de atraso), perguntarem em inglês se o sistema de refrigeração estava com problemas, responda em russo.

A segunda dica importante é: "Pare de regular tanto a bagagem de mão que os passageiros levam a bordo". A minha tinha um volume razoável, dentro dos padrões permitidos em voos internacionais, e mesmo assim não cabia no compartimento superior, que era apenas uma prateleira aberta, como num vagão de trem ou num ônibus, capaz de conter no máximo um sobretudo. Ao questionar a aeromoça, que ainda usava o uniforme

OUTRAS PARADAS

▐ Um momento especial em Tashkent foi a missa a que assistimos numa igreja cristã ortodoxa, onde comprei este ícone (ao lado). Antes de receber a hóstia, era necessário beijar uma imagem de Jesus crucificado (as mulheres ainda davam mais um beijo nas mãos do padre).

que tinha adquirido quando da sua entrada na companhia (mais ou menos há trinta anos), apesar de seu corpo já ter sofrido mais transformações do que a moda em Paris nas últimas três décadas, ela foi direta: "Jogue em cima de qualquer poltrona".

Fiz o que ela mandou. Os lugares não eram marcados. Se alguém chegasse e quisesse se sentar no lugar ocupado pela minha mala de mão, era só deslocá-la para uma nova posição. E assim foi acontecendo, e estava até me divertindo com o "passa-passa", até que descuidei por alguns instantes (ou talvez tenha desmaiado com o calor que sofríamos com o atraso na decolagem, que já chegava a 1 hora e 15 minutos, não tenho certeza) e, quando voltei a olhar, não a encontrei. Antes de entrar em pânico, resolvi perguntar para a outra aeromoça, a que tinha comprado seu uniforme há menos tempo (25 anos, talvez?). Tranquilíssima, ela respondeu, num murmúrio que lembrava inglês, que eu não precisava me preocupar, pois ela deveria estar numa pilha em frente à saída de emergência!! De fato, lá estava não só a minha, mas também as bagagens de mão de metade dos passageiros, amontoadas na frente de um local que qualquer companhia aérea "normal" considera sagrado!

Outras lições da Uzbekistan Airways? Dispense a preocupação com qualquer sabor na refeição servida no voo. O suspense mantido nas 2 horas e 30 minutos em que estivemos no ar já se encarregaria de aniquilar qualquer percepção sensorial que não fosse o tato - só percebido, aliás, pela pressão que sua mão fazia na poltrona (se você tivesse a sorte de estar sentado numa que

■ Quem disse que os uzbeques não gostam de cinema? O sucesso da temporada era essa comédia com Drew Barrymore e Adam Sandler. Você consegue reconhecer? É Hollywood invadindo novas fronteiras...

tinha braços) nos momentos em que o piloto resolvia rever a definição de turbulência para incluir também mudanças abruptas de altitude e direção.

Entretenimento a bordo? Quem consegue pensar em assistir a um filme quando tem a sensação de protagonizar um daqueles de resgate em geografias complicadas? E pode também dispensar essa prática de pedir para as pessoas ficarem sentadas "até a parada total da aeronave". Nada que possa acontecer aos passageiros nesse período em terra pode ser pior do que o que eles enfrentaram no ar.

Pensando melhor, tantas manobras radicais talvez tivessem uma finalidade: te preparar para a entrada no aeroporto de Tashkent. Antes de mostrar seu passaporte às autoridades federais, você é recebido por duas senhoras, aparentemente vestidas de enfermeira, que te perguntam em que hotel você vai ficar. Anotam essa informação ao lado do seu nome e passam você adiante. Com o visto, a entrada foi rápida. Mas quando chegamos ao controle de alfândega... Filas enormes e estáticas misturavam turistas confusos, sem saber como preencher a ultradetalhada declaração de importação toda impressa em russo (nosso caso), e naturais do país, que tinham cada canto de suas bagagens minuciosamente revistado. Viajando com um equipamento - importado - como o nosso, imaginei imediatamente que seríamos presa fácil. Não foi bem assim. Os alvos eram mesmo os

OUTRAS PARADAS

‖ Quer encontrar música típica do Uzbequistão? Desista... Fui a várias lojas de discos, inclusive barraquinhas em feiras livres (leia-se "camelôs") e o melhor que eu consegui encontrar foram compilações de música pop, bem *trash* mesmo. *Disco*, salsa, *house*, *hip'hop*, misturadas com baladas melosas, nada originais - sem nenhuma nota mais regional!

pobres uzbeques, que não podiam levar para seu país sequer um saco de batatas fritas comprado "no estrangeiro"!

Depois de 1 hora e 30 minutos, saímos na rua - e aí, sim, começaram os problemas. Uma das minhas fotos favoritas da viagem nem tem foco (acho que seria impossível reproduzi-la aqui), mas captura eu e Guilherme na van que nos levou até o hotel no centro de Tashkent, completamente de mau humor, depois de termos sido disputados a tapa (e isso não é figura de linguagem) pelos motoristas desesperados por nos terem como passageiros (numa corrida superfaturada, como descobrimos depois). Atônitos, não sabíamos a quem pedir ajuda (autoridades? centro de informação de turistas? Você deve estar brincando...), até que uma loira, que já havia ultrapassado de longe a juventude que a cor postiça de seus cabelos queria sugerir, apareceu falando três palavras em inglês - na verdade, duas palavras e um gesto: "hotel", as duas mãos espalmadas com todos os dedos abertos na direção do meu rosto duas vezes, e "dólar". Tradução: US$ 20 pela corrida. Partimos.

O hotel pertencia a uma grande cadeia europeia. Pensar em

Na porta de uma madressa (escola muçulmana), a sensação de estar num lugar imponente

Não é fácil ter essas notas bonitas no bolso. Qualquer câmbio no país deve ter registro oficial, em papel timbrado. A circulação do *sum* é supercontrolada.

alternativas teria tornado nossa estadia no Uzbequistão inviável. Precisávamos nos sentir um pouco protegidos nesse lugar que parecia não ter lei. A boa surpresa foi que o hotel conseguia manter seu padrão europeu mesmo diante das dificuldades que o lugar impunha. Tínhamos não só conexão rápida de internet no quarto (um pesadelo a menos), como lá mesmo na recepção já contratamos um carro para nos levar no dia seguinte à que é conhecida como uma das cidades mais bonitas do mundo, Samarkand. Não sem antes, claro, dar uma passadinha em Boston!

Levou um susto? Então imagine o meu ao deparar com essa placa na estrada. A única cidade que eu conhecia com esse nome até aquela manhã fica no estado americano de Massachusetts. Achei uma grande ironia encontrar um lugar homônimo num país que antes pertencia à União das Repúblicas Socialistas Soviéticas. (Nota para quem tem menos de vinte anos: antes, o que hoje é a Rússia dominava um território ainda maior, que compreendia inclusive o Uzbequistão; mas isso foi antes do colapso do comunismo, fim da guerra fria, coisas muito complicadas pra explicar aqui, e que eu espero - reforço, espero - que os currículos básicos de história geral já estejam ensinando. Quando estudei história no colégio, o Muro de Berlim ainda estava de pé.)

Essa, claro, não foi a única surpresa dessa viagem de carro. Sim, mais uma viagem de carro, daquelas em que a previsão é em geral de 40% do tempo que ela realmente leva. (Por que será que as pessoas nunca contam pra gente quanto tempo a viagem vai levar - de verdade?? Ao contratarmos um carro, fosse na Índia, no Sri

OUTRAS PARADAS

■ O fascínio dos uzbeques por mosaicos, visível nos monumentos antigos, está até na decoração de construções recentes, em Tashkent.

Lanka ou no Uzbequistão, ouvíamos sempre: "Até onde você quer chegar são só duas horas e meia, no máximo três, conforme o trânsito". No final, é sempre um pouquinho mais que o dobro.) Mas, mesmo a viagem sendo longa, não deu pra reclamar de falta de diversão no percurso (o caminho de volta, claro, foi bem mais aborrecido).

A começar pelo café da manhã de beira de estrada (mais precisamente, de beira de estrada no Uzbequistão), que incluía chá, pão e *kebab*! *Kebab*? *Kebab*! Espetinho - às 8h30 da manhã! Nada como um bolinho de carne moída amassada e enfiada no espeto que vai direto pra uma churrasqueira - aqui, geralmente improvisada com tijolos - para abrir seu dia. O favorito dos uzbeques (e que nós, dedicados turistas, não recusamos) é o de carne de carneiro. Especialmente recomendado para as 8h30 da manhã! A sorte é que, mais adiante, dezenas de mulheres vendiam lindos baldes repletos de maçãs - bem pequenas, quase do tamanho de uma ameixinha, mas extremamente doces - e isso deu uma balanceada na nossa dieta.

Nosso motorista, cujo nome eu nem sequer consegui absorver, tentava conversar. Eu me esforçava em responder. Mas nada ia adiante. Nossos diálogos obedeciam a uma curiosa evolução: perguntas elaboradas em inglês iam sendo imediatamente abandonadas e a estrutura das frases reduzida ao mínimo - com artigos e preposições totalmente ignorados; em seguida, os verbos tinham o mesmo destino. As respostas vinham num esboço de inglês com pesado sotaque russo. Então, eu ia "limpando" as

---

❚ O sorriso do uzbeque é dourado. De ouro mesmo. Desde os adolescentes até as pessoas mais velhas, todos estampam pelo menos um par de dentes de ouro. Para eles, isso é símbolo de *status*. Quanto mais, melhor.

frases, até que tudo o que eu gostaria de dizer pudesse ser resumido a um remendo de três (às vezes dois) substantivos concatenados. Mas nem assim... Dali pra frente, as respostas chegavam em russo fluente, com fragmentos possivelmente identificáveis em inglês ("móni", "trim", "big", "gudy"). Nada disso, porém, o impedia de ser talvez o nosso condutor mais simpático até então.

A amizade foi selada no almoço, já em Samarkand. Estirados num estranho móvel que mistura cama e mesa (uma prancha com pés colocada sobre um grande estrado coberto de tapetes e almofadas) e bem servidos de *kebabs*, a "conversa" rolou solta.

Estávamos um pouco cansados da jornada. Fomos longe! A paisagem, que começou com campos e mais campos de algodão, logo ficou mais próxima do deserto, e só quando cruzamos algumas montanhas, depois de beirar a fronteira com o Tadjiquistão, voltamos a ver algum verdinho - e com flores! Era um bom presságio: estávamos perto de um dos lugares mais lindos do mundo.

Eu já tinha ouvido falar de Samarkand (indicação de amigos, reportagens em revistas), com comentários sempre superlativos. Até que cheguei lá e percebi que tudo o que tinham me contado era pouco - pouquíssimo - quando comparado ao que estávamos vendo: um festival de mosaicos; duas antigas *madressas* (escolas onde os meninos eram educados nos ensinamentos do Islã) e uma mesquita; uma praça exuberante; uma viagem no tempo; um passeio por um cenário antigo, cheio de mistérios; um show de

OUTRAS PARADAS

▌Cada cidade por que passamos nas estradas do Uzbequistão tem sua entrada marcada por um monumento de concreto. O desenho lembra a estética soviética (e, curiosamente, algumas cidades do interior do Brasil...).

imponência, cores (azul e verde, principalmente) e desenhos; o testamento de uma cidade que já foi das mais ricas na época em que ficava no coração da rota da seda.

Eu poderia esgotar todos os clichês possíveis aqui - inclusive o tradicional "não dá pra descrever". E não seria suficiente. Então vou tentar uma abordagem "mais livre". É o seguinte: eu já estive em muitos lugares neste planeta - não só nessa Fantástica Volta ao Mundo - e nunca vi nada que tivesse um impacto tão grande sobre os olhos quanto esses monumentos de Samarkand.

Malika, minha guia muçulmana, que nasceu e cresceu na cidade, se esforçava para me cativar com as histórias da construção (séculos 14 e 15) e restauração (século 20) dos prédios. Mas minha atenção se sustentava por cerca de 40 segundos a cada vez que ela recomeçava. Qualquer concentração ia logo embora, e era como se meus olhos quisessem gritar: "É maravilhoso! É gigantesco! É impressionante!"

Eu já estava bem contente de ter parado de pensar por alguns minutos nas cinco horas de viagem até lá - e nas outras cinco horas que eu iria enfrentar na volta. O que poderia superar isso? Uma festa de carnaval bem brasileiro em Tashkent? Quem sabe...

Comendo kebabs no "sofá-mesa"

Assim como para nós, no Brasil, "carne" num restaurante significa que é "de vaca", no Uzbequistão, a mesma palavra remete automaticamente à expressão "de carneiro". Nos *kebabs*, por exemplo, se você não deixar claro que é de "de boi" ou mesmo "de frango", o que o garçom vai te trazer é carneiro - e quem já provou sabe que é bom, mas é forte...

214 Uzbequistão

Malika, nossa guia em Samarkand, exigiu posar com a sombrinha

Que entrem as "uzbek kabrotchkayas!" (atenção! expressão totalmente inventada). Como assim?? Foi o que também me perguntei quando a notícia começou a circular. Quem soube primeiro foi a Fabiana, uma paulistana animada que, descobrimos, havia se mudado há apenas algumas semanas para lá. Provavelmente a única representante da nossa nação até nossa chegada, ela foi para lá com o marido, um americano que trabalha em construção civil. Estava quase tão perdida quanto a gente, e nisso nosso encontro foi perfeito, porque um ajudou o outro.

Com ela, assistimos a uma missa na igreja cristã ortodoxa bem

OUTRAS PARADAS

▐ Em Samarkand tive uma pequena introdução à política de salários. Nossa guia, Malika, é professora de história e dá aulas em escolas públicas. Seu salário é de cerca de R$ 150 reais por mês. Para completar o orçamento, ela faz passeios guiados pelo centro histórico, por R$ 75. Mesmo assim, nunca teve dinheiro para viajar para fora da cidade onde nasce há 28 anos.

em frente à sua casa. Depois partimos para um passeio maravilhoso pela cidade, que incluiu um almoço de mais *kebabs* no meio da rua, uma visita a uma feira de quinquilharias ao ar livre (onde comprei um mapa do Uzbequistão dos anos 50, genial!), visitamos um grande mercado, onde experimentei um daqueles pães redondos, típicos de lá, ainda quentinho, saindo do forno; e ainda assistimos a um capítulo de *Mulheres apaixonadas* dublado em russo. Mas todo esse entretenimento que a Fabiana nos proporcionou ficou em segundo plano diante da possibilidade de encarar uma festa brasileira!

Recebi o e-mail/convite na quinta-feira à tarde. Ela me perguntava se eu sabia que ia rolar uma festa dessas. Achei que era uma brincadeira, claro. Aliás, acreditei menos ainda quando descobri que a festa era no próprio hotel onde estávamos hospedados. Saí perguntando, mas ninguém sabia me dizer se a festa contaria com músicos brasileiros, música brasileira - na verdade, ninguém sabia me dizer nem se ia ter samba. Quando perguntei se as bailarinas (prometidas no convite) eram da nossa terrinha, ouvi um *"probably Russian"* ("provavelmente russas") como resposta. Imediatamente coloquei minhas expectativas nas alturas... E não me decepcionei. Não com a batucada, claro.

Nada do que se ouviu na piscina do hotel (o cenário da festa) parecia de longe um samba - era só música eletrônica com uma leve pitada de ritmos latinos (leia-se, "mambo"). Mas o mais legal é que o espetáculo acabou me proporcionando momentos de pura diversão. Meio desajeitado, mas sem perder a animação, o público

O que que a cabrocha uzbeque tem? Tem um "corpão", claro. Tem pluma na cabeça também. Só não tem muita ginga. E nem samba no pé... Na "festa de carnaval do Rio", elas conseguiam enganar todo mundo - menos os brasileiros de plantão...

Museu consagrado ao maior ídolo nacional do Uzbequistão, o conquistador (ou "bárbaro" para alguns) Amir Tamur

ia entrando na pista e ensaiando o que poderia ser a terceira aula de um curso chamado "Samba para Principiantes", sendo que quase todos tinham faltado às duas primeiras aulas. E quando entraram as cabrochas então... Bem, chamá-las de cabrochas é tomar uma certa liberdade com a definição do termo e levá-lo a um patamar quase abstrato! Se estar vestida com plumas e biquíni sumário qualifica alguém como cabrocha, então elas passaram no teste. Mas quase pegam recuperação!

Com elas, porém, a turma começou a se animar... e as cabrochas começaram a... bem... evoluir... Alguns mais animados foram pulando na piscina. As meninas começaram a subir em cima das mesas. E houve um momento em que achei que estavam criando o clima para uma daquelas publicações de fotos que a gente vê nas bancas na quarta-feira de cinzas, com a chamada de capa "Edição Especial de Carnaval" e cheia de imagens ousadas. Às 2 da manhã a festa se transferiu para o salão de convenções do hotel - e aí já não dava mesmo pra chamar de Carnaval. Virou *rave*! Ponto alto: a pista de dança lotada de Ludmilas, Natashas, Sashas, Sandozs e outros nomes que eu ainda não absorvi, dançando "Milkshake (Uzbek Remix)", de Kelis... Nossa, como eu tava precisando de uma festa... E que festa! Quase me acabei - e isso porque teoricamente eu estava cansado. Salve as "kabrotchkayas"!!

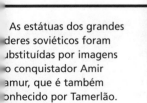

As estátuas dos grandes líderes soviéticos foram substituídas por imagens do conquistador Amir Tamur, que é também conhecido por Tamerlão. Ele governou entre os séculos 14 e 15, transformou Samarkand num monumento e fez da região uma das mais ricas da Ásia, mas deixou uma fama de cruel e sanguinário. Os uzbeques consideram-no grande herói nacional.

Comparados com essa "farra", os últimos dois dias no Uzbequistão foram bastante tranquilos. Com o computador trabalhando sozinho no quarto, sem a necessidade de ser pajeado, tive um tempo para organizar as coisas, os pensamentos. Usei o sábado para escrever os textos do programa (praticamente não saí do hotel). E no domingo, antes de pegar o avião, tive tempo suficiente de passear pelas ruas de Tashkent, numa manhã estranhamente silenciosa. Aliás, não era só a manhã. As ruas, as pessoas, os parques, as praças, as fontes, os cartazes de cinema - tudo colaborava para uma sinfonia sem música, cheia de ecos surdos vindos de prédios enormes e vazios.

Tashkent correspondeu ao que eu mais ou menos imaginava de uma cidade soviética pós-URSS. Uma vastidão oca, aquela arquitetura monumental, salpicada com pessoas tristes nas calçadas - que pareciam ainda mais tristes por serem tão bonitas. Entre todos os tipos étnicos que encontramos nessa volta ao mundo, o uzbeque foi um dos mais interessantes. Traços mongóis, olhos claros, cabelos escuros, um porte alto - tudo ajudava a formar rostos que eu não tinha encontrado em nenhum outro lugar. A natureza era ainda mais generosa com os homens, uma vez que as mulheres, maltratadas talvez pelo modo de vida, passavam por um estranho processo de envelhecimento, que as fazias saltar dos quinze para os 55 anos sem transição. E mesmo assim elas irradiavam uma beleza estranha.

Cruzando ruas desertas (era domingo de manhã, mas a agitação não me parecia muito diferente daquela que eu tinha visto nos dias

OUTRAS PARADAS

‖ Nas ruas de Tashkent, é fácil encontrar resquícios do período de dominação soviética. Especialmente nas construções e nas artes gráficas, como na fachada desta empresa que estampa um "moderno" logotipo "atômico".

se eu voltasse ao [UZBEQUISTÃO]

POR UM DIA...

...eu iria cedo para um grande mercado comprar um *obi-non* bem quentinho. Esse é o nome do pão redondo que você vê por todo canto do país. Depois, sairia andando sem destino pelas ruas largas de Tashkent, tentando ouvir os sons daquela imensidão entre monumentos e construções que parecem não pertencer a nenhuma época. Chegaria a um grande parque, com a estátua do maior herói nacional, Amir Tamur, o conquistador. Tiraria uma foto ali, como todo uzbeque faz, na frente da figura dele sobre seu cavalo, e passaria a tarde fuçando nas esteiras estendidas nas calçadas, cheias de relíquias soviéticas. No fim da tarde, sentaria para comer um *kebab* nas mesas colocadas nas calçadas e, quem sabe, tentaria conversar com alguém local, numa língua nova, que nenhuma das partes nem sonha que existe...

uma *viagem* sem comprar um [SOUVENIR] não tem graça

Praticamente todos os dias, perto da praça central de Tashkent, onde hoje está uma enorme estátua do "grande conquistador" Tamur, você encontra uma série de "camelôs" vendendo mapas, revistas, discos, livros e todo o tipo de quinquilharias da época da dominação soviética (os broches com imagens das conquistas espaciais dos anos 50 e 60 são os mais modernos, a partir de R$ 30). Mas isso é fácil de encontrar em vários países que faziam parte da antiga União Soviética. Para algo típico do Uzbequistão, procure um vendedor que trabalhe com tecidos com motivos florais de cores fortes bordados à mão (R$ 60 os mais baratos) ou um chapéu de criança com detalhes pendurados (R$ 45 os mais simples). Quer algo ainda mais barato? Pequenas almofadas de veludo bordadas com fios brilhantes (não sei direito para que servem, talvez para decoração, custam só R$ 10 cada).

úteis), fachadas modernas (pense em anos 60 e o melhor dos 70) e esquinas desoladas, me lembrei de um dos últimos filmes que vi antes de sair do Brasil: *Para sempre Lilya*, do diretor sueco Lukas Moodysson. Vi em DVD importado, porque, apesar de ter sido um sucesso internacional de crítica e da bela recepção do filme anterior do diretor (*Bem-vindos*), ele ainda não tinha sido lançado no Brasil. É devastador. Em brevíssimas linhas, é a história de uma adolescente abandonada pela mãe numa pequena cidade do interior da Rússia. A mãe vai para os Estados Unidos com um cara que arrumou numa agência de casamentos, promete que vai voltar para buscar a filha - e não dá mais notícias. Lilya amarga durante semanas (talvez meses) a miséria do local onde vive, até cair no conto de um namorado que quer levá-la para a Suécia - um golpe para que ela se transforme numa espécie de escrava (sexual) em outra cidade do interior, agora sueco. É muito triste. Muito. E lá estava eu passeando em Tashkent, me lembrando disso.

Eu adorei o Uzbequistão. Sério. É só reler este capítulo para conferir. Mas tem alguma coisa, alguma coisa que não sei definir, que está nas pessoas que você encontra na calçada, que está nas janelas que revelam vultos quando você passa, até nas portas do metrô que, num movimento fantasmagórico, abrem e fecham sozinhas com o vento do trem que passa lá embaixo - tem alguma coisa que me fez lembrar esse filme.

O mundo - é duro reconhecer - é feito também de um monte de lugares tristes.

Fachada de cinema em Tashkent

Do Uzbequistão para a
Romênia

O que tínhamos pela frente: **24 horas de voos** e conexões para chegar a um país que era um mistério para mim. O que estava deixando para trás: uma estranhíssima sensação de ter passado por um lugar ao qual dificilmente eu voltaria, apesar de ter elaborado dezenas de razões, das mais românticas às mais melancólicas, para me apaixonar por ele. Por sorte, todo o sacrifício **foi mais que recompensado em Bucareste.**

Os amuletos chegam aos magníficos mosaicos da praça de Samarkand

[Décima primeira ESCALA]

Relaxando num domingo à tarde, às margens do lago Herastrau, em Bucareste, com o Guilherme e a Andreia

Capital: **Bucareste**
Área: **238.391 km²**
População: **21.698.181 habitantes**
Renda per capita: **US$ 7 mil**

ROMÊNIA

Elegantei!
Como elogiar um [ROMENO] bem-vestido

Não que meu romeno estivesse afiado. Na verdade, em nosso terceiro dia na Romênia, eu sequer tinha arranhado a língua. Já havia tentado fazer uma aula com duas nativas que falavam um português impecável - e tudo o que aprendi foi que uma palavra para designar "saudade", coisa que os brasileiros sempre se orgulharam de ser exclusividade da nossa língua, também existe no romeno, como explico mais adiante. Mas o fato de as raízes serem, como as nossas, latinas, permitiu que, voltando de uma viagem à Transilvânia, eu ouvisse no rádio do carro uma notícia que pude compreender: algo que parecia juntar "atentado", "Tashkent" e "Uzbequistão". Estive bem próximo das duas últimas palavras - e aparentemente, segundo nosso

OUTRAS PARADAS

‖ É no centro histórico de Bucareste que se concentra a boemia. Latinos, os romenos aproveitam a noite em lugares como esse ao lado – que, ironicamente, se chama Amsterdam.

Strada Covaci nr. 6

motorista, escapei por pouco de estar perto da primeira. Chegando a Bucareste, abri o e-mail e uma mensagem do meu irmão me confirmou que, sim, havia acontecido um atentado naquele dia na capital do Uzbequistão. Explosões em duas embaixadas. Fiquei pensando...

Não foi nada simples chegar à Romênia. Saímos de Tashkent sem saber para onde iríamos - seguiríamos rumo a Frankfurt, na Alemanha, onde consultaríamos a internet para ver qual tinha sido o resultado da votação do público do *Fantástico*. Só que naquele dia não havia um voo direto entre as duas cidades. Assim, tivemos de conhecer mais um país - ou melhor, o aeroporto de mais um país, o Cazaquistão. A escala era longa: chegamos às 8 horas da noite e só embarcaríamos para Frankfurt às 4 da manhã!! A cochilada, claro, foi no aeroporto. Não havia clima nem para pegar um táxi e dar uma volta por Almati, a capital do Cazaquistão. Não havia onde deixar o equipamento e, escaldados com a experiência uzbeque, achamos melhor não testar as autoridades locais. Empurrando o sono até a madrugada, embarcamos enfim para a Alemanha. Quando chegamos lá, além da linha da exaustão, a notícia conferida no site do programa de que nosso destino era Bucareste me levou quase às lágrimas, de cansaço.

Se a escolha tivesse sido a Ucrânia, as coisas teriam sido ligeiramente mais simples. Já tínhamos a passagem para Kiev e, mais importante, o visto para o país. Para a Romênia, teríamos que começar do zero: comprar passagem, ir à embaixada, levantar a produção. As quase quatro horas que esperamos em Frankfurt

AS 8 MÚSICAS PARA UMA TRILHA SONORA DA VIAGEM

- "Dragostea Tin Dei", O-ZONE (Romênia)
- "Trick Me", KELIS (em todo lugar)
- "Sexo Sexo Sexo", PEDRO KÓMINIK (México)
- "Con Mis Manos", PEPE (Espanha)
- "Dudu", TARKAN (Turquia)
- "Dutch Trance", BALLBOY (Escócia)
- "Ya Sena", MIHALIS HATZIGIANNIS (Grécia)
- "Yeh Raat Mein Jo Mazaa Hai", KASAM PAIDA KAMEWAALE (Índia)

serviram ao menos para esfriar a cabeça. No relativamente curto voo seguinte, dormi pesado.

Em Kiev, mais uma alfândega draconiana nos esperava. Rotina... Vontade de chegar ao hotel... Tudo isso só tornou a cena seguinte mais desesperadora. Pegamos um táxi com um endereço que achávamos ser de um hotel que já havíamos contatado pela internet. O motorista - que não falava inglês - não reconheceu o destino, mas foi nos levando em direção ao centro. No entanto, antes de chegar lá, pegou uma rua alternativa, que levava exclusivamente a um prédio de condomínio de aparência dilapidada. A única pessoa que andava na calçada era uma senhora que, ao olhar o papel na mão do motorista, confirmou que era lá mesmo o local que estávamos procurando. Só que aquilo certamente não era um hotel. Guilherme ficou no carro e eu subi com o motorista, tentando desvendar o que estava acontecendo. Subi ao décimo terceiro andar e um *hall* de apartamentos simples não parecia nos dar boas-vindas. Era tudo muito estranho. Resolvemos ir embora e tentar a sorte num outro hotel, mais "internacional", que havia visto na internet - acima do nosso orçamento do que a opção inicial, mas a gente ia fazer o quê? (Mais tarde descobri que algumas ofertas de hospedagem na internet são quartos em apartamentos particulares que as pessoas alugam para turistas para ganhar um dinheiro extra... por falar em economias desesperadas...)

Nesse novo endereço, um dos melhores da cidade, apesar de nosso quarto não ter mais de 9 metros quadrados (imagine o que

OUTRAS PARADAS

▌ Na rápida passagem por Kiev, na Ucrânia, só deu tempo de ver as maravilhosas catedrais da cidade por fora (e de longe...).

Chegando a
Bucareste, abri o
e-mail e uma
mensagem do meu
irmão me confirmou
que, sim, havia
acontecido um
atentado naquele
dia na capital do
Uzbequistão.
Explosões em duas
embaixadas. Fiquei
pensando...

era acomodar nossos cinco volumes lá), tentamos traçar um plano. Primeiro, comida! Depois, quem sabe, um passeio (já era fim de tarde), e no dia seguinte contatos nas embaixadas, brasileira e romena. A fome era tanta que entramos na primeira cadeia de comida americana que oferecia pratos gigantes - sacrifiquei, pela primeira vez, meu interesse étnico-gastronômico. Saciados, fomos ao passeio e mal conseguimos fazer a digestão: a beleza das pessoas que encontrávamos na rua era tão chamativa que era capaz de mexer com o seu metabolismo! Não que isso me atraísse de maneira especial (aprecio muito mais um tipo exótico como o que descrevi no Uzbequistão), mas não era possível ficar imune ao desfile ininterrupto de modelos involuntárias pelas calçadas. Era voltar para o hotel e descansar ou passar a noite admirando esse espetáculo. Lembrando que tínhamos um dia puxado pela frente, nos decidimos pela primeira opção (repetindo o já conhecido bordão: "e tem gente que acha que estamos de férias"...)

Falei tanto da beleza das pessoas que quase me esqueço de comentar também a beleza da cidade. Um passeio rápido pela manhã já mostrava isso. E quando fomos à embaixada brasileira em Kiev, que nos ajudaria com o visto romeno, tivemos outra boa surpresa: a equipe de ginástica do Brasil estava por lá na reta final de treinamento rumo a Atenas: Daiane, Daniele e toda a turma guiada pela treinadora Irina - que, diga-se, é ucraniana! Fizemos uma breve festa no nosso encontro - breve porque, apesar de eu tentar disfarçar, estava preocupado com o tal visto. Se ele atrasasse mais um dia, chegaríamos só na quinta-feira a Bucareste, para

OUTRAS PARADAS

■ Nós estávamos apenas de passagem por Kiev, e elas, treinando para as Olimpíadas de Atenas. Mesmo assim, conseguimos encontrar as meninas da nossa ginástica em frente à embaixada brasileira na capital – e ainda dar um passeio rápido (e um pouco apertados) pelas principais atrações turísticas da cidade.

então começar a gravar o material. Antes do pânico, porém, fomos chamados à embaixada romena, e tudo correu bem. Deu até para relaxar no fim de tarde. Fui para uma loja de discos e fiquei horas pesquisando o que comprar. (Esse é um dos meus passatempos favoritos: chegar a um lugar onde não conheço nada da música e tentar adivinhar o que deve ser legal. Compro muita coisa assim, no escuro, e me dou bem em 70% dos casos. Mas, mesmo que a proporção de "acertos" seja menor, o prazer de fazer esse "trabalho de campo" é inenarrável.) E à noite ainda deu para comemorar o aniversário da Delisiée, nossa colega jornalista, que estava lá, junto com outro repórter cinematográfico, o Fernando (boa a noite ucraniana, mas em Bucareste eu me divertiria ainda mais).

Passeei tanto que já estava até familiarizado com o alfabeto cirílico usado para escrever em russo (existe a língua ucraniana, mas, em mais uma herança da antiga União Soviética, o russo, nem sempre adorado por todos, é o que se impõe). Já conseguia pelo menos identificar a palavra PECTOPAH, ou "restaurante" em português. Só para dar uma pincelada, o P é R; o C é S; o H é N; e tem mais um monte de letras com que nosso teclado "careta" nem sonha...

Mas o importante agora era eu me concentrar no romeno! Tudo que eu sabia falar até então era *"La revedere"* - um "até logo" que lembrava a expressão em francês (*"au revoir"*) e mais ainda em italiano (*"arrivederci"*). Daí para entender aquela notícia sobre o atentado no Uzbequistão eu "melhorei" muito, não sem a ajuda de amigos.

AS 5 LÍNGUAS MAIS CURIOSAS QUE OUVI...

- ROMENO (Romênia)
- KRISTANG (Cingapura)
- TÂMIL (Sri Lanka)
- ZAPOTECA (Oaxaca, México)
- BASCO (Bilbao, Espanha)

...E AS 3 QUE EU GOSTARIA DE APRENDER

- TURCO
- GREGO
- RUSSO

Nos comentários pós-viagem, costumo dizer que tivemos muita sorte. Não acredito muito nisso, mas é a maneira mais fácil de creditar a ausência de dificuldades sérias durante os quatro meses da volta ao mundo. Apesar das aventuras na culinária, não passamos mal sequer uma vez. Minha malinha de primeiros socorros voltou lacrada. Nada, nada mesmo, do nosso equipamento se perdeu - nenhuma bagagem se extraviou (o que, levando-se em conta a logística dessa viagem, deve merecer uma entrada no livro dos recordes). Tivemos complicações de produção, dificuldades de comunicação, apostamos em algumas coisas que não nos deram o retorno esperado, mas problemas graves mesmo, nenhum. E ainda nesse quesito que, simplificando, eu atribuo à sorte (cabem aqui também termos como providência divina, acaso, profissionalismo, esforço - muita coisa para listar), costumo dizer que tivemos a felicidade de encontrar boas pessoas pelo caminho. E, consequentemente, fazer bons amigos.

Em Bucareste esse fator foi fundamental. Não é uma cidade fácil - e tenho a impressão de que, sem os contatos que fizemos, as coisas teriam sido bem diferentes. Chegamos só na quarta-feira à noite à capital da Romênia. E, na mesma noite, a Andrea, que trabalha na embaixada brasileira e nos recebeu no aeroporto (um "pequeno luxo" que experimentávamos apenas raramente - ou melhor, quase nunca; essa era a primeira vez), já nos apresentou a um pessoal local, gente ótima, como por exemplo a Masha, uma estilista que mora e trabalha em Nova York, e o Cornel, um grande amigo que fiz na hora, e que nos levou para um passeio na cidade no dia seguinte.

OUTRAS PARADAS

■ Quer uma lembrança antiga da Romênia? É só procurar numa das dezenas de livrarias de Bucareste uma dessas letras de câmbio do início do séc. 20, com um estilo gráfico único. Não valem mais nada, claro, a não ser como registro de uma era que, mesmo sem a gente a ter vivido, dá uma certa saudade...

♣ Um monstrengo que mancha a fama da "Paris da Europa do Leste"

Qualquer romeno vai te dizer (com orgulho) que Bucareste já foi conhecida como a Paris da Europa do Leste. Claro que isso em outros tempos, no período entre as duas guerras mundiais do século 20. Depois vieram os russos. Depois veio Ceaucescu (um dos piores ditadores da história da humanidade) e, bem, vamos dizer apenas que Bucareste mudou muito. Charme a cidade ainda tem. Mas quando se visita uma monstruosidade como o Palácio do Povo, como o próprio Ceaucescu sonhava em chamar a construção, dá até uma certa tristeza.

O lugar é tão bizarro que não faltam fatos curiosos e mitos sobre ele. Para começar com um fato: ele só perde para o Pentágono (nos Estados Unidos) no título de maior prédio do mundo; foi construído à custa do trabalho de mais de 20 mil operários trabalhando sem parar durante cinco anos; doze igrejas (e mais de 5 mil casas) foram derrubadas para que sua construção fosse possível, e por aí vai. Cornel conversava comigo diante desse prédio, contava um pouco sobre seu trabalho de fotógrafo, mas estava difícil prestar atenção a ele. Há uma semana eu havia vivido uma experiência parecida em Samarkand, no Uzbequistão. Mas o que me chamava atenção lá era a beleza do lugar – e agora meu fascínio era pela feiura do que eu via à minha frente.

Na frente do palácio (que o ditador não viu finalizado), onde hoje funciona o Parlamento romeno, há uma avenida que lembra a

---

Quer uma lembrança mais moderna da Romênia? Que tal o CD do O-Zone, que traz o primeiro sucesso internacional cantado em romeno em muitos anos (se não o único!): "Dragostea Din Tei" (incluída na nossa trilha sonora da viagem)? Além desse hit, você ainda leva mais seis faixas, inclusive uma que se chama "Fiesta de La Noche". Pop é isso...

Champs Elysées. As referências diretas à capital francesa vão ainda mais longe - tem até um míni Arco do Triunfo! Mas o que ia me conquistando era justamente a elegante decadência da cidade. Misturadas com as histórias do Cornel, da sua adolescência e juventude em meio à repressão e, mais tarde, à revolução, as fachadas das casas ganhavam outro contorno. Muitas vezes me lembravam os casarões que já desenharam São Paulo - ou mesmo aquelas residências simples que eu via na minha infância em Uberaba, Minas Gerais, com janelas altas e decoração discreta nas paredes. Entre vidros quebrados e portas escancaradas, jardins descuidados serviam de paisagem para esses europeus meio distantes do glamour que se costuma associar ao continente.

As pessoas que circulavam pelas ruas também tinham uma beleza curiosa. Aqui na Romênia é fácil encontrar ciganos. Não essas mulheres de saias coloridas e pandeiro na mão que o estereótipo nos faz sempre lembrar. Mas ciganos mesmo, aquele povo sem nação, pobre e rejeitado. Ah, e bonito: as mulheres com aquele rosto de traços rasgados e os homens de pele escura e olhos claros. Uma gente misturada, de vários tamanhos e formas - ironicamente mais confortáveis para o (meu) olhar do que aquelas "esculturas" de Kiev.

Já estava fã de Bucareste quando Cornel nos levou ao centro antigo. Fiquei encantado. Cafés animados, gente mais jovem circulando entre antigos moradores, lojinhas de antiguidades, relíquias de um tempo comunista, livrarias especializadas - um clima, enfim, de boemia que senti que tinha de experimentar.

OUTRAS PARADAS

▌ A moeda da Romênia é o leu – *lei*, no plural. Mas, se você "falar" em euros, todo mundo entende – até prefere! Até os ciganos! Povo sem nação, na Romênia eles criaram uma identidade, mas sem a alegria romântica que associamos a eles. Pelas ruas de Bucareste, eles são a figura da pobreza.

Na frente do Palácio do Povo, projeto dos sonhos do ditador Ceaucescu, com uma leve sensação desagradável pelas costas

Quanto custa uma rrida de táxi em ucareste? Quanto o otorista estiver a fim de cobrar. Até tem xímetro nos carros – e muitos deles funcionando. Mas isso não significa nada. Se com aqueles que você pega no hotel (registrados na recepção) já é preciso combinar antes o preço, imagine os que você pega nas ruas. São *lei* que não acabam mais.

Romênia

A vantagem de estar circulando por um lugar que você não conhece com alguém que é local - mas não é um guia de turismo "treinado" - é que o roteiro se torna extremamente pessoal. Almoçamos no restaurante favorito do Cornel, fomos à livraria que ele costuma frequentar nos fins de semana, visitamos o antigo cinema gigantesco que só passa filmes especiais e, numa cidade com tantos parques, fomos gravar no que ele frequentava quando era criança (mais pelo museu de ciências "futurista" que existe até hoje lá do que pela paisagem, me confessa ele). E assim tivemos um retrato exclusivo de Bucareste - uma abordagem inédita na nossa série de reportagens. E com direito a trilha sonora.

Uma visão medieval, embaixo da torre da Igreja Negra, em Braşov

Não preciso aqui explicar como música é importante para mim (existe alguém para quem isso não seja verdade?). Gosto de interpretar a maneira como elas aparecem na vida da gente. Por exemplo, logo que chegamos aqui, no táxi para o hotel, o rádio tocava uma das minhas músicas bregas favoritas de todos os tempos: "I'll Never Be (Maria Magdalena)", por Sandra. Não

OUTRAS PARADAS

▌ Nosso guia (e amigo) em Bucareste fez um passeio bem pessoal conosco pela cidade, que incluiu uma visita ao parque Carol I. Não fomos lá por ser o mais famoso (apesar de ele abrigar o monumento ao soldado desconhecido), mas porque é seu parque favorito, onde, na infância, vinha ver o "Museu Técnico", uma pequena mostra de curiosidades científicas para crianças.

conhece? Não sabe o que está perdendo. No dia seguinte, entrei no carro do Cornel e estava tocando Joy Division. (Alerta, no caso de você ter menos de vinte anos: essa foi banda seminal do final dos anos 70, começo dos 80, que, para resumir bem, deu origem ao New Order. Será que New Order eu preciso explicar??) E na estrada, na nossa viagem à Transilvânia, nosso motorista ouvia uma fita dos Gypsy Kings a todo vapor... O que mais posso esperar da Romênia? Bem, uma boa conexão de internet não seria mal.

Nem com a ajuda dos locais estávamos encontrando uma de alta velocidade. Nosso limite, sábado, se aproximava. Será que era a maldição de Drácula? Talvez não devêssemos ter ido até seu castelo em Bran - que dizem ter sido construído por ele, mas não foi.

Para contar um pouco dessa viagem, tenho que começar dizendo que as histórias que ligam o conde Drácula, o vampiro da ficção, ao cruel príncipe romeno Vlad Tepes são tão nebulosas que fica difícil acreditar que os dois tenham alguma coisa em comum. Mesmo assim, a curiosidade que um nome como Transilvânia desperta é irresistível. Lá estávamos nós em mais uma estrada, conhecendo uma região belíssima. A paisagem ali mudava radicalmente em relação ao que tínhamos visto até então. Desertos, palácios indianos, selvas tropicais, templos budistas, praias paradisíacas, prédios modernos - tudo isso ficou para trás. Florestas densas e de um verde bem escuro escondiam cidades pequenas e que não pareciam muito diferentes do que eram na Idade Média.

Nossa primeira visita foi ao Castelo de Peleș. Pronuncia-se

Cornel nos levou ao parque Carol I, seu favorito em Bucareste

"pélech" e descreve-se como um delírio da passagem do século 19 para o 20. Ultraenfeitado, por dentro e por fora, foi durante muito tempo objeto de inveja de boa parte da nobreza europeia. Hoje é parada obrigatória para quem viaja por essas bandas. É lindo. Ao mesmo tempo que admirava a construção, eu tentava classificá-lo em comparação com os outros lugares que já havíamos visitado na viagem.

Cartão do café mais descolado de Bucareste, animado desde às 8h

Há algum tempo já vinha reparando num fenômeno engraçado que acontecia com relação aos meus registros e lembranças. A velocidade com que as coisas iam se sucedendo acabava comprimindo tudo na memória. Situações vividas há um bom tempo, lá no início, acabavam voltando como novas. Às vezes eu perdia a certeza do país onde determinado fato tinha acontecido (era fácil saber onde ficava o palácio do marajá; mas em que cidade mesmo foi que aquele motorista de táxi se recusou a nos dar troco?). Mesmo agora, a reconstrução da cronologia dos fatos é tarefa difícil. Imagino, novamente, que a rapidez dos eventos - e a falta de tempo para digeri-los - seja a grande responsável por isso. Era uma sensação desconfortável, sim, ainda mais levando-se em conta que teríamos umas boas semanas pela frente. Mas era algo impossível de contornar.

O bumerangue romeno que joguei em Peleş (no formato de

OUTRAS PARADAS

ll A Romênia respeita tanto seu lado camponês que criou até um museu para isso. Bem montado e interativo, ele é uma das principais atrações turísticas de Bucareste.

uma cruz, totalmente diferente do australiano, que todo mundo conhece) - e que surpreendentemente consegui fazer com que retornasse às minhas mãos logo na primeira tentativa - estava fadado a entrar para essa pilha de lembranças amalgamadas. Como, mais para a frente, eu ia conseguir contar tantas histórias?

Ia pensando nisso na estrada, a caminho de Braşov, uma cidade tipicamente medieval (e bem conservada, com sua quase assustadora igreja "negra", como ficou conhecida depois de um incêndio), nosso ponto final. E também no percurso de volta a Bucareste, quando fui interrompido pela tal notícia do atentado em Tashkent...

Queria chegar logo para poder conferir a notícia. Aliás, não preciso disfarçar: queria retornar logo a Bucareste para andar um pouco por lá. Mas o trânsito não ajudou, nos atrasamos, e tive de deixar o passeio para nosso último dia na cidade. Estava virando uma tradição: passear onde estamos no dia de domingo. E, pior (ou melhor?), passei a me emocionar com esses passeios. Nesse dia especialmente. Sem saber direito por quê. Pode ter sido um casal de jovens andando com os braços entrelaçados às costas. Ou a melancolia que vinha de mais uma fachada abandonada. Uma foto quase cafona tirada na frente da fonte de um parque cheio.

Ou ainda um banal pôr do sol. Tinha acabado de ler um livro quase genial, de um cara chamado

A última coisa que você sente no suposto castelo do Drácula é um calafrio (a pose ao lado é obviamente uma brincadeira)

Geoff Dyer, *Yoga for People Who Can't Be Bothered to Do It* (o "quase" fica por conta das piadinhas fáceis que ele faz). É sobre viagens, leitura adequada para aquele momento. Quase sempre irônico, ele tem boas ideias - como a passagem na qual ele acha curioso que os clubes mais disputados sejam geralmente os mais exclusivos, difíceis de entrar, quando os mais legais de frequentar são justamente o oposto, clubes - e bares - onde todo mundo é bem-vindo. Ou um trecho, justamente o que eu queria assinalar aqui, em que ele fala que não existe espetáculo mais inútil que um pôr do sol. Por que as pessoas se sentem obrigadas a se deslumbrar com uma performance da natureza que simplesmente "está lá"? É uma provocação, claro. Mas eu nem estava ligando para ela nesse fim de tarde, à beira de um lago maravilhoso, com os amigos - eu, Guilherme, Andreia, Cornel.

Acho que já estávamos dando sinais de cansaço, porque só esse meio dia de folga já era motivo de comemoração. Era uma maneira de compensar o esforço terrível que foi mandar as imagens de Bucareste durante toda a madrugada. Como não achávamos um cybercafé decente, eu, já um pouco desesperado, tive uma ideia radical: e se a gente procurasse um hotel cinco estrelas? Bingo! Achamos um com uma banda larga poderosa, mas com um contratempo: o business center tinha hora para fechar. Para usá-lo por 24 horas seria necessário pegar um quarto por uma noite no hotel. Não hesitei, até porque sairia mais barato do que aquela alternativa desesperada que usamos na Índia, o satélite. (Antes que você fique pensando que tive uma noite de

OUTRAS PARADAS

▌ Fachadas de casas abandonadas, uma constante nas ruas charmosas e decadentes de Bucareste, são traços de uma cidade que hoje quer uma identidade entre esse passado glamouroso e um futuro de liberdade que a geração mais jovem sequer sabe usar.

se eu voltasse a
[BUCARESTE]

POR UM DIA...

... pediria para o táxi me levar para o centro da cidade, mas por um caminho que passasse pela pequena réplica do Arco do Triunfo. Claro, combinaria antes o preço da corrida, pois os motoristas romenos não acreditam em taxímetro... Passaria também pela frente do Palácio do Parlamento, para ver se é possível apreciar alguma beleza nessa monstruosidade. Pediria para ele me deixar ali no setor 1 da capital romena. Comeria numa das mesas de calçada do Café Turabo e de lá sairia para um passeio a pé pela Calea (rua) Victorei, rumo à praça que abriga a Livraria Carturesti. No final da tarde, iria caminhar pelo maior parque da cidade, para aproveitar um belo entardecer de frente para o lago Herastrau. E jantaria num restaurante do centro antigo, chamado Amsterdam.

uma *viagem* sem comprar um [SOUVENIR] não tem graça

Dificilmente você vai ficar tentado a comprar algumas das bugigangas vendidas nas barraquinhas que ficam ao pé do que é conhecido como o "Castelo de Drácula", na Transilvânia. É tudo muito feio e... sem graça. Só recomendo para os fãs mais dedicados ao personagem. Por toda a Romênia é fácil encontrar bordados riquíssimos (vendidos até em beira de estrada), por preços nada acessíveis. A lembrança mais simpática, no entanto, custa cerca de R$ 5: um bumerangue diferente, feito apenas com dois pedaços de madeira unidos numa cruz. Vendido por um senhor que anda pelos arredores do Castelo de Peleş, ele faz a alegria de principiantes que nunca acharam que seriam capazes de fazer um instrumento desses voltar à sua mão depois de lançado.

luxo, já digo que "montei barraca" no tal business center às 14 horas do sábado e de lá só saí às 7h30 da manhã do domingo. Como o check-out do hotel era às 11 horas, faça as contas e veja quanto eu "aproveitei" essa mordomia toda.)

Na manhã de segunda, já sabendo que iríamos para a Turquia, ainda dei uma caminhada sozinho pelo centro. Fui sem rumo, meio no instinto. E encontrei um lugar que para mim traduz a cidade: Casa Elegantei - um alfaiate que deve estar naquele mesmo endereço há pelo menos cinco décadas. Lá dentro, dois ambientes contrastantes: uma oficina agitada, onde um senhor mexia meio sem ritmo nas máquinas de costura, e ao lado o que um dia deve ter sido uma loja, com paredes forradas de madeira, prateleiras vazias, um provador apertado e uma vitrine sem roupas, enfeitada apenas com um vaso que guardava uma planta magra. Que lugar... Sentei-me ali do lado, num café chamado Turabo, e fiquei lembrando da minha lição de romeno...

A palavra que eles usam para expressar "saudades" é "dor". Não como a gente fala no Brasil, mas como se tivesse um acento agudo - "dór". Fascinante... Pedi mais um café para ter tempo de pensar nas pessoas de quem sentia mais dor àquela altura da viagem. Você mesmo...

Casal de namorados passeia pelas ruas de Bucareste

Da Romênia para a Turquia

Me lembro da tranquilidade de um **último almoço** com a Andreia. E de pensar em pedir para que o motorista que nos levaria ao aeroporto passasse mais uma vez em frente à Casa Elegantei. Porém, foi só eu olhar o bilhete aéreo para confirmar o horário do voo que uma outra cidade não deixou espaço para nenhum outro pensamento: Istambul, Istambul, Istambul, Istambul, Istambul...

Os amuletos desfrutam de uma vista privilegiada no palácio de Peleş

[Décima segunda ESCALA]

Varanda com vista privilegiada em Sultanahmet, em Istambul (Turquia), de frente para a Mesquita Azul

Capital: **Ancara**
Área: **780.580 km²**
População: **68.109.469 habitantes**
Renda per capita: **US$ 2,4 mil**

TURQUIA

Tesekkur ederim!
Método fácil para dizer [OBRIGADO] em turco

"Chá, açúcar e sonho". Foi assim que me ensinaram a falar "muito obrigado" em turco. Se você ler a expressão em algum lugar, vai encontrar o seguinte: "tesekkur ederim". Difícil, não é? Por isso mesmo, nada como ter amigos na Turquia para explicar que o som disso é algo como as palavras "chá", "açúcar" e "sonho" em inglês – pronunciadas, claro, com um forte sotaque turco. Em português seria algo como "texúguradêrim" – sem dispensar, claro, o sotaque, que é mais próximo do paulistano. Enfim, toda essa introdução foi para dizer que serei eternamente grato a quem ligou ou foi à internet para mandar a gente para

OUTRAS PARADAS

■ Como se localizar em Istambul? Fácil. A maioria dos turistas só circula em duas regiões, Sultanahmet e Taksim. A primeira é a parte mais antiga, onde você encontra a Mesquita Azul, o palácio de Topkapi, as casinhas de madeira, o Grande Bazar. A segunda, atravessando o braço de mar conhecido como Chifre Dourado, é a parte mais moderna – isto é, tão moderna quanto o século 19... – cheia de bares e restaurantes.

Casinhas coloridas numa rua estreita de Sultanahmet, Istambul

Istambul – disparado, uma das melhores escalas de toda essa volta ao mundo!

Ah! Constantinopla... Às vezes acho que Istambul ainda deveria ser chamada por seu nome antigo – não tem mais clima? Penso nisso sempre que vou para lá. Como essa foi minha terceira passagem pela cidade, acho que já posso ter essa intimidade, não? Da primeira vez fui em férias. A segunda... Bem, talvez você tenha acompanhado no *Fantástico*, há uns cinco anos, quando eu estava em Liechtenstein (um pequeno principado na Europa, tipo Mônaco) fazendo uma reportagem com a banda Cidade Negra, que lá tocava num festival, quando veio a ligação do Brasil: eu

Esses "olhos azuis" estão por toda Istambul. É o amuleto mais tradicional da Turquia e você pode encontrá-lo em qualquer souvenir, de pulseiras (como esta) a toalhas de praia. O mais comum é encontrá-lo como pingente, para proteger contra o mau-olhado. Nem precisa ser supersticioso para usar.

250 Turquia

devia ir para Istambul cobrir um terremoto que tinha acabado de acontecer. Foi uma correria: achar passagem para chegar lá era fácil, mas para sair... Quem disse que existia? Fui assim mesmo, encontrar um cenário muito triste. Especialmente porque eu já tinha conhecido o lugar, rever Istambul num contexto de tragédia foi difícil.

Por isso essa escolha me deixou "extracontente": permitiria que minha memória fizesse as pazes com essa cidade tão fascinante.

A primeira providência foi encontrar um hotel em Sultanahmet, o centro histórico de Istambul. Segunda providência: banho turco. Não um banho turco simplesmente, só porque eu estava na Turquia, mas um daqueles que deram origem à expressão: uma sala que funciona como uma estufa, com uma grande pedra de mármore aquecida (quase uma chapa, se você preferir), cercada por compartimentos menores, onde bicas de água quente e fria servem para equilibrar a temperatura do corpo de quem já passou mais de quinze minutos ali no centro, jogado, derretendo. E de vez em quando vem alguém fazer massagem (turca, claro) nas "pobres vítimas" (quando fiz essa massagem, na minha primeira vez em Istambul, os resultados foram devastadores; uma vez banhado em espuma e bem esfregado, os massagistas põem-se a estalar todo o seu corpo e a fazer que ele assuma posições que você nunca achou que fossem possíveis num mundo com apenas três dimensões).

Teria sido bem especial mostrar como é o interior de um *hamam* (a sala de banho turco). Mas, para gravar dentro

OUTRAS PARADAS

▌O "contexto de tragédia" que eu cito acima refere-se a uma visita anterior à Turquia, quando viajei até lá para cobrir um terrível terremoto em Izmit, a noroeste de Istambul – uma das minhas experiências mais fortes como jornalista. Fui com outro cinegrafista, o Quilião. Chegar foi fácil (estava antes na Suíça), mas quem disse que a gente conseguia passagem para sair de lá? Foi um sufoco...

...o sufismo é uma filosofia ligada ao islamismo, fundada no século 13 por Mevlana Jalaluddin Rumi. A base dos seus ensinamentos, resumindo muito, é que só devemos praticar o amor e dedicar todo esse amor a Deus, até que estejamos totalmente desprendidos do ego.

252 Turquia

dele, a burocracia exigiria um tempo maior do que o que tínhamos na Turquia. Era melhor simplesmente aproveitar para relaxar.

Pegamos um voo tenso para Istambul. A segurança para embarcar no aeroporto de Bucareste era absurda. Todas as nossas malas foram abertas. Ou melhor, foram desarrumadas, examinadas (sem que, claro, nenhum agente de segurança romeno se dispusesse a arrumá-las de novo). Imagino que, com as Olimpíadas próximas, mais o "natural" crescimento da tensão mundial, essa preocupação era razoável. Quem sou eu para descartar uma vistoria dessas. O problema era que eu queria chegar logo a Istambul. E ficávamos lá (nós e todos os outros passageiros), arrumando nossas coisas, atrasando o avião e perdendo minutos preciosos.

 Uma viagem meio diferente da estação de onde partia o famoso Expresso do Oriente

Mas, uma vez na cidade, não perdi tempo. Quando você visita um lugar que adorou em viagens passadas, há um ritual muito importante a cumprir: uma "volta de reconhecimento", visitas rápidas a lugares que você sabe que te encantaram, apenas para ter a certeza da memória. Prazer egoísta (especialmente se você está viajando com alguém que ainda não conhece o lugar e quer explorar as coisas com mais calma), que deve no entanto ser controlado, para você continuar aberto a novas experiências (que sempre surgem, mesmo em cidades que você já visitou dezenas de vezes).

OUTRAS PARADAS

▌ Comportamento no banho turco? Primeiro, lembre-se: não é um lugar erótico... Logo na entrada, pegue uma toalha bem vagabunda e saiba: você tem de usá-la o tempo todo – e na altura do joelho! Lá dentro, alterne 10 minutos na "chapa" de mármore e 5 na bica d'água. Se pedir uma massagem, não espere um shiatsu: um funcionário (geralmente bem gordo) está lá para te amassar e estralar seus ossos. No final tudo bem relaxar uns 15 minutos.

Foi assim que, visitando a estação de trem de Istambul, eternamente associada ao famoso Expresso do Oriente (ainda que essa viagem hoje só exista nos livros – e na memória de quem teve a sorte de um dia embarcar nesse itinerário luxuoso), fomos parar num espetáculo que me pegou desprevenido na emoção.

Não sou de chorar por qualquer coisa. Nessa viagem, por exemplo, a última vez foi vendo aquele filme no voo de classe executiva entre Sydney e Cingapura. Mas essa apresentação que vimos logo na primeira noite foi demais. Não sei nem se dá para chamar de espetáculo, porque, da última vez que vi algo assim (há anos, em São Paulo), o público recebeu ordem expressa de não aplaudir. Tudo acontecia num teatro, mas estava claro que aquilo a que iríamos assistir era uma espécie de cerimônia religiosa, uma comunhão com o divino. E foi exatamente isso que vi naquela época – e nessa noite em Istambul.

A performance (tentando achar um nome melhor para defini-la) é uma cerimônia sufi. Como o folheto de apresentação explica, o sufismo é uma filosofia ligada ao islamismo, fundada no século 13 por Mevlana Jalaluddin Rumi. A base dos seus ensinamentos, resumindo muito (muito mesmo), é que só devemos praticar o amor e dedicar todo esse amor a Deus, até que estejamos totalmente desprendidos do ego. Essa ligação com Deus é a própria manifestação do divino. Espere, isso não vai virar uma aula de teologia. Essa base, bastante superficial, é só para ajudar a entender essa "dança" que vimos. Seis pessoas entram num

AS 3 TAXAS DE CÂMBIO MAIS CONFUSAS

- TURQUIA: R$ 1 = 529.587 liras turcas
- UZBEQUISTÃO: R$ 1 = 231.006 "sum"
- ROMÊNIA: R$ 1 = 11.685 "lei"

Dois momentos da hipnótica dança dos dervixes no saguão da estação de trem em Istambul; a "dança" não vai além disso: só rodopios, por longos minutos

espaço, concentram-se e, aos poucos, começam a girar
ao som de uma música espiritual. Só isso. Só isso? É, só
isso. Mas o que ela tem de tão especial então?
Exatamente essa simplicidade.

Nos giros, que eles dão durante cinco, dez, quinze,
vinte minutos – até meia hora na apresentação que
vimos (já ouvi dizer que eles são capazes de rodopiar por
horas) –, está justamente a conexão com o divino, o
desprendimento, a oferenda, a entrega. Com a cabeça
ligeiramente inclinada, olhos fechados, braços abertos (a mão
direita para cima, a esquerda para baixo) – e as pernas num
monótono trançado. Mas se o movimento em si é repetitivo, a
vibração que ele inspira é hipnótica, transcendental. As roupas,
longas saias rodadas que lembram o movimento de um disco de
vinil empenado a girar no prato da eletrola (atenção menores de
dezoito anos: perguntem o que é disco de vinil para seu primo
mais velho; e o que é eletrola para o pai do seu primo mais velho),
ajudam na captura do olhar. E aos poucos você esquece de contar
os minutos para tentar também uma conexão com o divino – nem
que seja de carona... É de chorar, como eu disse lá em cima.

E veio bem a calhar depois de um dia como o que tivemos –
um tanto materialista. Nada contra uma comprinha, mas passamos
horas no famoso Bazar de Istambul, onde não faltam coisas para
olhar (e comprar). A oferta é tão grande que o efeito é meio
atordoante. A certa altura, precisamos até parar para tomar um
café – turco, claro, com bastante pó na xícara. Nós, brasileiros,

Você encontra muitos espetáculos de dervixes em Istambul, mas nenhum se iguala a essa apresentação no terminal de trem de Sirkeci. O clima de século 19 se mistura com o cotidiano da cidade (a estação ainda funciona "a todo vapor") e transforma a performance em algo transcendental.

Minha amiga Uzay (centro), que lê a sorte no café

temos uma certa resistência a aceitar um café feito dessa maneira, ralo e grosso ao mesmo tempo, que deixa inclusive a sensação de que pode ser mastigado. A dona do café, que seria a primeira das amizades que eu faria em Istambul (dessa vez), nos contou o seu "segredo" na hora de fazer o café. Uzay, essa minha nova amiga, tem um rosto lindo. Seu corpo está um pouco fora dos padrões que o Ocidente pode achar perfeito, mas, no contexto da Turquia, o conjunto não só fazia sentido, mas agradava. (E não quero nem entrar em discussão aqui sobre padrões estéticos. Quem disse que existe um consenso universal com relação a isso?) Uzay estava ali desafiando padrões, ou melhor, ignorando todos eles e trabalhando em cima do que tinha de melhor: sua simpatia – é assim que as pessoas ficam bonitas, percebe?

Começamos a conversar ainda num clima de "jornalista aborda personagem", mas em menos de cinco minutos o papo tinha o tom de pessoas que se conheciam há anos. Logo ela estava me dando dicas de lugares onde eu poderia passar as próximas férias na Turquia e eu já estava oferecendo minha casa em São Paulo para hospedá-la.

OUTRAS PARADAS

❚ Em Sultanahmet, estão os bons antiquários, onde se pode comprar bons tapetes... uzbeques! Encontrei alguns numa loja das mais sofisticadas. E, quando perguntei de onde eram, fiquei sabendo que vinham do Uzbequistão. Mas por que eu não vi coisas assim por lá? Segundo o dono da loja, as

Dali para o segredo do café, foi um pulo. Nem era, aliás, um segredo tão especial assim. Segundo ela, o detalhe mais importante para despertar o sabor do pó é tirar a água do fogo segundos antes de ela ferver – e servir direto na xícara. (A "dica" me fez lembrar uma história antiga da minha família mineira, na qual as grandes quituteiras, velhas tias que guardavam seus livros de receitas em pequenos gabinetes com minúsculas chaves, não se importavam em descrever o modo de preparo de suas delícias para quem pedisse – com um detalhe: as informações quanto à quantidade dos ingredientes nunca estavam corretas).

A conversa ainda iria mais longe, com Uzay pedindo para sua irmã ler meu destino no pó que havia ficado na xícara. Sempre gosto de dizer que eu seria a última pessoa no mundo a apelar para um oráculo desses, mas, como ela estava oferecendo – e seria um crime quebrar o clima de cordialidade que havia se instalado entre nós –, aceitei. Especulações sobre meu trabalho ("Esta viagem vai te cobrir de alegrias"), visões de casamento, ausência de problemas com dinheiro (pelo menos no futuro imediato) e uma definitiva declaração: a de que 2004 ficaria marcado como o ano da minha realização pessoal (será que este livro tem alguma coisa a ver com isso?). Era esse meu destino? Como com todas as adivinhações que me fazem, eu não estava ligando a mínima. O mais importante ali era o clima excelente, um claro indício (esse, sim) de que estávamos num lugar que nos encheria de prazer.

À tarde, quando encontramos a Cláudia, essa sensação ficou ainda mais forte. Estávamos do outro lado da cidade, em Taksim,

---

as peças "saíram" de lá
go que o país se tornou
dependente e foram
arar, claro, nas mãos dos
elhores negociantes do
undo... os turcos!

AS 5 VISÕES NOTURNAS MAIS IMPRESSIONANTES

- MESQUITA AZUL, Istambul, Turquia
- MUSEU GUGGENHEIM, Bilbao, Espanha
- FUNCHAL, do alto da cidade, Ilha da Madeira, Portugal
- BAIRRO DE SILOM, do alto do "skytrain", Bangcoc, Tailândia
- CASTELO DE EDIMBURGO, Escócia

andando por Beyoglu (um calçadão mais vibrante que uma *rambla*, aquela avenida larga de pedestres que é o centro da vida social de algumas cidades na Espanha), fazendo a digestão de um delicioso almoço de peixes frescos (trazidos à mesa para você escolher), num dos restaurantes que se enfileiram em Çiçek Pasaji (uma galeria antiga, toda coberta com vidros decorados, parada obrigatória para comer bem em Istambul — ainda que isso seja um pleonasmo). Como já havia acontecido algumas vezes, fui abordado por alguém que me reconheceu como brasileiro — uma associação nada difícil para quem vê tevê no Brasil. Dessa vez, porém, a abordagem "acho que te conheço de algum lugar" não parecia uma muleta para vencer a timidez de abordar alguém da mídia.

Cláudia havia saído do Brasil há alguns anos (só de Turquia ela já tinha uns três, e antes havia morado também um tempão em Israel). Estava com uma amiga italiana, que tem o nome de uma cidade grande na Suíça, e que, apesar de ter um tipo físico totalmente diferente do de Cláudia, parecia sua irmã. Espiritual, se quiser. O fato é que tivemos uma ligação imediata — o que, para mim, não é difícil quando encontro alguém que adora viajar. Sentamos para tomar um café (sim, mais um!) e esquecemos o dia lá fora.

Fizemos planos para os próximos dias — e eu já a adotei como minha guia oficial (para nossa sorte, ela estava na sua última semana de férias). Não gosto muito de usar essa expressão, mas a Cláudia é o tipo de pessoa "descolada", daquelas que chegam a

OUTRAS PARADAS

▍ Beyoglu é o centro da agitação em Istambul — agitação urbana, que fique bem claro. É nessa região que ficam os melhores restaurantes e cafés da cidade. Com o charme extra de ser um calçadão para pedestres, Beyoglu (tente não pronunciar o "g" — "beyo-lu") é passeio para mais de um dia. Só o que tem de lojinhas de quinquilharias e antiguidades para explorar...

um lugar e, em pouquíssimo tempo, já conhecem as pessoas certas, que podem fazer você penetrar na vida de uma cidade onde você é apenas mais um estrangeiro. Quando nos acompanhou numa gravação em Sultanahmet, ela, que fala turco com perfeição, abordava as pessoas com uma naturalidade comovente. Pensa que é fácil, por exemplo, conseguir que uma personagem local, com o rosto coberto por panos, fale por que gosta de visitar a Mesquita Azul? Para Cláudia, nada parecia difícil (eu, produtor bissexto – e sofrível –, penando para cumprir essa função ao longo dessa viagem, só a admirava de boca aberta).

E foi ela também que nos apresentou a uma pessoa muito especial, a Dilara, uma cozinheira turca – na verdade, uma chefe moderna e criativa, que nos preparou maravilhas no seu restaurante recém-inaugurado em uma rua perto de Beyoglu (um "cantinho" diferente da cidade, apelidado de "Rua Francesa", recém-restaurada, que oferece uma infinidade de bares e cafés). Dilara é uma pessoa irradiante. Sua generosidade nos deixou totalmente à vontade, não só nas vezes em que fomos ao seu restaurante, mas também numa noite que nos recebeu para uma festa informal no terraço de sua casa – uma das lembranças mais

Do lado asiático de Istambul, a vista da parte europeia da cidade

carinhosas entre tantas que ficaram da viagem. Uzay, Cláudia, Ginebra, Dilara – e tudo isso em apenas um dia. Estava em tal estado de graça que saí confiante para procurar, já com a noite caindo, um cybercafé eficiente. O que encontramos, antes que tudo fechasse, tinha uma conexão de velocidade apenas razoável. Mas com vista para Sultanahmet iluminada. Não precisava de mais nada.

Quer dizer, precisava, sim: queria gravar mais material ainda para mandar para o Brasil a melhor tradução de tudo o que estava experimentando em Istambul. Assim, no dia seguinte, apelei para uma "ferramenta" que é o horror de muitos turistas mais esnobes, mas da qual aprendi a gostar por razões não muito ortodoxas: o *city tour*!

Por que gosto tanto disso? Porque você nunca sabe onde vai parar. Tudo bem, você sabe: quando "compra o pacote", vem um roteirinho no folheto, a lista dos monumentos que você vai visitar, os meios de transporte, o preço. Mas e as "áreas cinzentas"? Por exemplo, "almoço incluído" ou "parada para compras". É inútil perguntar antes de embarcar. Ninguém vai te dizer direito. Assim que, no *tour* que pegamos pelo Bósforo (nome oficial: Viagem entre Dois Continentes), fui parar numa loja de artigos de couro, com desfile de moda incluído no preço. Como assim?? Como o dia começou num estreito tão importante para a história de vários

OUTRAS PARADAS

❚ Para lembrar também das coisas boas, essa é a Dilara, uma chefe turca que preparou as melhores comidas para nós em Istambul.

países, passou por uma igreja com mosaicos bizantinos e acabou num saldão de jaquetas?? O processo é indecifrável. E é por isso que, quando você embarcar num *city tour* (e eu o faço por pura diversão), é melhor estar preparado para tudo.

Nossa mesa de almoço, por exemplo. Fizemos um longo passeio de barco pelo Bósforo, ziguezagueando pelas duas partes de Istambul, a asiática e a europeia. A paisagem é excepcional – e, quando você começa a reparar nas construções às margens da passagem (e não estou nem falando dos palácios e mesquitas, hein?), tudo fica ainda mais maravilhoso. O percurso, claro, abriu nosso apetite, e ali estávamos nós, em uma biboca em Sultanahmet, degustando *kebabs* com um casal grego, outro francês, duas mulheres indonésias (de Moluca) que moravam na Holanda (e que em seguida descobriram que a mulher do francês na verdade era holandesa, engatando assim uma conversa interminável) – e nós, dois brasileiros viajando pelo mundo.

Era um grupo divertido – sempre é, se você souber olhar com boa vontade. Esses turistas dos grupos estão geralmente de "coração aberto" para conhecer outros turistas (*city tour*, um catalisador social?). Aliás, eles têm o coração aberto para qualquer coisa, e aceitam as situações mais bizarras com uma candura comovente. Ser turista é isso mesmo: é receber informações sobre como os muçulmanos cobriram afrescos em igrejas antigas e, logo em seguida, saber que você tem um desconto de 40% (atenção, 40%!!) nas peças criadas para grandes estilistas europeus (pode

---

Comer bem em Itanahmet? Fácil. Ao longo da Divan Yolu, a avenida por onde passa o moderno trem elétrico, os restaurantes para turistas se enfileiram (mas os melhores ficam nas pequenas travessas dessa rua, como eu e o Guilherme descobrimos logo).

citar um; seus fornecedores, segundo os guias, provavelmente vêm da Turquia) – isso porque você é um cliente especial de determinada agência de turismo!! E eles (nós?) aceitam (aceitamos?) tudo! E compram tudo! Que bom ser assim...

Claro que essa não é a única maneira de conhecer os lugares. Existe ainda o turista que gosta de se chamar de "independente", munido de um poderoso guia (geralmente com a capa tinindo de nova) e que se sente mais esperto e descolado. Ele também se diverte. Sofre um pouco mais talvez – mas cada gota de suor é, como ele gosta de valorizar, aprendizado! Há ainda o turista que adora fingir que não o é (está fazendo o que, então, viajando fora da sua casinha?) e que gosta de dar uma esnobada nesses outros turistas (aquele autor que já citei, Geoff Dyer, tem bem esse tom no livro *Yoga for People Who Can't Be Bothered to Do It* – e é isso que não deixa o livro ser tão bom). Esses, é melhor deixar de lado (eles até preferem ser deixados de lado).

E existe também o turista que tem que mandar matérias toda a semana pro *Fantástico*, esse "ser" que gravita entre as duas primeiras categorias citadas e ainda agrega outros elementos graças à "santa deusa da imprevisibilidade". E o mais legal é que todo mundo viaja feliz. Aliás, o bom de uma viagem é isso. Por pior que tenha sido, você volta contando alguma coisa, nem que seja uma piada sobre sua "tragédia".

Falando nisso, estávamos até então imunes aos contratempos na Turquia. Tudo tinha uma vibração tão

OUTRAS PARADAS

‖ Um passeio pelo Bósforo é obrigatório para quem visita Istambul. Existem inúmeros pacotes. Prefira os de um dia inteiro, que te levam até o fim do estreito.

Ou vá por sua conta, comprando um bilhete para um barco – não tem perigo nem complicação.

Fim de tarde com Cláudia, na frente da Mesquista Azul, em Sultanahmet

positiva que dava até para desconfiar. O único senão era, para variar, a transmissão de imagens para o Brasil. Ainda não havíamos achado a conexão ideal. Tentamos vários estabelecimentos (num destino tão obviamente turístico, eles eram abundantes, mas nem todos equipados com a tecnologia adequada às nossas necessidades). Até que encontramos um "cyber-rave-café"!

Eu sei que sempre reclamo das horas intermináveis que temos de passar nesses lugares, olhando para o *laptop*, "vigiando" as imagens que vão para o Brasil. Mas nem disso eu pude reclamar

---

A Turquia faz uma das elhores músicas pop do undo! Raramente a gente um artista "cruzando as onteiras" (Tarkan, é vez a única exceção – e olhe lá...). A língua, claro, é um problema, mas a riqueza dos sons e os ritmos altamente dançantes te conquistam na primeira escutada.

em Istambul. Tudo é tão maravilhoso nessa cidade que a gente conseguiu até se divertir num cyber. Explicando: esse lugar que descobrimos, numa rua mais ou menos escondida e sem muita movimentação comercial em Sultanahmet mesmo, estava mais pra um club do que para um cyber. O segredo? Música, claro! O lugar em que resolvemos nos instalar não tinha exatamente uma vista para a Mesquita Azul. Mas, nessa *net station* (!), a moçada que tomava conta do lugar arrasava na discotecagem. São eles dois irmãos, Fatih (que me ensinou a pronunciar "muito obrigado" em turco) e Cem (que se pronuncia "tchem"), e mais um amigo, Ugur, um garoto cujo pai é turco e a mãe italiana – mistura, aliás, que permitiu que ele gravasse um CD especial pra gente, com o melhor do pop recente da Turquia e da Itália. Variedade ali não era problema. A seleção ia de *flashbacks* preciosos, como "Everybody Dance Now", do C+C Music Factory (se você tem entre quinze e dezoito anos, talvez tenha ouvido essa música no berço) até o melhor das paradas turcas, com nomes que nem minha criatividade mais enlouquecida poderia imaginar.

Variações de ritmo de dança do ventre – do *deep-house* ao *trip-groove-chill-in*, passando por foxtrote e mambo agogô – explodiam nas caixas de som das 8 da manhã até a meia-noite. E pensa que a vizinhança reclama? Que nada! Todo mundo passava por ali para fazer uma social. A música só parava naqueles momentos em que as orações saíam das torres das mesquitas. (Uma rápida explicação: em determinadas horas do dia, os muçulmanos são convocados a orar, e as mensagens podem ser

OUTRAS PARADAS

▌ A turma do cybercafé mais animado da viagem: Cem (ao lado do Guilherme), seu irmão Fatih (centro) e o primo Ugur (ao meu lado).

Uma das colunas mais curiosas da Cisterna Romana em Istambul tem uma cabeça de medusa na sua base

Antigo mosaico da igreja ortodoxa bizantina, Chora

ouvidas em poderosos alto-falantes pendurados nos minaretes.) Aí, sim, o som "dava um tempo". Mas cinco, dez minutinhos depois, *party on!*... Tudo voltava ao normal (se é que dá pra chamar música tocando nessa altura de normal). Ficávamos sempre animados em ir pra lá (se todo cybercafé fosse assim...).

No domingo que passamos em Istambul (era Dia dos Pais e me lembro de falar com o meu dali da frente do nosso cyber; com o som que tocava ao fundo, ficou difícil convencer a família de que eu estava trabalhando), chegamos tão cedo que nem os irmãos estavam lá. Trabalhamos um pouco sentados na calçada, adiantando o serviço até Fatih chegar. Estávamos contentes de ter descoberto esse lugar. Perto de tudo, ele nos permitia aproveitar ao máximo meu revezamento com o Guilherme. Sempre tinha uma fotinho a mais para tirar. Ou uma lembrancinha para comprar. Firme no meu propósito de levar apenas presentes pequenos e de pouco volume, escolhi algumas folhas secas onde são pintadas palavras – quase desenhos, na caligrafia tradicional dos escritos muçulmanos – e pequenas figuras

OUTRAS PARADAS

▍ Para quem gosta de pechinchar, qualquer lojinha de Istambul é um paraíso. Mas vá preparado, pois os comerciantes turcos elevaram essa atividade à categoria de arte! Sempre sorrindo (e puxando o preço um pouquinho mais para baixo), eles demoram para chegar a um acordo – e mesmo depois disso você ainda sai com a sensação de que acabou pagando mais do que devia...

recortadas em couro pintado, reproduzindo antigas marionetes de teatro de sombras. Deu para dar mais uma passadinha num banho turco. Deu para ter vontade de não ir embora.

Com tudo enviado, e com nosso próximo destino já definido na madrugada de domingo, tínhamos a segunda-feira livre.
Viajávamos geralmente na terça, uma vez que a segunda, nunca um dia de folga, era dedicada à produção da etapa seguinte. Nessa semana, porém, havia um fator inédito: desde que saímos do Brasil, o único país que tínhamos a certeza de que visitaríamos era a Grécia, por causa das Olimpíadas. Assim, as duas opções do público naquela semana eram dentro desse país: Atenas ou Meteora. Deu Meteora, e como viajaríamos para lá de carro, de Atenas, a etapa imediatamente seguinte já estava organizada – e, por isso, tivemos o dia livre.

Aproveitei para passear (mais ainda) sozinho pela cidade e me dedicar a uma mania que tenho há anos. Coisas de quem passou a adolescência gravando fitas de músicas para os amigos – e chegou aos quarenta sem mudar de hábito, mas apenas de suporte (agora gravo CDs). Coisas que quem leu o "clássico" *Alta fidelidade*, de Nick Hornby (existia um livro antes do filme, sabia? Ah, você nem viu o filme?), também já conhece: gosto de fazer listas! E mais cedo ou mais tarde isso ia acabar acontecendo nessa Fantástica Volta ao Mundo.

Ao longo desses dois meses (e meio!), já tinha feito várias delas mentalmente. Mas então resolvi escrever. Os "top 5" (que ainda ganharam um "1/2", que já

stambul deve ser a ɔital mundial dos gatos. ɔalhados pela cidade :eira (e, para nossa ˉpresa, abordáveis, ⁿsiderando a intimidade que os felinos "liberam" para os humanos), eles descansam sem cerimônia nos tapetes empilhados pelas ruas.

explico) eram os momentos mais especiais da viagem até aquele ponto. Decidi fazer a compilação justamente quando vivia um desses momentos. Parei pra contar e era o quinto. Não havia por que resistir. Estava eu justamente tomando um café na Cisterna Romana de Istambul, quando veio a inspiração.

Não conseguimos incluir esse lugar na reportagem que foi ao ar no *Fantástico* (com a quantidade de atrações em Istambul, escolher onde investir era nosso maior desafio). Mas esse era um lugar que eu já havia visitado na primeira vez que estive na cidade – e que me deu vontade de rever. Às 10h30 da manhã a temperatura já estava em 37 graus. Eu passeava pela rua do comércio de Sultanahmet, a mesma onde explodiu uma das bombas de um atentado horas antes de sairmos da cidade. Soube disso vendo uma televisão na sala de espera do aeroporto, a caminho de Atenas, e não acreditei. Passava ali todo dia. Tinha passado inclusive naquela segunda-feira a caminho da Cisterna (não vou me alongar sobre isso, pois fica até difícil "comemorar" o fato de que "escapamos" de um acidente grave, uma vez que essa estupidez fez duas vítimas).

Enfim, voltando à Cisterna, resolvi descer aos seus subterrâneos para me refrescar – literalmente. Trata-se tão simplesmente de um reservatório de água, só que imenso, e cheio de colunas antigas. Algumas delas são especiais (como a decorada com um motivo que lembra lágrimas em sua superfície, ou as que têm na sua base uma cabeça de medusa). Mas a beleza e a paz do lugar estão

OUTRAS PARADAS

‖ Literalmente sentados à beira do caminho, eu e Guilherme esperando o cybercafé abrir em Sultanahmet.

justamente no seu vazio, quando muito preenchido pelo som de água pingando e batendo, tão sereno que me tornava imune à turbulência causada por uma guia que gritava em italiano para um grupo de turistas algo que entendi como: "Nada de perder tempo aqui, pois ainda temos muita coisa pra ver em Topkapi"...

(Perder tempo? Isso era jeito de falar? Ou melhor, isso era jeito de viajar? Até entendo que muitas pessoas não tenham outra opção e até prefiram uma excursão. Mas uma cena como essa representava justamente o que me deixa inconformado com essa expressão que deveria ser tudo de bom: "turismo de massa". O conceito é maravilhoso: quanto mais gente puder viajar pelo mundo, melhor!!! E vivemos numa época em que isso é mais acessível do que nunca – e deve se tornar ainda mais. Só que o turista não precisa ser tratado dessa maneira, ser empurrado de uma atração à outra para não "perder tempo"... Afinal, ele "cometeu" a ousadia de sair da sua casinha e merece respeito ao visitar qualquer que seja a atração. Essa era mais uma longa discussão que eu começava comigo mesmo.)

Concentrei-me ainda mais no barulho das gotas d'água ressonando na grande piscina rasa que era o chão da Cisterna. Ao mesmo tempo que escrevia alguns postais, ouvia esse gotejar, e acabei me dando conta de que esse era um momento sublime da viagem. Pensei na hora: quantos assim eu já tive? Juntei cinco.

Falei que a lista tinha cinco itens "e meio". Isso tem a ver com um momento que eu ainda não havia vivido: a chegada a Atenas. Mas é melhor deixar para o próximo capítulo.

A oferta de tapetes é tão grande na Turquia que você até fica um pouco desorientado. Alguns comerciantes, como o mail (que também ficou meu amigo), estão modernizando o tradicional *kilim*. Sua loja (EthniCon, no Bazar de Istambul) faz um "mosaico" com retalhos de tapetes antigos. É bem original – sem falar que o preço é bem mais em conta...

270 Turquia

OS 5 GRANDES MOMENTOS DA VIAGEM

Antes da lista, porém, gostaria de lembrar que momentos bons, geniais, inigualáveis, incríveis, inesquecíveis etc. foram muitos. Mas sublimes mesmo, até ali, foram esses, sem uma ordem de preferência (pode considerar um empate técnico):

Descanso e meditação nas passarelas sobre a água da Cisterna Romana de Istambul

"Namastê" para agradecer a chance de rever o templo Prea Khan, em Angkor, Camboja

FANTÁSTICA VOLTA AO MUNDO 271

Salto de 175 m, na Nova Zelândia (a foto é de um bungy menor, de "aquecimento")

Detalhe da árvore sagrada no templo onde está o dente de Buda (Kandy, Sri Lanka)

Chegada aos impressionantes mosaicos de Samarkand, cidade antiga do Uzbequistão

Ali, olhando aquelas fileiras de colunas iluminadas, lembrando as amizades que tinha feito (e controlando a saudade das pessoas queridas no Brasil – o que, a essa altura, ainda era administrável), eu estava realizado. Estava com a quase incômoda sensação de que seria difícil superar a experiência turca. Na verdade, não queria ir embora de lá. O que estava acontecendo? Eu deveria estar

Feliz, de braços abertos, e nem ligando que estava num city tour para ver a parte asiática de Istambul

OUTRAS PARADAS

❚❚ Se uma cidade merece uma revista como a *Time Out* é porque ela é agitada. "Bíblia" do entretenimento em Londres e Nova York, ela existe também em Istambul, prova de que os embalos da cidade turca vão de bares descolados às pistas cobiçadas (nosso DJ Dolores tocou lá em maio de 2004, na Babylon).

se eu voltasse a
[ISTAMBUL]
POR UM DIA...

...ia passar a maior parte da manhã sentado naqueles bancos de madeira em frente à Mesquita Azul. Quando começasse a esquentar demais, eu daria uma passadinha na Cisterna Romana e depois iria até o Bazar, me perder nas lojinhas. Um café (turco), claro, é fundamental para levantar os ânimos e não deixar escapar nenhuma oferta. Pegaria um táxi até Taksim para almoçar no restaurante da Dilara, na "nova" Rua Francesa. Numa travessa dessa avenida, visitaria a Livraria Pandora. No começo da noite, voltaria a Sultanahmet para pegar a apresentação dos dervixes na estação de trem de Sirkeci e em seguida relaxaria num banho turco no Cemberlitas Hamam – e mais um café! Mais tarde, voltaria ao outro lado da cidade para aproveitar a agitação de Tunel. Antes de dormir, pediria que o táxi passasse mais uma vez em frente à Mesquita Azul iluminada...

Turquia

uma viagem *sem comprar um*
[SOUVENIR]
não tem graça

É difícil escapar da tentação de levar alguma coisa com aquele olho azul pintado. Todas as lojinhas de Istambul vão querer te empurrar esse "amuleto", reproduzido numa infinidade de peças (de canecas de chá a toalhas de praia). Um passeio pelo Bazar aumenta a variedade, mas a sensação de que você está levando um presente igual a todo mundo só aumenta. Para algo um pouco mais exclusivo, peça para um artista de rua escrever seu nome (ou o de quem você quiser), uma palavra ou um verso, na belíssima caligrafia das antigas escrituras, sobre uma folha seca. Só assistir à execução dos movimentos dos pincéis sobre a folha já vale os R$ 15 da lembrança que você leva para casa.

animadíssimo de ir para a Grécia, bem na semana da abertura das Olimpíadas.
Na verdade, eu estava animadíssimo. Estava excitado mesmo, numa espécie de antecipação da agitação (a essa altura, apenas uma suposição) que me esperava em Atenas.
Mas é que deixar uma cidade que tem o privilégio de uma vista como a da Mesquita Azul iluminada à noite não é simples. Naquele momento, eu mais uma vez torcia para ter o acaso ao meu lado. O Destino, a Sorte, o Acaso – sei lá a quem atribuir isso! – sempre colocou no nosso percurso pessoas maravilhosas, que nos ajudaram a driblar a ausência dos amigos do Brasil ao mesmo tempo que abriam novos horizontes nos lugares por onde passávamos. Por que seria diferente na Grécia?

Gato tranquilo descansa na mesa de restaurante em Istambul

Da **Turquia** para a

Grécia

Nossa van estava atrasada. Tudo bem, não queria ir embora mesmo... **Do terraço do hotel vejo uma conhecida** na janela do outro lado da rua. É uma senhora, amiga de uma amiga, Uzay. Ela me trouxe uma taça de chá e ficamos ali tentando esquecer que eu estava de partida. Para a Grécia! Abertura das Olimpíadas! E de lá para Meteora! Mas eu estava ligado demais à **Turquia** para reparar nas exclamações dessas frases...

Os amuletos fazem reverência à Mesquista Azul, em Sultanahmet

[DÉCIMA TERCEIRA ESCALA]

O lugar que me convenceu de que pôr do sol é um espetáculo que vale a pena: Meteora, no interior da Grécia

Capital: **Atenas**
Área: **131.940 km²**
População: **10.660.000 habitantes**
Renda per capita: **US$ 19,1 mil**

GRÉCIA

Hellas!
Onde os gregos [ESCONDEM] a própria cultura

Numa viagem longa, música é fundamental. Descontando as "cores locais" (sons que só poderiam ser ouvidos em lugares como Uzbequistão, Índia, Camboja etc.), algumas canções nos acompanharam o tempo todo. Umas estavam começando a fazer sucesso em alguns países e passando para um estágio de "conquista global". ("Dragostea Din Tei", de um grupo romeno chamado O-Zone, era séria candidata à fama internacional, por exemplo.) Outras, você ouvia apenas em um país (como a irresistível "Dudu", de Tarkam, na Turquia - e em nenhum outro lugar). Mas havia uma musiquinha que estava em todas as rádios, não importa em que cidade: "Trick Me", da Kelis. Era o som do verão (estação vigente na parte do mundo por onde viajávamos).

AS 5 NOITES MAIS DIVERTIDAS

▪ ATENAS, GRÉCIA, quando uma série de visitas a bares e restaurantes terminou numa discoteca onde a pista de dança acabava no mar
▪ ISTAMBUL, TURQUIA, que começou num banho turco, passou por um jantar estupendo na casa de uma executiva americana e terminou numa festa no telhado de uma das melhores chefes da cidade
▪ BILBAO, ESPANHA, andando sozinho por horas, num roteiro que começou pelo Museu Guggenheim iluminado e terminou por uma ronda pelos balcões que serviam "pintxos"

"Bração" entra em ação para registrar a visita à Acrópole, Atenas

Não sei se chegou a ser sucesso no Brasil, mas é genial. É também simplérrima. Tão minimalista que Missy Elliot deve ter ouvido e ficado com uma ponta de inveja. E, acima de tudo, é a melhor trilha sonora para momentos como o que eu conto agora - o meu favorito na Grécia, superando o azul de Cefalônia e a tranquilidade de Meteora.

Era uma manhã na varanda do apartamento onde eu estava preso, quando um carro passou tocando "Trick Me" num volume altíssimo, inspirando uma solução pra que eu não passasse um raro dia de folga trancado num só lugar. Quer a história do início? Bem, começou numa terça-feira, quando a gente chegou a Atenas e, sem surpresa (já esperávamos algo assim), descobrimos que não seria nada simples achar um lugar onde dormir na cidade na

em Casco Viejo
▌ TASHKENT, UZBEQUISTÃO, na festa que tentava reproduzir um carnaval carioca e que tinha tudo para ser uma "roubada", mas que acabou sendo divertidíssima
▌ UDAIPUR, ÍNDIA, que começou com um banquete digno de marajá, prosseguiu com um passeio na cidade em galerias de arte e terminou com um espetáculo de dança indiana numa construção às margens do lago Pitchola

semana de abertura das Olimpíadas. Só lembrando: nós viajávamos sem qualquer pré-produção. Numa pesquisada breve, numa agência de turismo que funcionava dentro do *broadcast center* das tevês que estavam cobrindo o evento (uma espécie de quartel-general para todas as transmissões de vários países, inclusive para nós, da Globo, Brasil!), descobri que até era possível encontrar alguma coisa, mas por um preço absurdo - a partir de €$ 350 (mais de R$ 1.200) por dia!! Preciso dizer que isso estava "um pouco" além do nosso orçamento?

Meio desesperado, mas ao mesmo tempo com a tranquilidade de quem já quase ficou no meio da rua (Manila, Cingapura etc.), pensei em uma alternativa rápida - e apelei para os colegas de trabalho! Uma parte da equipe que estava trabalhando na cobertura das Olimpíadas ficou hospedada em apartamentos próximos ao Estádio Olímpico, para facilitar a operação. Como, devido ao resultado da interativa, o público havia escolhido outro destino que não Atenas (para a primeira semana), calculei que dormiríamos na cidade por poucas noites - e pedi pouso. Guilherme foi parar em um apartamento e eu em outro (pra não amontoar demais). Como na Índia, ficamos hospedados "de favor" - com a diferença de que a mãe do Tuli (aquele meu amigo indiano) não estava lá pra cozinhar pra gente. Mas isso era um detalhe (até porque, graças a um certo colega de trabalho chamado Delfim, a última coisa que me preocupava em Atenas era um endereço onde comer bem).

O fato é que, como era "hóspede" num desses apartamentos,

OUTRAS PARADAS

▌O combinado na viagem era que a gente deveria procurar um hotel assim que chegasse ao destino. Passamos por algumas "roubadas" por conta disso, mas em Atenas, nas vésperas da abertura das Olimpíadas, isso era simplesmente uma missão impossível. Por isso, tivemos de "apelar" e pegar carona nos apartamentos onde estava alojado o pessoal que fazia a cobertura dos jogos.

Numa viagem longa,
música é fundamental.
Descontando as
"cores locais"
(sons que só
poderiam ser ouvidos
em lugares como
Uzbequistão, Índia,
Camboja etc.),
algumas canções
nos acompanharam o
tempo todo.

Nos meus "aposentos" em Atenas, o "confortável" sofá

não tinha a chave. Esse lugar onde fiquei estava ocupado por três pessoas - um apartamento grande, com três quartos. Fez as contas? Já chegou à conclusão de que eu tive de dormir no sofá? Para mim, isso não significava problema algum. Primeiro, porque estava com amigos. Depois, como geralmente eu chegava à hora do sono exausto - e como o sofá era "quase" aconchegante -, a ideia de poucas noites nesse esquema soou pra mim como uma temporada num spa!

Mas, naquele dia em que fiquei preso, o calor estava brabo. Parte do aconchego do sofá se devia ao fato de ele ser forrado de camurça. A combinação entre 30 graus à noite e esse material não é, de fato, muito convidativa. Complementando, eu havia chegado de uma noite muito divertida num dos clubes de Atenas que têm uma pista de dança que termina no mar, onde as pessoas não hesitam em se jogar de roupa e tudo (às vezes até sem), e onde dancei mais que no carnaval uzbeque. (Digamos que o DJ era um pouquinho melhor, com sucessos que iam de Kylie Minogue a Air, passando pelo ídolo do momento da canção grega, Mihalis Hatzigiannis. Para você ter uma ideia da popularidade do cara, eu apenas murmurei o *hit* dele, "Ya Sena", numa loja de discos e saí com o CD na mão...) Fui parar nesse lugar (acho que o nome era "Taboo") depois de

OUTRAS PARADAS

▍ Dica prática para você pelo menos fingir que está entendendo grego: lembre-se das suas aulas de geometria. Alfa, que corresponde ao nosso A, é aquele simbolozinho mesmo α. O P, adivinhe, é o nosso velho conhecido 3,14, o pi, ou ϖ. Lâmbda, que vale pelo nosso L, você também já aprendeu na escola: λ. E o ômega? Ω! Agora é só tentar ler alguma coisa (mesmo sem entender...)

mais uma farra gastronômica, cortesia de meu amigo Delfim - daquelas noites em que as coisas vão acontecendo e você não tem opção a não ser se entregar.

Resultado: cheguei ao apartamento quase às 8 da manhã, cansado e com calor. Tanto que, no meio da madrugada, levantei do meu sofazinho de camurça e fui dormir na varanda (parte privilegiada dos apartamentos atenienses, que, nos bairros mais ricos, é quase uma obrigatoriedade). Quando acordei, por volta do meio-dia, o apartamento estava vazio - meus colegas já haviam saído para a redação instalada no tal *broadcast center*. Levantei aos poucos, saboreando o dia de folga - e até fazendo planos para passear em Atenas (tinha visitado a Acrópole há doze anos, estava com saudades!). Sem pressa, comecei a procurar a chave, que eu revezava com um dos "moradores" do apartamento e que havia deixado em cima da mesa de jantar.

Não estava lá. Pensei: "Tudo bem. Vou até lá e encontro eles". E estaria tudo bem mesmo, não fosse um detalhe: a porta estava trancada por fora! E daí... Bem, e daí que eu estava preso. Ah, e sem poder ligar pra ninguém (não tinha um celular na Grécia e o telefone do apartamento havia sido bloqueado pelos proprietários). Se tudo estava acontecendo lentamente até então, o nervosismo que chegou trouxe uma quebra de ritmo. Como eu ia fazer?? Nas ruas, um ritmo de deserto me fazia lembrar que aquele dia era um dos maiores feriados da Grécia (Dia de Maria? Nossa Senhora?) e o único movimento visível a metros era o das oliveiras balançando com o vento.

Por que voltar à Acrópole? Não é um monumento assim tão grande. Uns 15 minutos bastam para visitar. Mesmo assim, fui três vezes até lá. E não foi só pelas ruínas, não. Foi também pelas pessoas que a visitam. Gente do mundo inteiro (olha um cara de Cabo Verde, de costas, aí na foto).

Um pouco preocupado, mas ainda disfarçando, comecei a fazer plantão na sacada do apartamento, na esperança de que alguém passasse por lá. (Muita gente, mesmo de outras tevês, estava hospedada no mesmo esquema, e geralmente era fácil encontrar alguém com o poderoso crachá olímpico pendurado no peito andando na calçada - geralmente, mas não no tal feriado.) Não passava ninguém. Vinte... Quarenta minutos... Uma hora... E meia... Finalmente, logo depois que um carro passou tocando a música "Trick Me" no último volume (olha a música me salvando!), eu avisto um crachazinho ao longe e grito: "Help"!

Sei que a cena parecia um pouco ridícula, mas você teria outra sugestão? O cara falava algum inglês, e eu pedi para ele ligar para o único celular que tinha anotado, de alguém da nossa equipe, o Cadu, e passasse um recado de que "Zeca estava preso no apartamento". Tentei fazer uma frase bem simples para que tanto ele, que era de Luxemburgo, como qualquer pessoa que atendesse ao celular na redação pudesse decifrar. O que se seguiu foi uma versão mais moderna daquela brincadeira conhecida como "telefone sem fio".

Estava isolado no quarto andar de um prédio, gritando pra alguém passar um recado para virem me "soltar". Essa operação simples levou uns oito minutos - e eu só fiquei imaginando o que o meu colega que atendeu do outro lado estava imaginando. Confusões à parte, o esquema deu certo: quarenta minutos depois, a Daphne (uma produtora que estava trabalhando na nossa equipe de cobertura das Olimpíadas e que eu imediatamente

OUTRAS PARADAS

▌ Moscou tinha o ursinho Misha. Em Barcelona, o mascote era o Cobi, uma espécie de cachorro. E Atenas ganhou... o que mesmo? Essas figuras (aqui estampadas no meu caderno de anotações na etapa grega da viagem): Phevos e Athena são irmãos, representações antigas da forma humana,

A FANTÁSTICA VOLTA AO MUNDO 287

Exterior do Estádio Olímpico em Atenas; meu crachá (dir.) era poderoso, mas não me levava ao seu interior

spiradas em antigas
onecas gregas (pelo
enos é o que diz o site
ficial...).

rebatizei de Santa Daphne) estava lá com uma chave e, em menos de cinco minutos, eu já estava na rua, pronto para encontrar os amigos na redação - e me preparando psicologicamente pra pagar o maior mico por lá.

Aliás, é claro que, no momento em que coloquei os pés lá, TODOS me alugaram como puderam - a ponto de eu quase deixar de achar graça na história. O que só aconteceu porque o clima ali era muito tranquilo - especialmente para mim e para o Guilherme, que havíamos passado por tantas dificuldades de transmissão de material e, de repente, tínhamos ali toda a infraestrutura da rede Globo à nossa disposição. A prioridade, claro, era do material das Olimpíadas. Mas, entre aproveitar as brechas do equipamento e passar horas num cybercafé anônimo, eu ficava com a primeira opção - disparado!

E não era só isso. No capítulo anterior, ao listar os cinco melhores momentos da viagem até então, mencionei que havia um "1/2" item que deveria fazer parte dessa lista. Bem, ele fica por conta da chegada a Atenas. Explicando rapidamente, foi emocionante chegar a uma cidade que estava quase em ponto de ebulição: todo mundo envolvido num esforço sensacional de fazer uma festa daquela grandeza acontecer. Gente de todo lugar (acho que ali dava para usar essa expressão sem que ela soasse falsa: era gente de todo lugar mesmo!!), num clima de excitação e de trabalho, de animação e - um pouco também - de confusão. É muito forte sentir a vibração de uma cidade renovada, renascida com construções de estádios (e outros espaços) belíssimos. E havia

OUTRAS PARADAS

▍ Existe um lugar na Grécia onde só os homens podem entrar. Não se trata de uma questão de discriminação, mas sim religiosa. É o monte Athos, considerado um dos mais sagrados pela Igreja Ortodoxa grega. E, só lembrando, fotos e filmagens também são totalmente proibidas por lá... (se não, você não acha que a gente daria um pulinho lá também?).

ainda a alegria de encontrar os amigos da tevê que também estavam lá trabalhando na cobertura das Olimpíadas. Por tudo isso, por esse frege todo, a chegada a Atenas, por onde inevitavelmente tive de passar pra ir a Meteora - a escolha da audiência - levou esse "1/2".

♣ Se eu já gostava de ver partidas de vôlei, imagine poder fazer isso em Atenas, em plenas Olimpíadas

Estar de fora da cobertura das Olimpíadas, mas ao mesmo tempo dividindo o espaço com todos os que estavam na cobertura, me permitia ter uma experiência diferente. Quando não estava viajando para Meteora ou Cefalônia (etapas que já vou descrever), ficava ali na redação, mandando imagens, textos e e-mails. Tentava me concentrar. Mas era difícil, com sete monitores de tevê ligados, cada um com uma competição mais emocionante que a outra.

Lembro-me de uma manhã em que a transmissão mais sedutora de todas era a de um jogo de vôlei feminino!! O que eu tinha de fazer era simples: os textos da reportagem em Meteora. Com a prática que a própria viagem me deu, tiraria isso de letra: em duas horas, no máximo. Acontece que estava ali desde as 9 da manhã e ao meio-dia ainda não tinha chegado nem à metade. E o Brasil estava prestes a jogar contra o Japão, indicando uma perda total de causa. Já estava "contaminado" com o espírito olímpico.

Todo animado, já com o precioso crachá no pescoço, tirei essa foto quando estava esperando o ônibus para me levar até o *media center*, ao lado do Estádio Olímpico, pela primeira vez.

Percebi isso quando me dei conta de que estava acompanhando com muita atenção uma competição de tiro - e torcendo! Tiro!! Só naquela manhã de sábado, já havia vibrado com remo, natação, esgrima (!), ginástica olímpica masculina - até basquete, um dos esportes do qual ainda não aprendi a gostar. Mas nada - NADA - se comparava à emoção de ver o maravilhoso balé do vôlei. Já havia passado por Cuba x Alemanha, Rússia x República Dominicana - e lá estavam nossas brasileiras, com vantagem, é claro, mas quase me matando do coração. Isso não era nada, só um jogo preliminar. Mesmo assim, pra mim era tudo final! Meu olho fica tenso de acompanhar a beleza desses movimentos: tudo muito rápido - e ao mesmo tempo era possível acompanhar cada passe, salto, bloqueio como se tudo estivesse acontecendo em câmera lenta. Como elas conseguem? Não sei nem como eu consigo assistir.

Sou tão apaixonado por vôlei que, a cada partida que começo a ver, faço a promessa de abandoná-la - com medo de não aguentar. Você sabe do que estou falando - vai dizer que não conhece essa sensação? As meninas já tinham ganhado os dois primeiros sets e estavam numa pausa. Meu coração também - e, a cada uma delas, eu aproveitava para continuar meus textos de Meteora. Leila comentava o jogo. Antes, ela estivera assistindo a Rússia x República Dominicana do meu lado, trocando comentários comigo - quer dizer, ela fazendo os comentários mais emocionados, quase pessoais (afinal, ela conhecia a maioria das jogadoras de perto!), e eu só ouvindo e pegando as observações

OUTRAS PARADAS

❙❙ Para qualquer lugar que você andasse em Atenas, nesse verão de 2004, você encontrava indicações de como chegar aos locais de competição. Havia até mesmo uma pista nas ruas exclusiva para carros que circulavam de um evento para o outro.

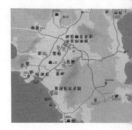

"no bloqueio". Imagine: o que eu poderia falar para essa garota que já me fez chorar de tanta emoção em jogos passados (e que agora está lindíssima com esse novo visual)? Melhor só ouvir...

Começava o terceiro set - e o texto "Meteora 3" teria de esperar mais um pouco. Estava meio apertado. Elas abriram vantagem... Dava vontade de ficar narrando - e, como eu sei que não sou bom nisso, melhor pular logo para o resultado: elas ganharam - tão lindas!

Esse "espírito olímpico" ainda "bateria" em mim várias vezes. Mas, voltando do clima zen de Meteora, era como se eu estivesse embriagado de uma bebida que meu organismo nunca havia experimentado. Na verdade, nosso retorno de Meteora já havia contribuído para a mudança de clima. Chegamos de carro, no que devia ser o pior horário possível para estar em Atenas, às 6 da tarde do dia da abertura das Olimpíadas, quando todas as ruas que tentávamos pegar estavam fechadas para circulação ou davam a impressão de estarmos circulando numa cidade-fantasma - com a diferença de que ali estava prestes a acontecer a maior festa esportiva do mundo! Chegar motorizado perto do Estádio Olímpico era missão ingrata, quase impossível. Eu e Guilherme tivemos de ligar o "GPS biológico" pra não corrermos o risco de dormir no carro.

Não merecíamos isso quando voltávamos de um lugar tão maravilhoso. Para contar mais um detalhe de bastidor, devo dizer que Meteora sequer era opção até duas semanas antes de chegarmos lá. Tudo aconteceu na hora em que escrevia os textos

---

A grande ironia de trabalhar na cobertura das Olimpíadas é que você acaba acompanhando muito pouco dos próprios eventos. Assim como essa volta ao mundo estava longe de ser um "passeio", as equipes que praticamente moravam no *broadcast center* (centro de transmissão) estavam a maior parte do tempo dentro dos escritórios, vendo tudo... pela tevê!

para convidar as pessoas a votarem em Atenas ou Tessalônica. Essa é a segunda maior cidade grega, grande centro pescador, e, bem, só isso. Comecei a achar que esse lugar, definido antes de nossa saída do Brasil, não seria tão interessante como havíamos imaginado. E comecei a pesquisar outros lugares. Nem precisou ser uma pesquisa muito aprofundada. Com alguns cliques na internet, já havia achado Meteora - e já começavam minhas rezas para que a maioria do público escolhesse essa opção. Dessa vez - milagre! - deu certo. E conhecemos um lugar incomparável.

De cara, tem a natureza: aquelas rochas que brotam da terra como um gêiser, só que de pedra. No meio de uma grande planície, essas formações surgem abrupta e misteriosamente, fazendo um desenho único. Se isso fosse tudo, já seria impressionante. Mas ainda tem os mosteiros construídos em cima de muitas delas. Com mais de quatrocentos anos, eles são fascinantes não pelos detalhes externos de sua construção (os interiores, que abrigam igrejas e capelas, são elaboradíssimos, com finos exemplos de pintura religiosa cristã ortodoxa, mas por fora são estruturas relativamente simples), mas pelo próprio fato de estarem ali. Como foi possível construir nesses lugares? Como alguém teve a ideia - e desenvolveu uma maneira de levar as coisas lá para cima, há quatro ou mais séculos? Essas são apenas as primeiras perguntas que você se faz ao chegar lá. Depois vêm algumas mais estranhas ainda: como eles faziam para ter água lá em cima? E comida? Banho? E se um dos monges ficasse doente?

Aos poucos essas preocupações tão mundanas vão se

OUTRAS PARADAS

|| É um prazer viajar de carro pela Grécia, especialmente pelo litoral, como em boa parte do caminho para Meteora, com o mar de "acostamento".

Nenhum turista escapa de tirar uma foto nesta vista gloriosa em Meteora

Até meados do século 20, única maneira de subir té os mosteiros de Meteora era com uma rede. ma corda e uma roldana teralmente içavam os raros visitantes (geralmente monges de outros cantos que iam para lá a fim de meditar). O sistema ainda existe nos mosteiros, mas mais como curiosidade.

Hoje, felizmente, já é possível subir por escadas escavadas na pedra.

Vista de Kalampaka, com o paredão que esconde os mosteiros de Meteora

dispersando, e você passa a se concentrar apenas na beleza do lugar. Do alto de uma pedra de onde se tem uma visão panorâmica (à qual chegamos após dura escalada - apenas para descobrir que havia um acesso de carro!), você consegue ver a maioria desses mosteiros e sentir - enquanto o vento sugere que você é uma criatura frágil, que pode ser jogada de lá de cima a qualquer momento - que você está diante de algo poderoso.

Ficamos dois dias em Kalambaka, a cidade que fica ao pé das rochas, durante a visita. Destino de férias, ela estava lotada (estávamos em plenas férias de verão na Europa), e era necessário um certo esforço para resistir àquela tentativa de agitação urbana depois de passar o dia visitando os mosteiros. Não deixava de ser uma grande ironia, Atenas "pegando fogo" com o frenesi das Olimpíadas, e nós ali, num contato com o divino. A tradução literal

OUTRAS PARADAS

■ Mesmo se você resolver visitar todos os mosteiros de Meteora, vai ser difícil encontrar sequer uma figura elegante de um monge de barba longa, todo vestido de preto. Apenas parte das construções simples está aberta para os turistas. O resto das dependências é área exclusiva dos religiosos, já que, não por acaso, eles estão lá justamente à procura de isolamento.

de Meteora é "suspenso no ar". Mas depois dessa visita, já não sabia se a expressão se aplicava melhor às construções ou ao estado de espírito de seus visitantes - o meu em particular.

Eu e Guilherme passávamos horas discutindo (no bom sentido) qual seria a visão mais estonteante. "Vamos ali." "Não, com essa luz, temos de pegar aquela imagem." "Aposto que você ainda não viu aquela caverna na pedra." "A abertura da reportagem tem de ser aqui." "Não, tem de ser aqui." "Que tal aqui?" "Ou aqui?" Isso era o que poderia se chamar de discussão saudável. Estava tão envolvido com a paisagem, que me senti à vontade até para rever algumas posições. Nas minhas anotações, escrevi sobre um livro que li na minha passagem pela Romênia, escrito por Geoff Dyer. Mais precisamente seu comentário sobre o que pode ser resumido como "espetáculo inútil do pôr do sol", onde ele não via nada de especial - algo com que eu, em parte, concordava. Não sei se foi só o clima de Meteora. Talvez o livro seguinte que li (o primeiro volume dos ensaios de Montaigne) tivesse ajudado - ou ainda o descanso metal de que eu estava precisando e que tive por dois dias. Ou talvez decisivo nessa mudança de pensamento tenha sido o visual estupendo que estava à minha frente nesse lugar: o pôr do sol dali de cima da pedra mais alta!!! Acabei tendo que ceder: alguns desses fins de tarde se qualificam, sim (e com louvor), como um dos maiores espetáculos da Terra. Às 20h30, o sol se despediu e me deixou com essa nova certeza.

Essa, aliás, não seria minha única mudança de atitude com relação à natureza. Aqui mesmo, escrevendo sobre lugares como

---

Quando não estava trabalhando na redação do jornalismo em Atenas, assistia às competições pela tevê grega. E percebi duas fixações do povo grego, a julgar pela frequência com que esses esportes eram transmitidos. Primeiro, esgrima – que ninguém conseguiu me explicar. Depois (e disparado na frente), levantamento de peso – e aí, sim, os gregos confessaram uma paixão incontestável pelo esporte.

Antes de sair de Meteora, tocamos os sinos do alto dos rochedos

Bangcoc, Istambul ou Cingapura, já deixei claro que os lugares com os quais eu mais me identifico são os mais, digamos, urbanos. Eu gosto é de cidade. Assim, mesmo com toda a promessa de paraíso que Cefalônia trazia (e que eu mesmo comemorei quando essa foi a opção do público, no lugar da Albânia), lá no fundinho achava que teria diante de mim alguns dias aborrecidos de pura contemplação, de uma certa tranquilidade "preocupante". Natureza, prefiro em doses bem modestas.

Ou devo dizer "preferia"? O encanto da natureza - o sublime, pra emprestar erroneamente o termo do inglês (que se escreve da mesma maneira, mas quer dizer o impacto que as grandes paisagens causam na gente) - acabou me vencendo. A "culpa" foi de Cefalônia. Nem tanto as suas praias, que, impossível negar, são exuberantes, com um mar de um nanquim quase ridículo de tão escuro. O que me pegou nessa ilha, situada na costa oeste da Grécia, foram as atrações extras, as montanhas, os vales (até os precipícios); as cavernas e as lagoas escondidas, cuja água cristalina muda de cor conforme a hora do dia; as estradas panorâmicas; o horizonte; a noite com um céu que parece pegar emprestado o azul que a água reflete de dia.

Acordamos o primeiro dia em Cefalônia meio "sem destino".

OUTRAS PARADAS

∎ Se o seu destino for alguma das ilhas gregas e você estiver de carro, pode ir se acostumando com a ideia de longas travessias de *ferry boat*. Não foi diferente para irmos a Cefalônia: fomos por estrada até Patra, pelo Peloponeso (passando pelo canal de Corinto), e de lá foram mais quase três horas até chegar a Sami. Mais 20 minutos no carro você está em Argostoli.

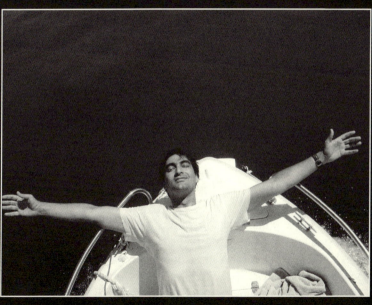

De braços abertos no passeio de barco, quase caindo no mar de um azul hipnótico que cerca a ilha de Cefalônia

Os dias que havíamos passado em Atenas, logo depois de Meteora (quando então vivi a aventura de ficar preso naquele apartamento), tinham me acostumado mal. Foi só ter um pouco de mordomia - e tempo livre - que saí do ritmo do trabalho. Fizemos uma bela viagem até lá, passando por cidades históricas como Corinto e pegando até um meio de transporte que não havíamos experimentado ainda: uma balsa, que nos levou de Patras (ainda no "continente") até Sami (o principal porto da ilha). Tínhamos como companhia o Filipas, um cara meio grego e meio brasileiro que só tinha visitado a ilha quando era criança, numa viagem com o colégio. Ele seria uma espécie de guia nosso, que redescobriria a ilha com a gente.

Assim, nesse primeiro dia, partimos de Argostoli, a principal cidade da ilha, para explorar uma boa dezena de praias - talvez umas vinte. São todas fantásticas, mas acabavam ficando meio parecidas. Ainda investimos em cavernas (estupendas estalactites - e estalagmites! - em Drogorati) e lagoas escondidas (a visão da água transparente de Melissani, mostrando aquele fundo que dava a impressão de ser feito de turquesas, foi um dos pontos altos do dia), mas eu estava meio sem inspiração para o próximo passo.

Mesmo com minha resistência às maravilhas da natureza já bastante baixa, ainda não estava preparado para mais um dia de deslumbramento. Procurando e perguntando, descobrimos que numa praia que não havíamos ainda visitado, em uma das pontas da ilha (Lixouri), existe um banho de lama estupendo, miraculoso, revigorante - e resolvemos ir até lá. E eis que no caminho, ao

OUTRAS PARADAS

▍Difícil comparar a beleza das praias em Cefalônia. Mas se você estiver a fim de ficar sozinho numa delas, sem problemas! É rodar de carro, procurar um pouco e achar um cantinho de areia sem ninguém por perto. Nós também achamos a nossa e, já que ela não tinha dono, a batizamos de Praia do Fantástico.

pegar uma entrada errada (e entrada errada nessa ilha é um problema, pois as vias são tão estreitas que você roda quilômetros e quilômetros até encontrar um retorno), caímos no lugar certo! Uma placa escrita à mão convidava: "Esportes aquáticos - aventuras no mar". Seguimos a seta, precipício abaixo (um dos caminhos mais assustadores por que já passei - e isso contando com o percurso Nova Délhi-Udaipur!!), e lá estava ele: um barquinho a motor, pequenininho, mas perfeito para o que a gente precisava - explorar um pouco essa costa banhada dessa cor que eu já tinha desistido de chamar de azul. (Alguém precisa criar uma palavra melhor para esse tom que reflete ao mesmo tempo uma luz incrível, uma profundidade densa e uma vibração quase audível.)

Os donos do barco que nos encantou (uma americana, Nancy, casada com um grego, Kosta) não podiam ser mais simpáticos - tão amáveis que nem chegaram a perguntar se alguém sabia dirigir o barco. Com quase tudo pronto para embarcar, resolvi eu lançar a questão, um pouco nervoso - e já ciente de que eu não faria parte da lista dos timoneiros. Sobraram o Guilherme e o nosso guia, o Filipas. O primeiro disse que tinha experiência, mas o segundo se adiantou alegando "experiência", que sempre saía com o pai dele de barco, desde criança - e que era com ele mesmo! Entregamos nossa sorte (pra não falar a da câmera!!) em suas mãos - e zarpamos.

Já citei que estava no meu limite de apreciação da natureza? Bem, tive de rever esse limite. O que nos esperava era uma

---

Você pode não acreditar, as esse momento gistrado na foto ao lado a de trabalho! Estávamos ocurando as grutas mais teressantes para gravar, nessa costa oeste de Cefalônia (e estava difícil decidir qual a mais bonita...).

paisagem estupenda. Praias, impossíveis de serem alcançadas de carro (sequer a pé, só pelo mar), se sucediam à medida que íamos correndo a costa, recortada por grutas, penhascos dramáticos - e, claro, emoldurada por dois azuis, o do céu e o do mar. A visão nos fez esquecer o tempo. Num mergulho rápido (não resisti), perdemos a referência do relógio e quase nos atrasamos para o almoço, que já estava combinado. Voltamos correndo (tentando registrar o máximo desse visual) para uma taverna (como eles chamam esses restaurantes pequenos por aqui) bem na beira da praia, que é da mesma família há mais de cem anos e onde tudo (até o vinho branco que eles servem geladinho) é cultivado, pescado e feito ali. Precisa dizer que foi o melhor peixinho frito que já comi? Não nessa viagem, mas na minha vida? Estávamos já na terceira pratada quando passa um carro na praia, tocando Ivete Sangalo - bem alto! Só podia ser brasileiro, claro! Mas como?

Seguinte: a Nancy, dona do barco que alugamos, tem uma amiga brasileira, a Adriana, que mora em Cefalônia há doze anos (!) - e não vai pro Brasil há oito! Nancy ligou pra Adriana, que, quando soube que estávamos na mesma praia onde ela mora (e onde acabou de abrir um hotelzinho), pegou o carro e foi nos encontrar. Adriana é casada com um grego, Georgios, e tem dois filhos, um de nove anos e o mais novo, que todo mundo chama de Mano - e que é "hex"! Quer dizer, tem seis anos. Mas na frase da avó coruja (que estava de passagem por lá para ajudar com o novo hotel, mesmo falando quase nada de grego), ele "é hex"!! Foi um encontro animado - nada mal para um dia em que a maior

OUTRAS PARADAS

|| Da série "nem tudo que a gente comeu era esquisito", nesse restaurante de praia (oeste de Cefalônia), a família (dona do local há mais de cem anos) produz, cultiva e pesca tudo ali mesmo. Será esse o segredo do peixe frito maravilhoso?

expectativa era tomar um banho de lama e comer olho de cabra!

Se você se lembra da primeira versão do programa *No Limite*, sabe bem o que OLHO DE CABRA significa pra mim!!! E, como assumi o papel de repórter-degustador nessa viagem, quando o Filipas mencionou que esse era um dos pratos típicos de Cefalônia, me comprometi na mesma hora a experimentar a iguaria (só imaginando o sorrisinho de vingança que os participantes daquele programa esboçariam ao ver essa cena). Foi quando veio o precioso acaso me ajudar: a temporada de assar cabeça de cabra - e, por conseguinte, comer os olhinhos - é só na Páscoa. Que pena... Fiquei tão triste que quase prometi voltar em abril do ano seguinte só pra provar essa delícia...

Mas, depois desse esplendoroso encontro (forçado) com a natureza, era hora de voltar para Atenas. Há quase dez anos, quando estive lá pela primeira vez, de férias, não tinha gostado da cidade. Dessa vez, porém, a experiência foi totalmente diferente. Pude entrar um pouco mais no ritmo da cidade. Com os espaços livres que a infraestrutura da TV Globo me permitia ter, fui a museus, cafés, monumentos, restaurantes, conheci artistas, esportistas - pessoas.

Eu só pensava em como elas eram estranhas. Num bom sentido. Num ótimo sentido. Numa dessas voltinhas rápidas que dei por Atenas, ia pensando nisso. Fui direto para a Acrópole, o monumento mais famoso de toda a Grécia. Depois simplesmente fiquei andando por Takla - um grande centro comercial e de entretenimento, e por conseguinte de turistas também. Foi lá que

Atenas estava animada durante as Olimpíadas, mas o bairro de Plaka, em especial, estava "fervendo". Grande centro comercial, esse ímã de turistas dava a impressão de ter o mesmo ritmo frenético – a qualquer hora do dia!

Em frente ao terraço das Cariátides, na Acrópole, em Atenas

comecei a perceber melhor como as pessoas são estranhas. Num bom sentido - repito. Ou melhor, já havia começado a pensar nisso outro dia, quando estava na redação no centro olímpico e Leandro Guilheiro, nosso primeiro medalhista da temporada, chegou para uma entrevista. Recebeu palmas de todos. Claro. A cena era corriqueira: todo mundo simplesmente aplaudindo. Todo mundo com o mesmo sentimento. Somos tão iguais, eu pensava, que chega a ser estranho.

A mesma coisa ali em volta, nas ruas de Atenas, nos templos de Angkor, no metrô de Bangcoc, nós somos todos muito iguais. Nos detalhes - nas diferenças. Gente comprando souvenirs das Olimpíadas. Esperando o ônibus ao lado da foto de uma mulher grega com a filhinha, tirada provavelmente nos anos 60. Tomando um último gole de café antes de andar para casa. Escolhendo de que país comprar um jornal. Esperando a liquidação de verão aumentar o desconto pra 70%. Tentando entender como os jurados dão a nota para uma modalidade tão sutil como o mergulho sincronizado. Posando para fotos em cenários

OUTRAS PARADAS

▌ É fácil gostar do pop grego. Sempre tem um toque do tema de *Zorba, o Grego*. Mas um cantor marcou nessa viagem: Mihalis Hatzigiannis. Seu sucesso "Ya Sena" tocava em todas as rádios – e se algum DJ resolvia esquentar a pista, era só tocá-la (o público cantava a letra inteira junto).

se eu voltasse à
[GRÉCIA]

POR TRÊS DIAS...

...eu amanheceria em Meteora, para pegar a luz da manhã batendo nos mosteiros. Escolheria só um para visitar, não um muito grande, talvez o de São Nicolau Anapausas, que tem algumas das pinturas mais bonitas em sua capela. Almoçaria um "churrasquinho" na estrada, ali mesmo em Kastraki (cidade ao pé das rochas) e partiria em seguida para Atenas, para pegar o Partenon ainda com luz do dia. Para comer, Kifisia - um bairro um pouco distante do centro, mas que vale a viagem pela aventura gastronômica (sem contar que, no caminho, você pode admirar o novo Estádio Olímpico). Como a noite vai longe para os gregos, voltaria para o centro, procurando um café em Kolonaki - sem hora para dormir. No dia seguinte, acordaria tarde para partir para Cefalônia. Jantaria em um dos inúmeros restaurantes da costa de Argostoli e dormiria cedo. Só teria a obrigação de visitar o lago subterrâneo de Melissani. O resto do dia seria dedicado a descobrir uma praia deserta. E, se estivesse muito difícil encontrá-la de carro, alugaria uma pequena lancha para completar a "missão" pelo mar...

uma *viagem* sem comprar um [SOUVENIR] não tem graça

Especialmente em época de Olimpíadas (quando estivemos por lá), fica fácil comprar uma lembrancinha da Grécia. As camisetas (e os mais de quinhentos produtos licenciados para merchandising do evento) vão logo passar por aquele ciclo de vida de todo souvenir:

"indispensáveis", "obsoletos" e finalmente "relíquias". Por isso, provavelmente vai ser possível encontrá-las nas lojas de turistas em Plaka, Atenas, por mais alguns anos. Há raros desenhos realmente bonitos nas camisetas, e o que traz o esboço do ramo de oliveira ampliado é um deles. Na época das Olimpíadas, os preços começavam em R$ 80 (!!) - resta saber como eles vão se comportar ao longo do ciclo. Para uma opção mais em conta, que tal um ímã de geladeira que reproduz um dos mosteiros de Meteora (só R$ 10)?

absolutamente sem graça. Vibrando com
uma medalha. Explicando endereços aos
quais o turista jamais vai conseguir chegar.
Lembrando o que terá de fazer até o fim
do dia. Esperando olhares de quem passa
no calçadão. Elogiando uma menina
chamada Sophia. Desistindo de um jantar
ao qual você não estava a fim de ir.

Bilhete de entrada para
a caverna de Drogarati,
em Cefalônia

Acho que foram (novamente) aqueles
ensaios (Montaigne) que eu estava lendo. Ou
melhor, o casamento perfeito da leitura com as observações que
eu colecionava na viagem. Só existe gente maravilhosa no nosso
caminho. Ou eu sou o cara de mais sorte do mundo nas amizades
ou (e prefiro acreditar nisso) a maioria das pessoas está mesmo
disposta a conhecer outras pessoas. Japoneses em Bangcoc.
Cingaleses em Nova Délhi. Brasileiros na Turquia. Neozelandeses
no Sri Lanka. Romenos nos Estados Unidos. Turcos na Austrália.
Uzbeques em Kiev. Italianos nas Filipinas. Gente, gente, gente. E,
como pano de fundo, no final daquela tarde maravilhosa,
"aniversário" da nossa Fantástica Volta ao Mundo (que completava
três meses!), um lugar chamado Hellas...

Onde fica Hellas? Pergunte a um grego amigo seu...

Foto antiga num ponto de
ônibus de Plaka, Atenas

Da Grécia para o Quênia

Do que eu estava me despedindo ao sair da Grécia? **Das visões de Meteora?** Do azul de Cefalônia? Do som do público vibrando no Estádio Olímpico de Atenas? Embarquei para Londres sem a resposta. De lá adiantaria a produção para a etapa em **Mombaça, no Quênia.** Mas as distrações da capital inglesa, mais as dificuldade de viajar para a África, colaborariam para fazer da semana seguinte uma das **mais memoráveis.**

Os amuletos se despedem de Cefalônia, com a vista do porto de Sami

[DÉCIMA QUARTA ESCALA]

Amigos instantâneos: turma de alunos quernianos que visitava o Forte Jesus na mesma manhã que nós

Capital: **Nairóbi**
Área: **582.650 km²**
População: **31.138.735 habitantes**
Renda per capita: **US$ 1.039**

QUÊNIA

Hakuna Matata!
Filosofia [QUENIANA]
para uma vida sem preocupações

Londres seria a nossa próxima base pelas três semanas seguintes. Ironicamente, como em todos os lugares onde montamos nossa base, acabamos ficando mais dias (ainda que não consecutivos) por lá do que em alguns destinos dessa reta final - já estávamos entrando no quarto mês!

A essa altura, tanto eu como o Guilherme já nos permitíamos falar um pouco mais sobre as pessoas queridas que nos esperavam no Brasil. O fato de estarmos numa cidade onde a comunicação era muito mais fácil (ainda não sabíamos o que nos esperava em

OUTRAS PARADAS

■ Mombaça, com 500 mil habitantes, é a cidade do Quênia que mais atrai turistas. Vasco da Gama foi o primeiro navegador europeu a chegar a Mombaça, que foi dominada por Portugal p◂ mais de duzentos anos.

Passando por massai, com colares e correntes típicas da tribo

Nairóbi) nos deixava mais animados. Eu mesmo finalmente consegui admitir que estava com saudades das pessoas. As coisas pareciam estar caminhado bem, e cheguei até a esboçar uma comemoração. Deveria ter esperado uma semana...

No princípio estava animado com a etapa africana. Visitei o continente há uns bons anos, na época que fiz, também para o *Fantástico*, uma série sobre os lugares do mundo onde se fala português. Isso foi em 1998 (passa rápido!). Fui a Angola, Moçambique, Guiné-Bissau, Cabo Verde (uma das melhores lembranças) e São Tomé e Príncipe (a melhor lembrança, sem dúvida!!). Numa outra oportunidade, visitei ainda que rapidinho, de férias, o Marrocos. Mas de todas essas passagens o que guardei de lá é que não dá para fazer aquele comentário banal: "Já estive na

OS 4 ENCONTROS MEMORÁVEIS COM ANIMAIS

- GIRAFAS no Quênia
- CANGURUS na Tasmânia
- ELEFANTES no Sri Lanka
- CAMELOS na Índia

África, e é assim...". É um continente tão diverso, tão lindo (e tão sofrido), que qualquer generalização fica pobre, ingênua.

O que eu esperava ver no Quênia - em especial em Mombaça - era mais uma peça de um mosaico fascinante. Contava até com alguns problemas adicionais, levando em conta que a África ainda está alguns passos atrás no que se refere à tecnologia de internet, da qual tanto dependíamos. Mas não contava com o que encontramos.

Para dar o clima que vivemos, reproduzo agora o trecho principal do primeiro texto que escrevi de Mombaça para o blog da viagem:

Mundo, quinta-feira, agosto 26, 2004

Não existe semana tranquila!

Estamos há apenas quatro semanas do final desta Fantástica Volta ao Mundo. A essa altura, você (e mesmo eu) já imagina que estamos preparados para tudo o que possa acontecer. Bem, aqui vai uma surpresinha... Tudo é possível. Neste esquema frenético e sem uma brecha pra gente se adiantar, nada, nenhuma experiência passada, é útil para nos ajudar a lidar com as dificuldades de um novo país. Alfândega no Uzbequistão? Ok. Internet precária na Índia? Já vimos também. Dificuldades de alojamento (em Cingapura ou Manila)? Já experimentamos. Longas distâncias em rotas difíceis? Tá visto! Mas nada disso nos prepara para a etapa seguinte. Já sentiu? Já percebeu que isso é só uma introdução para

OUTRAS PARADAS

▌ Se você for ao Quênia e ouvir alguém dizer "*jambo*", é porque está lhe dando um "olá!"

▌ Em 2004, a queniana Wangari Maathai foi a primeira mulher africana a ganhar o Prêmio Nobel da Paz.

O que encontrei de tão legal em Nairóbi? Primeiro, o movimento, a agitação - que eu adoro. As pessoas param para falar com você na rua - metade, claro, é para te oferecer um safári; e um quarto é pra pedir dinheiro...

eu poder desfilar as mazelas da semana? Acertou. Só que não vou fazer isso agora. Simplesmente porque tenho tantas outras coisas pra fazer... Vim até aqui (neste terminal), atravessando meros 150 metros a pé numa estrada do litoral norte de Mombaça (uma travessia que poderia até ser solitária se os carros com farol bem alto e direção duvidosa não cruzassem perigosamente por mim no caminho sem acostamento para me fazer um pouco de companhia), só para não deixar você sem notícias (síndrome da preocupação de mãe?). Mas tenho de tentar colocar em ordem uma dezena de coisas - da conexão na internet com africaonline ao queniano que vai ser nosso guia amanhã. Posso contar com sua compreensão? E com seus votos de que a semana que vem seja mais tranquila? *Asante*!

Apesar da conclusão educada ("*asante*", em suaíli, a principal língua falada no Quênia, quer dizer "obrigado"), fica claro que o tom era tenso. De fato, a semana anunciava ser difícil. Já saímos atrasados. Como expliquei anteriormente, tentávamos viajar sempre nas terças-feiras. Nosso voo Londres-Nairóbi era de fato na terça, mas quase à meia-noite. Só na manhã de quarta chegamos ao Quênia - onde, felizmente, funcionários da embaixada nos esperavam, já prevendo complicações com a entrada do material. Enfrentamos uma grande fila para pegar o visto (concedido ali mesmo no aeroporto, por um valor nada modesto, equivalente a R$ 120!), mas a alfândega, para nossa surpresa, foi tranquila.

O primeiro grande problema viria logo na chegada ao hotel.

OUTRAS PARADAS

▌ As bonecas e bichinhos de pano fazem a alegria dos turistas que visitam o Quênia. Relativamente seguro e com uma natureza bem preservada, o país encontrou no turismo (em especial no safári de observação) uma boa fonte de receita. Os souvenirs são baratinhos, mas os pacotes começam em R$ 100.

Nada com a reserva, ainda bem. Mas é que dois produtores locais não saíam do meu pé, insistindo que, para podermos trabalhar lá, seria necessário que eles nos acompanhassem. A princípio, não entendi muito bem e topei. Foi quando eles apresentaram um "orçamento" de US$ 800 que comecei a ficar preocupado. Demorei, mas entendi o esquema. Já havíamos experimentado alguma coisa assim. Quando saímos do Brasil, uma das opções de destino, que iria competir com o Nepal na sétima semana, era a Malásia. Saímos com todos os contatos, menos o visto, que nossa produtora no Brasil, a Renata, ficou de negociar com as autoridades de lá. Como você talvez se lembre, na sétima semana o país que estava no páreo com o Nepal - e que venceu - foi Filipinas, que acabou entrando de última hora. Por quê? Simplesmente porque, poucos dias antes de divulgarmos que poderíamos ir para lá, as mesmas autoridades malaias com quem conversávamos nos explicaram que, para trabalhar no país, seríamos obrigados a contratar os serviços de uma produtora local, pela módica quantia de US$ 12 mil!! Caímos fora, claro. E assim as Filipinas entraram no nosso roteiro.

Num projeto como este, é razoável pagar por uma autorização para gravar em alguns lugares protegidos (como fizemos, por exemplo, no Camboja), mas esse esquema ao qual fomos apresentados é mais conhecido no Brasil como "roubalheira". Apesar de o valor apresentado pelos produtores quenianos ter sido bem menor, o princípio era o mesmo. Não aceitei. E parti para a discussão, no saguão do hotel. Tentava argumentar que nosso

---

Se a Tanzânia tem nzibar, o Quênia tem mu. Afastada e, por isso esmo, culturalmente eservada, a ilha já foi um raíso alternativo nos anos 60/70. O acesso é complicado por terra e água – e de avião não é barato e existem poucos voos. Mas todo o esforço, garantem os quenianos, é recompensado.

E é para lá que eu vou quando voltar a esses cantos...

trabalho não era um documentário sofisticado para uma tevê a cabo, mas a captação de material jornalístico. Eles (eram uma dupla) insistiam que, se não nos acompanhassem, teríamos problemas, insinuando, nada sutilmente, que iriam nos "dedar" para as autoridades do turismo local. Como o golpe não era convincente, eles acabaram desistindo do discurso - não sem antes me fazerem pagar uma pequena parte do orçamento pelo trabalho que já tinham feito (no caso, ter discutido comigo por mais de uma hora).

Depois, fui me preocupar com as passagens para Mombaça. "Preocupar" não define bem o que passei. Com a quarta-feira indo embora, e nós sem termos gravado sequer uma imagem, recebo a notícia de que nosso destino era também o de dezenas de políticos e homens de negócios naquela semana, pois estava acontecendo, justamente em Mombaça, o maior encontro do setor de agricultura no Quênia! Simplesmente não havia passagem para lá. A opção de ir de carro (uma viagem que todos me diziam ser de cerca de cinco horas - o que provavelmente significava que tinha o potencial para se esticar por mais de nove) estava fora de questão: simplesmente não tínhamos tempo para perder.

Quem me salvou foi Bunsy, uma encantadora funcionária da companhia aérea que se comoveu com meus apelos e, na manhã do dia seguinte (já na quinta!), ligou para dizer que deveríamos correr para o aeroporto e embarcar para Mombaça. E ainda havia o problema do hotel numa cidade lotada por causa da tal "feira de agricultura". Bunsy também ficou de arrumar isso e, para nossa sorte (só para quebrar a rotina e termos uma notícia boa), tudo

OUTRAS PARADAS

■ A primeira condição para você fazer um safári é ir munido de muita paciência. Ao contrário de um zoológico, onde você sabe exatamente onde encontrar os animais, nu‍ reserva a aparição deles é imprevisível. O que, aliás, torna a visita mais surpreendente.

estava arranjado. O motorista do táxi que pegamos no aeroporto também se mostrou muito prestativo e, por um valor modesto, nos ofereceu um roteiro completo para a sexta-feira. Era bom ser mesmo um ótimo roteiro, pois a matéria seria gravada praticamente todinha naquele dia...

Foi então que (já era a noite de quinta) escrevi a mensagem "nervosa" no blog. Só de lembrar ao escrever isso já me sobe uma certa irritação. Melhor mudar de clima e dar um salto na história para sábado de manhã, quando o sol nascia com vontade de bater mais um recorde de temperatura.

♣ Como virar a noite na cidade mais divertida do Quênia (sem nem sequer ir a uma festa...)

Como sei que a manhã seria tão ensolarada? Porque vi o sol nascer! Estava chegando de uma festa, depois de dançar a noite inteira, quando, de repente, olhei pro céu e... Não, não adianta enganar... Quisera eu ter chegado de uma festa: sexta-feira é a noite que "bomba" em Mombaça. Um passeio rápido pela região da praia de Bamburi te deixa desorientado de tantas faixas convidando para os bailes - o mais animado deles, me conta Titus, nosso motorista, é o do Tambo Nightclub ("*tambo*", em suaíli, significa "elefante"). Mas a festa vai ficar pra próxima chance que eu tiver de passar pelo Quênia. O que fiz, na verdade, foi virar a noite transmitindo as imagens de um dos maiores servidores da África - um escritório no décimo andar do único prédio de dez

Dois arcos de concreto que imitam as presas de elefante são marca registrada de Mombaça. Elizabeth II (que ainda não era rainha da Inglaterra) visitou o Quênia em 1952. Lá ela soube da morte do pai – e voltou à Inglaterra para ser coroada. Os arcos foram construídos em 1953, para homenageá-la.

O conhecido "ângulo bração" para registrar uma das torres do imponente Forte Jesus, construído por portugueses em Mombaça

andares de Mombaça!! E isso veio depois de um dia (esse mesmo, que ainda não havia terminado) pra lá de intenso. Exploramos a cidade com fome de desbravador.

A primeira parada foi no Forte Jesus, aonde chegamos com a expectativa lá embaixo. Outro forte? Esse, porém, era realmente impressionante e bem preservado - sem falar que tem o charme de ser voltado para o oceano Índico. Depois, passeamos pela cidade antiga, onde a bandeira do Brasil aparecia quase sempre com o mesmo destaque que a do Quênia (e se você já está pensando que o motivo disso é futebol, acertou). Tivemos um almoço simples, um frango com arroz, com a diferença de que ele deveria ser comido à moda de Mombaça (leia-se: dispensando qualquer utensílio feito para comer, essas coisas "modernas" tipo garfo e faca). Mas o dia rendeu mesmo só à tarde, no que a gente poderia chamar de "um

OUTRAS PARADAS

▌ Para quem os quenianos torcem na Copa do Mundo? Brasil, claro. Fanáticos por futebol, eles te enchem de perguntas sobre os craques ao descobrir que você é brasileiro - sem falar nos que te narram partidas antigas da seleção, como estivessem vendo o jogo vivo.

mergulho um pouco mais aprofundado nas diversas culturas que formam o Quênia".

A definição parece pomposa para o que é, tão simplesmente, um parque temático das principais tribos do país. Mas é isso mesmo. Indo para o norte de Mombaça, Titus nos apresentou a melhor solução para a nossa falta de tempo (daria um bom produtor esse rapaz). O que encontramos ali era uma "salada" de etnias, com amostras de várias tradições e costumes "primitivos". Mesmo ligando o "desconfiômetro" antropológico - que ajuda você a não ficar deslumbrado diante de qualquer sinal de gente vestida com panos, com uma lança na mão e morando em ocas -, a experiência foi no mínimo curiosa. Das músicas aos adereços, tudo era feito para você "vivenciar" o que essas tribos trazem de tradição. Interatividade na tribo!

Numa recapitulação rápida, bebi vinho de palmeira, treinei (sem o menor sucesso) no arco e flecha, tentei fazer fogo com pauzinhos (me saí melhor no arco e flecha), usei uma coroa de pele de crocodilo, ganhei um passe de um curandeiro e dancei com várias tribos, inclusive com os massais. Foi tudo muito rápido mesmo. Mas eu queria descrever um pouco mais essa última experiência.

Se você é uma pessoa com um mínimo de curiosidade por outras culturas, já deve ter esbarrado em uma imagem dessas - ou melhor, dos homens dessa tribo: esguios e elegantíssimos, eles são famosos por se enfeitarem com pulseiras e colares de contas coloridas, num visual que muitas vezes ultrapassa, em adereços,

---

Entre os espetáculos a que assistimos nessa agem, a dança dos Massai i um dos mais curiosos. É mples: uma ciranda de omens revezando-se em saltos individuais. Um de cada vez, eles vão tomando a frente, como se quisessem competir para ver quem pula mais alto - mas sem transparecer esforço algum, tão leves como o canto (sem instrumento) que os acompanha.

No parque temático com as principais etnias do Quênia, pegando emprestado o chapéu de crocodilo do guerreiro El-Molo

OUTRAS PARADAS

▌ Digamos que você já "domina" o suaíli, que é a língua oficial do Quênia. Seu próximo objetivo é aprender o *sheng*, falado pelas novas gerações mais urbanas. É uma mistura do próprio suaíli com palavras em inglês e línguas originárias da Índia (*gujarati* e hindi), já que a presença indiana é forte por lá. A diferença começ no "Alô!: "*Sassa*", no lug de "*Jambo*"!

elaboração e exuberância, o das mulheres do próprio grupo. São uma espécie de dândis da selva queniana, impecáveis no andar - e mais ainda no saltar. Sua dança, tão suave como a música a capela que a acompanha, é feita basicamente de pulos - altíssimos -, numa coreografia que insiste em desafiar a gravidade.

Tentei brincar, saltando como eles, mas não cheguei nem perto da performance deles. Mas estava tão seduzido pelo visual dos massais que acabei aderindo à moda e comprei algumas de suas bijuterias, algo mais "discreto": fiquei "só" com uma corrente para o torso e um colar. Foi mais uma sorte ter encontrado esses massais por aqui. Achei que minha única chance de vê-los tinha passado quando o público preferiu que a gente viesse para Mombaça no lugar do parque que leva o nome da tribo. Seria esse um indício de que as coisas no Quênia iriam melhorar? Quem sabe? O dia ainda teria uma atração daquelas "espetaculares": um parque de crocodilos, com mais de cinco mil deles criados em cativeiro. Não é bem o tipo de programa que eu aprecio. Mas, já que estávamos ali, por que não?

♣ O dia em que a internet (finalmente) conspirou contra nós

Cheios de material, o problema agora era mandar alguma coisa para o Brasil. Já havíamos feito o contato com o tal provedor poderoso, e tudo estava armado para eu passar mais uma adorável noite na função. Como de hábito, fizemos um amigo por lá, o

---

Curiosidade do parque s crocodilos: filhotes têm ser criados paradamente. Junto com adultos, eles virariam

refeição para os mais velhos (incluindo os próprios pais).

Louis, que se prontificou a passar boa parte da noite no escritório caso tivéssemos algum problema. Que, aliás, não tivemos. Pelo menos não em Mombaça. Guilherme veio me render de manhã, voltei para o hotel para descansar e, no fim da tarde, já estávamos mais uma vez no aeroporto para retornar a Nairóbi. Aí os problemas começaram.

Uma hora tinha de acontecer. Estava tudo dando muito certo. Tanto, que já estava criando até um certo estresse. Desde que saímos para essa volta ao mundo, prevíamos que muitas coisas poderiam dar errado. Seria natural, em qualquer projeto, em qualquer tarefa de maior fôlego que você se propõe a fazer - mesmo numa simples reportagem que te leva às ruas. Assim, os três meses e pouco de viagem sem uma grande complicação, fato que deveria nos "tranquilizar", estavam na verdade causando o efeito contrário. Uma frase não saía da minha cabeça: "Quando acontecer, vai ser muito ruim..." Bem, muito ruim não foi, já que nada aconteceu com a gente - o problema que tivemos foi estritamente técnico. A decepção maior foi não termos podido mostrar no *Fantástico* daquele domingo todo o material que gravamos. Tudo bem, no domingo seguinte tudo foi resolvido. Mas isso não me fez sentir menos impotente naquele sábado no Quênia.

Tínhamos muito material para mandar, é verdade. E, de Mombaça, tínhamos conseguido enviar uns 40% do que havíamos gravado. Nosso voo para Nairóbi era às 20h15, com duração de 45 minutos. Consegui chegar ao escritório do provedor (o mesmo dito

OUTRAS PARADAS

▐▐ Momento alegre na internet de Mombaça, quando Louis (o primeiro à esquerda), nosso guardião, garantiu que as imagens estavam sendo enviadas direto para o Brasil.

"poderoso") na capital lá pelas 22h30m. E logo percebemos que havia um problema de conexão. Seria talvez só com o nosso servidor na emissora, no Rio, que recebe as imagens? Que nada! Fomos tentando vários endereços de sites no Brasil e nenhum - NENHUM - conectava. Nada, nem os dos grandes provedores brasileiros, nem dos jornais, dos bancos, de fofoca, de chat, de blog - nada! Seria um problema apenas de onde eu estava? Começamos a ligar para os outros grandes provedores do Quênia e a situação era a mesma.

Por algum motivo misterioso, no meio da noite de sábado, o Quênia parou de "falar" virtualmente com o Brasil. E a situação não mudou até domingo à noite. Virei, sim, mais uma noite (duas seguidas, em mais um "marco" para essa volta ao mundo) tentando alguma conexão. Como não conseguíamos nem mandar e-mails para o Brasil, a situação começou a ficar ainda mais desesperadora. Ficava imaginando que os editores no Rio talvez pensassem que nós simplesmente havíamos parado de enviar material. Não tinha como explicar. O fuso horário, de seis horas, nos distanciava ainda mais. Voltar para o hotel para tentar ligar no meio da madrugada seria arriscado. Ninguém do Brasil conseguia ligar nem por telefone para o Quênia, para ajudar um pouco mais. As comunicações estavam interrompidas. Ponto.

Foi aí que me lembrei da regra do "tá dando tão certo que alguma hora algo vai dar errado". Isso, claro, não ajudava em nada. No fim, a solução foi colocar apenas uma parte do material no ar e enviar (já então, de Londres) as fitas do Quênia por um

Amanhece no escritório
provedor de internet,
Nairóbi, depois de
ga madrugada tentando
nexão com o Brasil.

serviço de correio expresso para que elas pudessem ser editadas para o domingo seguinte. Tristeza. Mas, depois que o pesadelo passa, tudo é uma maravilha. Vou contar então como aprendi a parar de me preocupar e a gostar de Nairóbi.

Acordei na segunda-feira com um certo "bode" da cidade - como se "ela" fosse culpada pelos problemas que enfrentamos. Não podia culpar ninguém, eu sei. Mas, naquela manhã, resolvi culpar a cidade. E levantei "invocado". Só sairíamos do Quênia na terça de manhã. Seriam mais quase 48 horas ali, não tinha como escapar. Era melhor encarar a cidade de frente e ver se eu me dava bem com ela. Para isso, fiz meu exercício favorito nessa volta ao mundo: saí para passear pelas ruas. Era disso que eu estava precisando.

Parte do meu "bode" com a cidade era porque eu mal a tinha conhecido. Quando chegamos de Londres, fiquei resolvendo problemas, depois dormimos e logo no dia seguinte já estávamos em Mombaça. Na volta, saí praticamente do aeroporto para o árido cenário do escritório de um servidor poderoso, onde reinavam as paredes brancas. Estava tão estressado por causa dos problemas com a transmissão que mal percebi, pela manhã, que a vista do tal escritório (que fica num raro décimo quinto andar de um prédio numa colina) era maravilhosa (na verdade, só me encantei com essa vista quando voltei lá para pagar pelo serviço).

Mas ali, andando pelo centro de Nairóbi, aos poucos fui cedendo ao ritmo das ruas. Estava mais uma vez convencido de que o que faz uma cidade legal são as pessoas. Não fiz grandes

OUTRAS PARADAS

■ O Quênia tem um dos cenários musicais mais ricos da África – e não é de hoje. Sempre abertos a influências estrangeiras, os músicos de lá criaram um panorama sonoro riquíssimo a partir dos anos 50 e 60, incorporando ritmos que iam do jazz ao mambo – sem deixar de fora as sonoridades locais. Discos antigos são objeto de colecionador e revela preciosidades pop.

Juntamos um grupo de crianças que brincavam nas ruas de Mombaça para esta imagem inesquecível

amigos quenianos. Mas só de olhar as pessoas minha má vontade foi cedendo. E depois do almoço eu já estava arrependido.

O que encontrei de tão legal em Nairóbi? Primeiro, o movimento, a agitação - que eu adoro. As pessoas param para falar com você na rua - metade, claro, é para te oferecer um safári; e um quarto é pra pedir dinheiro; mas o outro quarto quer genuinamente saber de onde você é (vendo alguém que não tem a pele tão escura, é natural que a curiosidade leve à pergunta e que a pergunta leve, quem sabe, à conversa). Falei com um cara do Sudão. Duas meninas de lá. Um senhor que me disse ser massai (embora seu paletó impecável o fizesse parecer vir de uma cena do Rio antigo - num visual que me fez lembrar o filme *Madame Satã*). Ninguém muito especial. "Só" gente - o que pra mim já tá ótimo.

Depois havia a própria cidade. Prédios aparentemente áridos acabam compondo uma fachada interessante - que fica ainda melhor quando de repente, numa esquina, aparece um cinema *art déco*, ou, melhor ainda, uma interpretação africana do *art déco*. Não vi bancas de revistas, mas vendedores de jornais e outras publicações espalham seu produto pelas calçadas: os títulos eram bem variados (que tal uma revista - provavelmente africana - que se chama *Desastres - seu guia para uma vida mais segura*? O artigo de capa da semana era sobre... fome, e as datas de publicação registravam meses e até anos que o calendário deixou bem para trás. As vitrines com grades. As confeitarias com doces em cores que desafiam meu apetite (certamente também o dos quenianos, que fazem fila para comprá-los). Os "*fast-food*",

OUTRAS PARADAS

■ Retratos do deslumbramento com o safári (fotográfico, claro) pela reserva natural do lago Nakuru. Fiz questão de aparecer (da esquerda para a direita) ao lado das zebras, dos rinocerontes brancos, pegando um flagrante dos macacos e perto da girafa.

expressão que aqui equivale ao que no Brasil a gente chama de "tevê de cachorro" (aqueles frangos assados girando numa sequência estranha demais para ter entrado na cópia final do desenho animado *Fantasia*).

Infinitos modelos de paletó (o daquele senhor massai não era nem o mais interessante), em cores e cortes com que nenhum costureiro futurista dos anos 60 poderia sonhar. E a maravilhosa obsessão que as mulheres têm com seus penteados - verdadeiros *origamis* de cabelo, que às vezes ainda levavam um adereço (laço, flor, renda, mais cabelo - pode escolher). Lindas, elas desfilam sem saber que estão desfilando: estão apenas chegando ao trabalho, vagando de um lugar para o outro, indo comprar um bloco de papel, namorando no celular ou correndo pra subir a escada para o segundo andar do prédio onde fica um cybercafé.

Até aquela noite, eu já tinha feito as pazes com Nairóbi. E ainda me animei a ponto de chegar ao hotel e encomendar um safári para o dia seguinte.

Safári? Eu? Até bem pouco tempo, essas duas perguntas seriam invariavelmente respondidas com a seguinte exclamação: "nem pensar!". Mas, com a terça-feira inteira livre (nosso voo só saía às 23h30!), me deu uns cinco minutos e peguei um desses pacotes. Sozinho. Eram só duas horas de carro de Nairóbi (e dessa vez a previsão estava correta!). Achei que valeria a pena. Foi só chegar à reserva do lago Nakuru e ver a primeira zebra para ter a certeza de que tinha valido.

328 Quênia

Nairóbi não é uma cidade pela qual você se apaixona de cara; a primeira impressão é caótica, mas aos poucos vão surgindo cantos charmosos da capital, como o cine Odeon art déco

se eu voltasse a
[Mombaça]

POR UM DIA...

... eu tentaria passar metade dele, pelo menos, na praia, nem que fosse pela excentricidade de nadar em pleno oceano Índico. Comeria alguma coisa ali mesmo, num clima bem brasileiro, e só lá pelo meio da tarde iria passear pela cidade, dedicando um tempinho para visitar o Forte Jesus e andar pela cidade velha, onde, com um pouco de sorte, eu acharia um queniano da tribo massai vendendo alguns de seus enfeites coloridos – e claro, compraria alguma coisa dele. E, mergulhando no espírito "*hakuna matata*" (uma expressão suaíli que significa algo como "sem problemas"), descobriria a noite da cidade na área da praia de Bamburi, indo a pé mesmo, de um clube para o outro, só para ver onde estão tocando a melhor música...

uma *viagem* sem comprar um [SOUVENIR] *não tem graça*

Pode escolher qualquer bicho. No Quênia, é bem provável que você encontre uma reprodução dele em madeira. De tamanhos e preços bastante variados, eles são uma lembrança - porém, com os objetos de casa em "estilo africano" disponíveis em qualquer loja de decoração do mundo, eles não parecem muito exclusivos... Bem mais original é levar um daqueles enfeites dos massais. Feitos de contas e botões, bem coloridos e em formas variadas, é possível até usá-los como adereços. Uma simples pulseira sai por R$ 30. Os colares, mais trabalhados, saem mais caro, a partir de R$ 60 - e, se for levar um conjunto (de três ou mais colares), prepare-se para pagar mais de R$ 200.

Zebrinha, girafinha, antilopezinho, rinocerontezinho. Fiquei meio bobo, não sei... Tem uma coisa estranha, engraçada, que acontece quando a gente vê esses bichos de perto. Quer dizer, tão perto quanto a distância do carro até eles. Sair, alertava meu motorista, era perigoso (se bem que ainda não entendi quem poderia se sentir mais ameaçado, os humanos ou os bichos da reserva). A gente fica meio sem graça de estar invadindo o espaço deles. E se sente também um pouco mal em lembrar que, para vê-los assim, só mesmo numa reserva criada pelo homem. Tirei foto com "todo mundo", me diverti muito. No final, fiquei surpreendentemente emocionado com o passeio. Ou será que estava tão desacostumado de ter algum lazer que quando surgiu essa oportunidade eu derreti?

Do Quênia para o
País Basco

Nem todos os animais que vi no safári no meu último dia no Quênia podiam distrair minha atenção do cansaço que eu estava sentindo. Mais um voo longo, uma noite desconfortável que não merecíamos. Bilbao oferecia pelo menos a ideia de conforto. Mas quem disse que, ao chegar lá e ver aquele museu iluminado, eu resistiria ao impulso de cobrir a cidade a pé até meu último fragmento de energia?

Amuletos "relaxam" em uma das movimentadas praias de Mombaça

[Décima quinta ESCALA]

Com uma imagem que evoca um navio, o Museu Guggenheim de Bilbao nos esperava em nossa escala basca

Capital: **Vitória**
Área: **20.644 km²**
População: **3 milhões habitantes**
Renda per capita: **US$ 19,1 mil**

PAÍS BASCO

Pintxos!
Invenção [BASCA]
para comer bem

Cena de Bilbao, para ilustrar, de cara, porque gosto tanto da Espanha: numa nublada tarde de quinta-feira em Casco Viejo (a parte antiga da cidade), esperando o sinal abrir bem em frente à faixa de pedestres (*"pietónes!"*), uma senhora bem miúda, mas bastante espevitada, vira-se pra mim e diz algo como: *"¡Pero eso dura una eternidad!"* (Provavelmente, não reproduzo aqui exatamente o que a senhora falou. Meu espanhol é um pouquinho melhor que o básico; assim, admito que estou "chutando" as frases desse diálogo, *"pero eso no es importante"*... Se eu fosse corrigir, perderia o sabor da história - estou desculpado?)

De fato, já estávamos esperando há alguns minutos pelo sinal

OUTRAS PARADAS

❙ Com a reputação de ser o povo mais antigo da Europa, os bascos fazem questão de afirmar sua identidade – até demais. O grupo separatista radical ETA ganha ocasionalmente manchetes internacionais com seus ataques terroristas, mas entrou no século 21 enfraquecido. A região busca agora sua autonomia (e quem sabe independência da Espanha?) com negociaçõ mais diplomáticas.

Na arrojada Ponte Zubizuri, do arquiteto Santiago Calatrava, a ligação com a modernidade de Bilbao

Bilbao surgiu no século ... E começou com sete ...as, três paralelas e ...atro transversais, que no ...ício eram cercadas por ...redes altas, como uma fortaleza. Elas estão lá até hoje – sem os muros – e são notoriamente conhecidas como "Siete Calles" (onde estão os bares mais tradicionais...).

verde - um pouco mais do que o normal, talvez, mas, como era um cruzamento de três vias, eu estava achando tudo dentro do normal. Mas o tom da senhora ao meu lado quase exigia uma resposta. Meio sem jeito, disse, no meu español capenga, que estava mesmo demorando. Provavelmente sem ter entendido o que eu falei, ela imediatamente retrucou que já estava esperando o sinal abrir há tanto tempo que tinha comido metade do pão. Que pão? Olhei além do seu braço e vi que, de dentro da bolsa dela saía uma baguete enorme - na verdade, a metade de uma baguete enorme (o resto, de fato, ela já havia consumido). Senti vontade de rir e, para contornar, tentei responder alguma coisa quando ela, elevando um pouco mais o tom severo (porém não ríspido) da voz e olhando bem para a frente, mas com a intensidade de quem estivesse fazendo uma acareação comigo, virou-se e falou: *"¡Y tampoco está bueno este pan... a mi me gusta el integral"*. Não aguentei: estourei na gargalhada. Ao mesmo tempo que ela concluía seu comentário, o sinal abriu e comecei a atravessar a rua já sem segurar o riso. A senhora então, concentradíssima, mirou do outro lado da rua, pegou mais um pedaço do pão, colocou na boca e chispou. Enquanto eu ainda tentava (inutilmente) me controlar, ainda a ouvi dizendo lá de longe: *"Suerte"*... Era do que eu precisava para iluminar o dia - que passou bem nublado (um dos dias mais "feios" que enfrentamos na viagem).

    O que acho divertido na cena é justamente esse jeito que os espanhóis têm, que a princípio pode parecer um pouco grosseiro,

OS 3 LUGARES ONDE EU ME SENTI MAIS "NO BRASIL"

- BILBAO, PAÍS BASCO, pela informalidade das pessoas na rua
- ILHA DA MADEIRA, PORTUGAL, pela hospitalidade e, claro, pela língua
- ISTAMBUL, TURQUIA, pela vontade do povo turco de se divertir

"¡Pero eso dura una eternidad!"

Cruzamento em Casco Viejo, Bilbao, onde encontrei a senhora espanhola impaciente para atravessar a rua

mas que é apenas natural - e, se você relaxar, pode se divertir (e muito) com ele. A tal senhora, na verdade, estava sendo simpática comigo - puxando assunto, talvez. Ou quem sabe estava simplesmente sendo ela mesma, falando comigo como se estivesse falando com qualquer pessoa que estivesse ao seu lado.

Se você já teve a sorte de assistir a um filme do diretor espanhol Pedro Almodóvar não ia achar a cena muito incomum. Aliás, só de pensar que eu estava vindo para a Espanha (na semana anterior), eu ficava me repetindo algumas frases favoritas dos trabalhos do diretor - frases que nem sei se são exatamente essas (e confundo um pouco a que filme exatamente elas pertencem): *"A mi me gusta los pimientos"; "Yo me voy a mi pueblo"; "Tu madre es una loca"*... Elas ressoavam na minha cabeça na voz de uma amiga querida, a Betty, também apaixonada pela Espanha (quantos jantares animados terminavam em ataques de riso com a simples repetição dessas frases) - mais um sinal de que a saudade começava a bater forte.

Mas a cena no sinal de pedestres serviu mais como uma desculpa para eu dar umas risadas. Ela contribuiu com um novo fôlego nessa etapa da viagem. Novamente, o caminho até ela não foi muito simples: saímos de Nairóbi perto da meia-noite de terça em direção a Londres. Lá, ainda tivemos de passar no escritório da TV Globo para enviar as fitas que não haviam sido transmitidas pela internet da África, para que elas chegassem a tempo do próximo *Fantástico*. Tudo na correria, claro, pois no fim da tarde já estávamos de volta ao aeroporto de Heathrow para embarcar para

---

Até chegar a Bilbao, como já escrevi, eu achava que Istambul era a capital mundial dos gatos... Bem, descobri um páreo duro no País Basco. Os felinos espanhóis se mostravam até mais à vontade diante da câmera (esse posou com a vista geral da cidade ao fundo).

Bilbao, aonde chegamos à noitinha. Eu já havia visitado a cidade, ou melhor, já havia passado menos de 24 horas na cidade. Em 1997, quando estava em Barcelona, também na Espanha, para entrevistar o que era então a banda mais desejada do mundo, Oasis. Aproveitando uma folguinha, comprei uma passagem de avião, com volta para o mesmo dia, e fui até lá para ver o museu que tinha acabado de ser inaugurado: Guggenheim Bilbao.

♣ Como é possível achar o Museu Guggenheim ainda mais bonito? Visitando-o pela segunda vez! E de noite

Não tive tempo de conhecer mais nada: só aquela construção impressionante me tomou as poucas horas que eu tinha na cidade. Por isso mesmo, minha expectativa era, primeiro, rever o museu e depois explorar o resto da cidade. Assim, foi o tempo de colocar as malas no quarto e eu já estava convidando o Guilherme para dar uma caminhada até o Guggenheim. Um pouco cansado, ele preferiu recuperar as energias para o dia seguinte. Eu mesmo não sei de onde tirei a energia para sair andando. Talvez das luzes do museu que chegavam à janela do nosso quarto (não era possível ver o prédio, mas aqueles raios claros só podiam vir do reflexo de suas paredes de titânio).

Fui a pé, me guiando por elas sem muita dificuldade. E, quando cheguei, tive a feliz surpresa de rever um lugar que eu já conhecia e achá-lo ainda mais bonito. (Você já teve essa experiência? Para

OUTRAS PARADAS

‖ Para provar que estive visitando o Guggenheim Bilbao logo na sua abertura, em novembro de 1997, mandei para mim mesmo esse cartão postal (meio maluco, eu sei), com o "cachorrinho gigante", todo de flores, do artista Jeff Koons, bem na frente do prédio.

mim acontece toda vez que chego ao Pelourinho, em Salvador, ou a Paris, ou mesmo à Praia Mole, em Florianópolis - tem menos a ver com a importância geral do lugar do que com o valor que ele tem para você. Já no fim da viagem, achava que ia ter a mesma experiência ao retornar para minha casa, o que de fato aconteceu.)

Da primeira vez, não tinha visto a construção à noite. São outras formas, outras sombras - quase um outro museu, mais interessante, talvez. Tornando a visita ainda mais especial, dois blocos gigantescos forrados com papel que reflete luz davam um show de cores no parque bem ao lado do Guggenheim. Cansado como estava, fiquei dando várias voltas em torno daquele cenário (o museu já estava fechado - a visita teria que ficar para outro dia) e acabei me enchendo de mais energia: consultei o mapa meio superficial que havia pegado na recepção do hotel (esse mapas nunca são bons, apenas grades de ruas onde estão assinaladas as lojas que "patrocinam" o folheto - será que algum dia algum hotel vai providenciar um mapinha decente para seus hóspedes?) e achei que seria possível esticar a caminhada até a parte antiga da cidade, Casco Viejo.

Possível era. Só que era longe também - o que só pesou mesmo no caminho de volta. Para chegar lá, ia animado, com um pouco de fome, mas sabendo que a região concentrava os melhores bares de *tapas*, ou melhor, *pintxos*! A culinária espanhola tem essa tradição de servir comidas aos bocados,

Circular por Bilbao é fácil: andando ao longo do rio ou pelas largas avenidas, a cidade é dos pedestres

O Teatro Arriaga, em Casco Viejo, foi destruído por um incêndio em 1915 e levou setenta anos para ser reaberto

mais ou menos como as famigeradas "porções" que vemos nos botecos do Brasil (porém, nada de provolone fritinho ou churrasquinho fatiado; tanto os *tapas* como os *pintxos*, que descrevo adiante, são elaborados pratos de gastronomia, o que, embora possa soar pretensioso, quer dizer apenas uma coisa: que são uma delícia!!!). E era exatamente isso que eu estava a fim de comer.

Ao chegar a Casco Viejo, porém, fui tomado de uma estranha timidez. A cena era tão animada nas ruas, nas portas dos bares e restaurantes, que acabei me retraindo - um claro sinal de cansaço. Não só o cansaço daquele dia, mas geral. Eu adoro viajar sozinho. Sou um dos maiores defensores da ideia de que, para relaxar, conhecer pessoas, entrar em outras culturas, você tem que estar sem referências muito familiares numa viagem. Ainda penso assim. Mas essa era a décima sexta semana que eu vivia isso. Estava sentindo

OUTRAS PARADAS

❚ Barcelona tem as Ramblas; Madri, a Puerta del Sol. E Bilbao honra o hábito espanhol da caminhada com o Passeo Ubiarte, pelo rio Nervión.

❚ Passear por Bilbao significa também atravessar suas pontes. A moderna Zubizuri é o destaque, mas não deixe de visitar as mais antigas, como

Ayuntamiento e Arenal.

falta dos amigos. Claro, viajava esse tempo todo com um grande companheiro, o Guilherme. Porém, num projeto longo como esse, uma dupla acaba virando uma coisa só - é a mesma solidão. Não tem melancolia nisso. É só que, naquela noite, o contraste de turmas animadas nas calçadas com meu vagar solitário acabou me segurando. Demorei horas para entrar em algum lugar e pedir algo para comer. Acabei escolhendo um bar de *pintxos* que me pareceu mais "amigável" (se bem que essa definição não seja muito objetiva). Me dei bem. Percebi logo que a minha "travação" era um fantasma besta - que o clima nesse lugar (e provavelmente em todos os outros por onde passei) era pra lá de amigável. E fui relaxando.

Até que as casas começaram a fechar - e tive de encarar uns 45 minutos de caminhada de volta para o hotel. Mas era ao longo do rio que corta Bilbao, passeando por exemplos de arquitetura que vão do barroco ao moderno, numa cidade segura e iluminada - e, por volta da meia-noite, com um razoável movimento nas ruas. Iríamos acordar cedo no dia seguinte, para fazer o dia render (com a saída tardia do Quênia, estávamos mais uma vez correndo atrás do relógio para mandar o material da semana para o Brasil; só iríamos começar a gravar alguma coisa na quinta-feira!). Mas as poucas horas previstas de sono me pareceram uma recompensa.

Na manhã seguinte, lá estava ele como eu me lembrava: o Guggenheim, como um grande navio flutuando próximo ao rio de uma cidade que é um dos portos mais importantes da Europa. O dia feio (mais um) parecia não interferir. Claro que seu exterior

OS 5 MELHORES PASSEIOS A PÉ

▌MADRUGADA ao longo do rio Nervión, em Bilbao, entre Casco Viejo e o Museu Guggenheim
▌MANHÃ DE DOMINGO pelas avenidas vazias de Tashkent, Uzbequistão
▌MANHÃ DE SEGUNDA pela praia de Waikiki, Honolulu, Havaí
▌FIM DE TARDE DE DOMINGO no parque Herastrau, à beira do lago de mesmo nome, em Bucareste, Romênia
▌ANOITECER em volta do Estádio Olímpico de Atenas

metalizado fica muito mais interessante com o sol brilhando. Assim, resolvemos deixar o museu para a tarde e investimos na parte antiga da cidade. Como acabei dizendo na matéria, em Bilbao você pode atravessar séculos usando apenas algumas pontes. Tomando o trem urbano, estávamos lá em questão de minutos, passeando por ruas estreitas, enfeitadas por janelas apertadas e cheias de detalhes. Os arcos na frente de cada prédio convidam os pedestres a errar por eles. E nesse passeio meio sem destino acabamos inevitavelmente na Plaza Nueva.

Nem tão nova assim, com uns bons duzentos anos de vida, ela é o centro da circulação urbana durante o dia (e, à noite, um dos pilares do "agito"). Simples no seu rigor arquitetônico, ela oferece linhas retas e, ironicamente, aconchegantes. Foi ali mesmo que paramos para que eu pudesse continuar explorando a tradição dos *pintxos*! Antes de me aprofundar nisso, porém, vale a pena falar um pouco sobre a língua basca - ou *euskara*, como eles mesmos a chamam. A primeira impressão é que ela é cheia de xis (sim, como em *pintxo* ou num simples "olá", "*kaixo*"). Passado esse susto, você começa a prestar atenção no som da língua e percebe que ela não se parece com nada que você ouviu - ou leu. Um exemplo é uma palavra quase universal: restaurante. É quase a mesma coisa em várias línguas. O alfabeto pode até mudar (veja o capítulo sobre a passagem pela Ucrânia e Romênia), mas o som continua quase o mesmo. Não em basco, no qual "restaurante" é "*jatexea*"...

Um senhor que encontramos um dia na rua, interessado em

OUTRAS PARADAS

▌ Um dos quadros mais famosos de Pablo Picasso retrata o bombardeio da cidade basca de Guernica em 1937, durante a Guerra Civil Espanhola. O próprio Picasso proibiu que a pintura ficasse na Espanha, enquanto Franco estivesse no poder. De 1939 a 1981, Guernica ficou nos EUA – sob os cuidados do MoMA, Museu de Arte Moderna de Nova York. Hoje ele pode ser visto no museu Rainha Sofia, em Madri.

A Fantástica Volta ao Mundo

De cada canto que você olha, o Museu Guggenheim Bilbao te oferece uma surpresa: acima, a fachada de trás, voltada para o rio Nervión; embaixo, uma vista lateral

falar com uma equipe de tevê, se identificou como professor de línguas e contou que ninguém sabe a origem do basco. Claro que é possível falar o espanhol por todo canto, mas os nativos se orgulham de preservar suas tradições, por vezes tão diferentes que você quase esquece que está na Espanha.

Mas, sem entrar muito em questões linguísticas, vamos então aos *pintxos*. Eu queria ampliar meu conhecimento sobre o assunto, mas o Guilherme estava sendo apresentado a essa iguaria naquele dia. Tínhamos então a desculpa perfeita para ficar algumas horas ali sentados na Plaza Nueva, experimentado algumas delícias. Tentando explicar, é melhor começar com a ideia de um canapé. Não desses que você come em festas de casamento. Um prato pequeno é colocado sobre sua mesa (você pode ir até o balcão escolher o que quer ou simplesmente pedir uma variedade deles - que é sempre uma boa aposta).

Se os *tapas* - obrigatórios no resto da Espanha - são porções mais simples de presunto cru, queijo manchego, pão com tomate (exceção feita a alguns lugares, como Madri e Sevilha, onde os chefes estão competindo para ver quem reinventa o prato de maneira mais criativa), o *pintxo* é a porção elevada à categoria de arte. Por vezes esculturais, eles são preparados com os ingredientes mais maravilhosos. Presunto cru em tirinhas banhadas em azeite;

ovas de salmão; vieiras; *antoxas* (anchovas), cogumelos raros - a lista é enorme.

Existem livros de receitas de *pintxos*, com fotos elaboradíssimas - e instruções mais ainda. Poderia até reproduzir uma delas aqui, mas fica mais divertido eu tentar me lembrar, "na intuição", de um dos favoritos. Primeiro, os ingredientes: lascas de bacalhau fresco cozido no azeite, alcaparras, gema de ovo cozida e ralada, filhotes de enguia, tomate seco. Então, forre uma fatia de pão com o tomate seco, "embrulhe" as lascas de bacalhau com os filhotes de enguia, salpique a clara e as alcaparras. Fácil, não? Tudo bem, talvez filhotes de enguia não estejam disponíveis essa semana na feira do bairro. Mas, depois de experimentar vários deles, cheguei à conclusão de que, para fazer um bom *pintxo*, o único ingrediente que não pode faltar mesmo é imaginação.

Refeições em miniatura, cada um dá a impressão de ter sido cuidadosamente estudado pelo cozinheiro por uns quinze minutos antes de ganhar forma. Mas mesmo o visual elaborado fica atrás da "sacada" do sabor. Isso é o que importa – e, se surpreender o seu paladar, então o chefe dá pulos de felicidade.

Descrevendo assim, parece que só se come *pintxo* aqui (esse nome é mesmo curioso, não?) numa cerimônia formal nos restaurantes mais finos... Nada disso! *Pintxo* é coisa de bar de esquina, de boteco. É de comer a qualquer hora - e de perder a conta de quanto se comeu. Aliás, esse é o problema. Dei uma

---

ma receita rápida de *pintxo*, para você e inspirar – lembre que o segredo é certar na mistura de ingredientes. orte as batatas em rodelas, tempere om sal e pimenta a gosto e asse até carem douradas. Numa bandeja eparada, cozinhe lascas de bacalhau até carem bem macias. Numa tigela, repare uma mistura de pimentões erdes e vermelhos, e cebola – cozidos, ortados em tiras e "mergulhados" em azeite de oliva. Coloque o bacalhau sobre as fatias de batata e, por cima, os pimentões.

Se você preferir um *pintxo* mais tradicional, sobre uma fatia de pão, este também é bem simples. Coloque sobre a torrada lascas de queijo *gouda*. Acrescente tiras bem finas de presunto cru e o creme do queijo *camembert*. Só isso!

descontrolada! Além da arquitetura, nosso foco em Bilbao acabou sendo a gastronomia - um assunto inevitável quando se está na Espanha, e mais ainda no País Basco. Achei que estava prestes a ganhar novamente os quilos que havia perdido nos últimos três meses (fruto, diga-se, menos de uma dieta regular - você acha que eu tinha tempo para isso? - do que do esforço físico de carregar tanta coisa pelo mundo...).

♣ Problemas técnicos? A essa altura da viagem? E em Bilbao? Por que não?

No final desse primeiro dia, voltamos novamente ao Guggenheim para capturá-lo com uma luz melhor. Ainda não era a ideal, mas o tempo (o do relógio) não nos deixava muitas opções. Não podíamos dormir sem dar uma busca rápida em cybercafés. Depois da experiência traumática do Quênia, tínhamos a esperança de que as coisas seriam melhores na Espanha. Os primeiros lugares que visitamos, porém, não nos animaram - escritórios apertados, com computadores velhos. Ainda nos detalhes técnicos: passamos o dia "brigando" com o microfone sem fio, que resolveu apresentar uma interferência.

Até Bilbao, nenhuma parte do equipamento tinha dado defeito - algo surpreendente. Mas, ao chegar aqui, o áudio começou a apresentar problemas. Chegamos a pensar em tudo - até que o Guggenheim, com suas paredes de titânio, seria responsável pela interferência. Não podíamos gravar nada que não tivesse

OUTRAS PARADAS

▌A Plaza Nueva, na parte antiga de Bilbao, não é tão "nova" assim. Ela ficou pronta na metade do século 19 e, naquela época, esse foi o apelido que pegou... até hoje. Um pulinho até lá é obrigatório, para apreciar a rígida simetria das linhas arquitetônicas da praça (mas se quiser pode sentar num dos cafés de lá para uns *pintxos* e uma taça de vinho...)

Momento "relax" na rigorosa estrutura simétrica da Plaza Nueva

qualidade. Assim, a solução era repetir tudo várias vezes. Para quem não está acostumado com o processo, vale explicar que isso significava refazer as passagens e entrevistas com pequenas variações de posição. Era impossível prever quando o caminho entre o microfone e a câmera sofreria uma interferência. Às vezes era questão de meio passo para a direita - infernal! Esse estresse (do qual estaríamos livres, também inexplicavelmente, assim que saímos de Bilbao) era mais um motivo para a gente desejar que a cidade nos oferecesse um cybercafé daqueles poderosos.

Acabamos encontrando um daqueles modernosos, onde 95% dos computadores são usados para jogar videogame (3% usados por turistas que querem consultar seus e-mails, 1,99% por adolescentes que não estavam nem aí para o fato de estarem navegando em grossa pornografia num lugar "público" e 0,01% por jornalistas brasileiros querendo mandar imagens pela internet). Com um detalhe positivo: ficava aberto até 3 da manhã, o que mais ou menos selava meu destino para as próximas madrugadas.

Mas ainda havia o resto do roteiro gastronômico de Bilbao a cumprir. Assim, no dia seguinte amanhecemos no Mercado de la Ribera (um impressionante galpão

Atrás do balcão da família que faz o melhor bacalhau de Bilbao

OUTRAS PARADAS

■ Fora os *pintxos,* o prato mais tradicional que você pode encontrar em Bilbao é o *bacalao pil-pil*. Nenhum basco vai te entregar a receita de família, mas, só para dar uma ideia, ele vem regado em azeite e muito alho, num molho que tem a estranha propriedade de mudar de cor (vai ficando amarelo) e engrossar à medida que você vai comendo. E o gosto? Maravilhoso!

antigo, em Casco Viejo, onde você encontra desde os queijos mais maravilhosos até uma variedade absurda de frutos do mar), fizemos algumas comprinhas (mantimentos!) e depois retomamos à árdua tarefa de experimentar *pintxos*... E não paramos mais até a hora de dormir. Quer dizer, paramos. Para jantar.

Roteiro gastronômico que se preze não pode dispensar um jantar, concorda? Por isso, com imenso sacrifício, enfrentamos uma refeição "de verdade" (cinicamente convencidos de que *pintxo* não é exatamente almoço nem jantar). Optamos por um modesto banquete preparado pela família Couso, proprietária de um dos restaurantes mais agitados de Casco Viejo. Experimentamos primeiro o melhor exemplo da simpatia basca. Antes mesmo de a comida chegar – antes até de fazermos o pedido –, já estávamos atrás do balcão, com o Carlos (o pai) mostrando orgulhoso as fotos do filhinho, Iban, na parede - várias fases na carreira desse "grande" jogador de futebol, que nas horas vagas ajuda ali no caixa.

Maria Jesus, a mãe, nos levou à mesa e, quando descreveu as opções do cardápio (merluza à moda basca, camarões ao alho, *pimientos* – "*me gusta!*" – recheados), guardou a melhor para o final: o famoso *bacalao pil-pil* (bacalhau preparado na simplicidade do azeite e do alho - mas viva a simplicidade!!). Pois é, esse então foi nosso arremate. E o "pior" é que fui para minha jornada no cybercafé com a ligeira sensação de que ainda faltava uma receitinha de *pintxo* pra eu experimentar.

Apesar da pressa com que tudo foi feito (tínhamos de voltar ainda no domingo para Londres, para, de lá, esperar a resposta da

---

Uma visita ao Mercado la Ribera não faz bem só [ao] paladar, mas também [ao]s olhos. O prédio, com [a] arquitetura *art déco*, já [é] uma atração, mas as barracas de frutas (no andar de cima) e peixes (no subsolo) são o destaque.

votação da semana), a etapa de Bilbao transcorreu sem maiores problemas. Tudo estava tranquilo o suficiente para eu me permitir um daqueles passeios sem compromisso pela cidade. Era uma tarde quente, mais quente do que os termômetros tentavam te convencer. Um número desproporcional de crianças com relação a adultos corria pelas calçadas e praças (muitas ou quase todas, curiosamente, a brincar com algo que eu já não via há muito tempo: reproduções de arma de fogo).

Cruzando Casco Viejo, escuto uma música animada lá longe. E, melhor, vejo um grupo dançando em roda - o que tem um significado muito especial pra mim. Na época em que eu era professor de dança, a base de tudo que eu ensinava era exatamente a dança de roda. É difícil resumir aqui, mas esse movimento tem uma grande força. Sua harmonia e simplicidade sempre me pareceram muito envolventes. E há muito tempo fiquei "viciado" nisso. Onde tem gente dançando em roda, eu paro pra ver (passei por uma cena assim em Atenas, recentemente, embora não tão emocionante).

Uma dança de roda é quase sempre muito fácil de aprender. Alguns passos podem parecer complicados, mas, uma vez registrados, saem automaticamente das suas pernas e pés, até que finalmente você passa a se concentrar no objetivo final da coreografia, que é a comunhão com todo o grupo que está dançando. É só isso. Mas é tão bonito! E o que eu estava vendo ali numa praça de Bilbao era um grupo de bascos (os lencinhos verdes e vermelhos amarrados no pescoço não deixavam o público

OUTRAS PARADAS

‖ Entre todas as tradições q os bascos preservam, as dan populares têm uma atenção especial. Festivais informais colocam todo mundo para s mexer em plena rua.

se eu voltasse a
[Bilbao]

POR UM DIA...

...eu acordaria na porta do Guggenheim Bilbao. Se chegasse cedo demais e ele ainda estivesse fechado, subiria até o viaduto que tem ali perto, de onde é possível tirar as melhores fotos. E depois esperaria a bilheteria abrir na frente da gigantesca escultura de um cachorrinho feito de flores (*Puppy*, de Jeff Koons). Visitaria todo o museu por dentro e daria uma atenção especial ao hall com as colunas iluminadas de Jenny Holzer (que estão permanentemente lá). Andaria a pé ao longo do rio, em direção a Casco Viejo, a parte antiga da cidade, e comeria os primeiros *pintxos* na Plaza Nueva. Passaria boa parte da tarde explorando as lojinhas e galerias dessa região e voltaria ao hotel para um descanso fundamental antes de enfrentar a noite, que começaria com um *bacalao pil-pil* em qualquer dos restaurantes de Casco Viejo e terminaria algumas taças de vinho *crianza* mais tarde, experimentando os últimos *pintxos* de um boteco chamado Berton.

uma viagem *sem comprar um*
[SOUVENIR]
não tem graça

Orgulhosos como são da sua identidade cultural, os bascos trazem sua bandeira e suas cores (vermelha, verde e branca) em todo tipo de souvenir. De chaveiros a meias de lã, você encontra aquela "variedade de sempre"... Para ser um pouco diferente, leve uma reprodução do motivo que cobre boa parte das calçadas de Bilbao (um desenho geométrico, que está para a cidade assim como as ondas do calçadão de Copacabana estão para o Rio de Janeiro). Os mais baratos não custam nem R$ 10. Mas, para levar algo que você vai poder reproduzir sempre em casa, escolha um dos vários livros com receitas de *pintxos* (R$ 45 em média). Não são nada difíceis de fazer (ainda que em casa eles não fiquem tão esculturais como nas fotos) - e o gosto é incomparável.

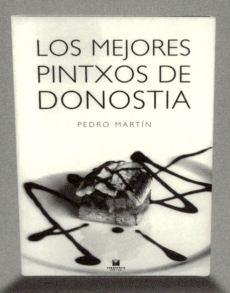

esquecer disso) deliciosamente se divertindo com esses movimentos. Havia algum público, é verdade. Mas outra coisa boa da dança de roda é que você não está dançando necessariamente para os outros. É para você.

E ali fiquei, olhando e tirando fotos. Fiquei pensando no final da viagem - na roda que estava prestes a completar, que, aliás, não deixa de ser uma dança. Tentei aproveitar esse momento de paz antes de partir para mais um destino (o penúltimo!). Na minha frente, um grupo, em sua maioria de pessoas mais velhas. Os mais jovens observavam de fora, infelizmente, sempre achando que aquilo é meio sem graça, sem coragem de entrar na roda (mal sabem eles...). Mas, como já disse, quem estava ali dançando não se importava com nada. Nem com esse viajante aqui tirando fotos. Às vezes a dança virava de casal, mas sempre girando. E a tarde foi em frente. Eu também. Voltei ao cybercafé para terminar de mandar o material. E encerrei o dia com os pensamentos cheios de rodas, tão curvas quanto as linhas do Guggenheim. Mais uma cidade. E os dias virando estações...

Útima lembrança de Bilbao: casais dançando na rua

Do País Basco à
Escócia

Aeroportos costumam chamar a atenção pela feiura. Mas o de Bilbao me conquistou pela beleza. Admirando aquela construção, misturava os sabores com as imagens de uma etapa em que quase tudo deu certo. E, como recompensa extra, mais dois dia em Londres, de onde iríamos de trem a Edimburgo. Tolamente, eu achava que, por lá, encontraria apenas variações da conhecida Inglaterra. Tolamente...

Amuletos pegam onda de modernidade ao lado do Guggenheim Bilbao

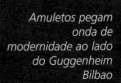

[Décima sexta ESCALA]

O único monstro que vimos no lago Ness, onde a lenda diz que mora um bicho pré-histórico, foi um de pelúcia

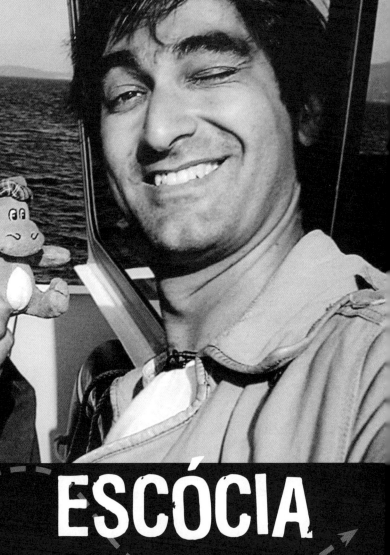

Capital: **Glasgow**
Área: **78.782 km^2**
População: **5.062.011 habitantes**
Renda per capita: **US$ 22,8 mil**

ESCÓCIA

Fire!
Como reagir se um [ESCOCÊS] gritar "fogo".

Como se a gente precisasse de mais um pouco de aventura, fomos acordados às 4h30 da manhã de quinta-feira em Edimburgo com o alarme de incêndio do hotel disparando. Ou melhor, pelo volume que a sirene tocava, você podia achar que era o alarme para o dia do juízo final!! E como você reage a uma coisa dessas? Já passou por isso? Eu não. Não sabia o que fazer. Aliás, na hora, com sono, eu não estava sequer entendendo o que acontecia. A primeira explicação que veio foi a de que um de nós teria apertado sem querer algum botão errado durante o sono.

Estávamos hospedados em uma espécie de albergue. Não

OUTRAS PARADAS

‖ Você também faz confusão com o que é Inglaterra e o que é Reino Unido? Pois bem, Reino Unido engloba a Grã-Bretanha e a Irlanda do Norte. E a Grã-Bretanha? É constituída por Inglaterr País de Gales e Escócia.

tínhamos de dividir o quarto com ninguém - pelo menos isso. Mas o serviço era menos que básico. Numa atitude inédita na viagem, o albergue nos pediu o pagamento adiantado - um claro sinal de que eles estavam menos preocupados com o nosso conforto que com a possibilidade de sairmos sem pagar. Com a mesma moeda da Inglaterra e uma economia atrelada à inglesa (o nome Reino Unido não é à toa), já esperávamos que a estadia na Escócia não saísse muito em conta. Mas aquilo era ridículo: por acomodações sumárias, pagamos o equivalente a R$ 350 - o que destoava completamente de tudo o que encontramos até então. Para se ter

Centenas de hóspedes como nós foram para a rua no meio da madrugada, depois de um alarme de incêndio

ideia da simplicidade do local, em frente à recepção (se é possível chamar assim a um conjunto de pessoas que, atrás de um balcão, parecem estar mais a fim de te expulsar do que de te acolher) ficava instalada uma estante, como em lojas de conveniência, onde você podia comprar sabonetes, xampus e outros acessórios que geralmente você encontra de graça nos hotéis.

OS 3 LUGARES QUE DEVERIAM SER ASSUSTADORES, MAS NÃO FORAM

- LAGO NESS, Escócia
- CASTELO DO CONDE DRÁCULA, Bran, Transilvânia, Romênia
- ATENAS nas Olimpíadas

Mas havia algumas compensações. Primeiro, a localização (ao lado da Royal Mile, a rua principal de Edimburgo). Depois, a disponibilidade de vagas (no finzinho da viagem, a dificuldade de alojamento seria um castigo). E terceiro que, por estar o hotel lotado, acabaram nos colocando em um quarto montado para receber deficientes físicos. Assim, num alojamento onde as regalias eram monásticas e as dimensões apertadas, estávamos num quarto que esbanjava espaço. O único contratempo era que as adaptações feitas para deficientes incluíam alarmes de emergência (para o caso de um acidente) espalhados por todo o canto. Claro que, no primeiro momento, esbarramos sem querer num deles. Para acender as luzes do banheiro, por exemplo, era necessário puxar uma cordinha ao lado da porta, muito parecida com outra, ao lado da banheira, só que vermelha... e que acionamos (repito, sem querer) menos de cinco minutos depois de entrar no quarto... Em segundos, funcionários do hotel (para isso, prestativos) estavam à nossa porta com aquela cara irônica de quem tinha a certeza de que os hóspedes do quarto 3 não usavam uma cadeira de rodas, mas tinham feito alguma coisa errada...

Foi esse episódio que me veio à cabeça quando a sirene que nos acordou às 4h30 daquela madrugada não parava de tocar. Comicamente (comicamente agora, depois que passou), minha primeira reação foi virar para o Guilherme e perguntar se ele tinha disparado algum alarme. Claro que ele fez a mesma pergunta - para mim! Por uns bons dois minutos, nenhum de nós tinha noção do que estava acontecendo. O mesmo deveria estar se repetindo

OUTRAS PARADAS

■ Levou alguns séculos, mas os escocêses finalmente estão redescobrindo o gaélico, o antigo idioma que era falado pelos seus ancestrais. Já são comuns programas de rádio nessa língua e a BBC já tem produção regular também em gaélico. Detalhe: se você fala bem inglês, desista de entender o gaélico totalmente diferente.

...passagem inevitável por um certo lago chamado Ness - Loch Ness. O nome lhe é familiar? E se eu usar a expressão "Monstro do Lago Ness"? Ah...

Antes da Escócia, um dia de transição (e perdição) nas lojas de Londres

em todos os quartos, pois levamos algum tempo até ouvir passos no corredor. Passos duros, de quem está correndo. Desesperados - como nós ficamos na sequência.

De repente, todos os hóspedes do hotel - inclusive nós, é claro - estavam na calçada da St. Mary Street, esperando os carros de bombeiros. Vieram quatro - a coisa parecia feia. Mas, uns vinte minutos depois de toda essa performance, uma voz mais sonolenta que enérgica anunciava que poderíamos voltar com seg-

OUTRAS PARADAS

▌ Um dia só para passar em Londres? Aposte nos museus menores. Comece pela Serpentine Gallery, que fica bem no meio do Hyde Park (você ainda aproveita o passeio). Vá até a Tate Britain, em Pimlico, para uma visita um pouco mais longa. E termine na minúscula Whitechapel Gallery (metrô Aldgate East). Detalhe: todos têm entrada grátis.

urança para dentro do hotel. O que tinha acontecido? Ninguém estava realmente com ânimo nem para perguntar - e os funcionários do hotel, jamais prestativos, nem na chegada, é que não iam convocar uma reunião coletiva para explicar o que tinha acontecido. Suspeitamos de que alguém havia acendido um cigarro no quarto, disparando o alarme de incêndio. Algo banal assim. Mais uma madrugada em Edimburgo...

♣ Um belga que deixou um brasileiro emocionado num museu inglês

Que, aliás, é uma cidade estupenda! Chegamos a ela de trem – um tipo de transporte que ainda não havíamos utilizado na volta ao mundo. Saímos de Londres depois de um dia e meio de folga – um espaço tão precioso que fiquei meio desorientado para decidir como aproveitá-lo ao máximo. Como essa é uma cidade que conheço bem (costumo dizer que tenho a sorte de poder visitar Londres pelo menos uma vez por ano), saí meio sem programação, tentando ir a todos os meus lugares favoritos. Comecei pela Serpentine Gallery (em Kensignton Gardens, no Hyde Park), um minimuseu que você visita em menos de quinze minutos e que, dessa vez, tinha uma exposição do artista mexicano Gabriel Orozco. E terminei na Tate Modern, um dos maiores museus da capital inglesa, com um vasto e completo acervo de arte moderna e contemporânea, que, dessa vez, eu esnobei, para poder passar mais tempo na mostra especial do pintor belga Luc Tuymans.

OS 4 LUGARES ONDE PASSAMOS MAIS FRIO

- EDIMBURGO, ESCÓCIA (no verão!)
- QUEENSTOWN, NOVA ZELÂNDIA (neve!)
- HOBART, TASMÂNIA (o recorde!)
- NAIRÓBI, QUÊNIA (virando a madrugada...)

Escócia

Reprodução da tela que era o pôster da exposição de Luc Tuymans

Poucas vezes fiquei tão perturbado com uma exposição. Para a minha média de descontrole de sensações, essa viagem já tinha me feito passar da conta. Diante das telas de Tuymans, porém, mais uma vez tive vontade de chorar. São pinturas muito simples (descrevê-las neste espaço seria uma leviandade), pequenas, mas de uma ressonância infinita. As imagens que ele escolhia para reproduzir (que à primeira vista não passam de esboços) tocavam em alguma corda do meu emocional - a essa altura já bastante entregue à ansiedade de estar a menos de duas semanas da volta para casa.

Por mais tristeza que esses trabalhos evocassem (era tristeza mesmo?), saí da Tate Modern preenchido. Como naquela noite em que me sentia sozinho andando por Casco Viejo, em Bilbao, agora eu caminhava em Londres também só, confuso com todas as coisas que passavam pela minha cabeça, solto no fliperama das memórias da viagem.

Estava de partida para a Escócia, penúltimo destino - e o que eu estava somando? Tantas passagens, aviões, hotéis, monumentos, templos, tanta gente - o que ia ficar? Não tinha nem a certeza de que essa era a hora de fazer essas perguntas. Estava só andando, procurando um lastro. Dois quadros de Tuymans revezando-se na

OUTRAS PARADAS

▌ Os escoceses são obcecados pelo seu passado e pelas histórias de suas famílias, que muitos aqui preferem chamar de clãs. McKnight, MacNeil, McInnes – e todos os outros "Macs" – são sobrenomes de antepassados que as famílias têm orgulho em preservar.

lembrança: *Ice 1*, o detalhe de uma maçaneta, e *Bend Over*, o retrato de uma pessoa de costas, com o tronco jogado para a frente. Mistérios e vulnerabilidades. A urgência de preparar alguma coisa para gravarmos na Escócia me incomodava ligeiramente. Mas pensava: "Deixa isso para amanhã"...

♣ O bom era ter uma espécie de "passe-livre" para trabalhar como jornalista

Acabei me preocupando com o que fazer em Edimburgo apenas no trem. As quase três horas da viagem provaram ser suficientes para que eu consultasse guias e reportagens - e concluísse que nosso passeio deveria começar pela Royal Mile. Melhor ainda, pelo Castelo de Edimburgo! Numa rotina à qual, a essa altura, já estávamos mais do que acostumados, sou informado de que, para gravar dentro de um monumento histórico, teríamos de pedir autorização para uns cinco órgãos, ligados a áreas que iam do turismo à administração municipal. Imagine o tempo que isso levaria (alguém deveria inventar um "passe rápido", que liberasse a entrada de jornalistas em viagem expressa pelo mundo e cheios de boas intenções...). A solução foi mostrar o castelo de fora - aliás, o que fizemos com todos os marcos desse passeio.

A Royal Mile é um desfile de igrejas e edifícios antigos que parecem prontos para as fotos dos turistas. Contra um céu claro, sem uma nuvem, a silhueta dessas construções, sempre escuras,

Em plena Royal Mile, encontrei essa figura que parece ter saído do filme *Coração Valente*. Com o rosto pintado para lembrar os antigos guerreiros escoceses, esse ator fica na rua posando para fotos e pedindo dinheiro para a luta contra o diabetes infantil. Causa justa, teve o nosso apoio!

370 Escócia

Almoço improvisado na "relva", para aproveitar um raríssimo dia de céu azul e ensolarado em Edimburgo

OUTRAS PARADAS

▌ Edimburgo é a sede de um dos mais famosos festivais de teatro alternativo do mundo, o Fringe Festival, que acontece durante o verão (europeu) e revela novos talentos no Reino Unido.

quase pretas, pareciam rasgar o horizonte. Andando ao longo da rua, era fácil conseguir imagens espetaculares. Com a descoberta de um cybercafé de altíssima velocidade (que tinha apenas um pequeno obstáculo: fechava muito cedo, às 20 horas), estávamos felizes. Um dos momentos de maior descontração que tivemos nesse final de viagem foi um piquenique num pequeno parque (mais para o que os ingleses chamam de "jardim") com o nome de The Meadows.

Fomos até uma daquelas lojas de departamentos que vendem comidas exclusivas, compramos muito mais comida do que nossa fome justificaria (entusiasmo...) e fomos para o gramadão. Edimburgo tem uma geografia engraçada. Esse gramado (ou parque, ou jardim) fica numa espécie de vale - parte dele é um grande barranco, que já faz uma cama natural, lotada nessa hora de almoço. De senhores engravatados (que sequer tiram seus sapatos brilhantes) a mochileiros (nós?), todo mundo tira seu cochilo ali. O sol continuava tão forte que estava quase quente. Era o verão escocês, certo? Porém as temperaturas nunca subiam além dos 18 graus, Naquela hora do almoço talvez o bafinho estivesse batendo os 20 graus, mas a madrugada era fria (madrugada misturada com alarme de incêndio, então, mais fria ainda!).

Quase - mas quase mesmo - tiramos também nossos quinze minutinhos para "descansar" os olhos. O problema é que, cansados como estávamos - não ficaríamos nos quinze minutos. O jeito foi levantar e continuar o passeio pela Royal Mile. Ainda faltava metade do percurso - metade essa que tinha menos

---

Depois que voltei da ócia, é comum alguém perguntar: qual a sação de usar uma saia? n, não que fosse uma vidade. Quando visitei Bali, de férias, o sarongue que usava, tão comum por lá, era também uma saia. O estranhamento é mais exterior (ao me ver no espelho) que interior. Tudo "lá dentro" fica mais... espaçoso. E o *kilt* faz uma figura elegante. Fora isso, nada demais...

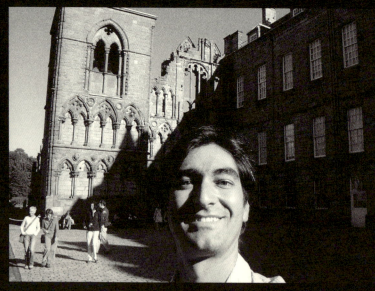

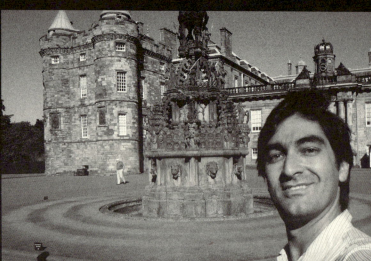

Dois ângulos do palácio de Holyrood, a "casa" oficial da rainha da Inglaterra na Escócia: abaixo, a entrada da mansão, e acima, a torre

atrações de grande porte. Mas eu estava curioso para chegar ao final dela e conferir o novo Parlamento escocês, inaugurado naquela semana com muita controvérsia, uma vez que o projeto parecia (só havia lido sobre isso) arrojado demais para uma cidade tão clássica como Edimburgo.

A caminho do Parlamento, fiz uma pequena descoberta pessoal: que minha família vem da Espanha. Claro que eu já desconfiava - achava até que a origem fosse portuguesa. Mas, numa loja que fazia pesquisa de nomes e brasões de família, descubro "a verdade"! Não ligo a mínima para isso. Quando as pessoas me perguntam de onde eu sou, respondo logo que sou brasileiro. "Mas de que origem?", é a pergunta seguinte. E eu "bato o pé": brasileiro mesmo. Se tenho realmente algum sangue europeu, ficou umas cinco gerações para trás. Sou uberabense, quando muito. Por que entrei numa loja dessas então? Mera curiosidade, mais quanto aos símbolos que representavam a origem do meu último nome do que quanto à ascendência em si.

Paguei caro minha curiosidade: pesquisando nos arquivos, encontramos finalmente "o brasão dos Camargo", lindamente ilustrado com... três porcos-espinhos! Tentando esconder minha indignação, perguntei com muita delicadeza ao casal da loja se o bicho tinha algum significado especial. Note que nem usei o adjetivo "nobre" - não podia nem imaginar que o porco-espinho tivesse qualquer conotação com nobreza. Mas algo de... diferente? Nenhum deles tinha qualquer

Fui até a Escócia para descobrir que o brasão dos Camargo, minha família, tem três porcos-espinhos!

Castelo de Urquhart, às margens do lago Ness

pista. Fiquei assim meio passado, caminhando com a minha insígnia embaixo do braço, tão distraído que quase não percebi quando chegamos ao Parlamento.

É, de fato, um prédio esquisito. Gosto de ousadias - especialmente em arquitetura. Bilbao, aliás, já tinha sido aquela festa de linhas, mas essa construção criada pelo catalão Enric Miralles passava um pouco do ponto. Quase ofendido por aquela forma tão bruta, preferi cruzar a rua e visitar o Palácio de Holyrood, onde a rainha da Inglaterra passa sempre algumas semanas do verão. Udaipur, Romênia... um palácio é sempre bom para quebrar a rotina. Esse era bem... europeu medieval. Há mais de vinte anos, quando estive na Europa pela primeira vez, naquele esquema de estudante, com um orçamento mínimo, peguei muitas excursões - Tony, o amigo com quem viajava, não deixava escapar nenhuma. Foram dezenas delas - e acho que tomei um "chá" desse tipo de programa. Custei a ter novamente interesse em visitar outra construção de pedra com

OUTRAS PARADAS

❙❙ Quando a rainha não está lá hospedada, é possível visitar o palácio de Holyrood (o ingresso é esse aí ao lado), em Edimburgo, e espiar um pouco da intimidade dos aposentos reais.

torres altas e quartos apertados e frios, cheias de armaduras pelos corredores. Esse *flashback*, que veio imediatamente quando entrei no castelo, não chegou a atrapalhar a visita. Até me diverti com as histórias que escutava dos grupos que excursionavam por aquelas salas (não tinha paciência para ouvir todas as explicações, mas alguma coisa era mesmo interessante).

Antes de o sol se pôr já estávamos na internet, mandando material. Mas, como tudo fechava cedo - e com o cansaço de quem acordou de madrugada "daquela maneira" -, fomos dormir cedo. Tínhamos mais um dia para explorar a cidade. Turistas que somos, cada vez mais assumidos, fomos procurar algumas coisas mais óbvias. Existe em Edimburgo, por exemplo, um museu do uísque - bebida que não aprecio, nem com moderação. Mas achei (erroneamente) que poderia render algum material. A visita, no entanto, é para amantes do *scotch* - nada de imagens interessantes. Essas nós encontraríamos logo em frente, numa tecelagem especializa em *kilts*, aqueles padrões tipicamente escoceses, cada xadrez diferente do outro, que (como eu descobri por lá) tinham origem em famílias tradicionais.

Mesmo sobrenome, mesmo padrão. Para as mulheres, mantas e casacos. E para os homens, claro, saias! Dali para experimentar uma foi um pulo. A roupa mais próxima de uma coisa dessas que eu já tinha usado foi num carnaval, quando desfilei na Marquês de Sapucaí, no Rio. "A sério", nunca tinha experimentado. Nas fotos, e em alguns corajosos que eu via circulando pelas ruas de Edimburgo, a saia fazia uma figura muito digna. Fiquei realmente

---

Projetado por Enric ralles, o prédio onde nciona o Parlamento ocês desde 2004 é lêmico. O contraste com rquitetura medieval da cidade é óbvio, e a obra do arquiteto catalão (que morreu sem vê-la concluída) parece uma provocação estética.

curioso para saber como eu ficaria com uma delas.

É uma peça de roupa complicada. Para começar, pesa uns 3 quilos. Depois tem o feitio, que deve respeitar o xadrez do *kilt* nas pregas, que acabam sendo fundas (por isso fica tudo tão pesado). E não é só vesti-la e sair por aí. Tem que usar uma camisa social, um paletó de fraque - e a "bolsinha", que fica pendurada na cintura. Levei quase meia hora para ficar pronto, mas, no final, estava quase um escocês, não fosse por um detalhe: eles não usam cueca com esse traje. Achei que não precisaria ser tão fiel às tradições...

Entusiasmado, cheguei a experimentar outro modelo, mais "moderno", de linhas mais relaxadas... Mas não gostei tanto. Já que era para usar uma saia, que fosse a "clássica". Só não levei uma porque, quando perguntei o preço... descobri que custava mais ou menos R$ 2 mil - a mais baratinha... Dei a velha desculpa de que minha mala estava cheia (na décima sétima semana de viagem isso já não era nem mentira) e fui correndo para a internet, aproveitar a tarde, pois a noite estava reservada para um "passeio com os fantasmas".

♣ Um lugar que sabe capitalizar sua fama (duvidosa) de mal-assombrado

Com aquele visual tão gótico, Edimburgo é um cenário muito apropriado a uma história de terror. Tive a impressão de que ali identifiquei vários filmes em branco e preto que eu via quando criança. Escapando da guarda dos pais, eu ligava a televisão de

OUTRAS PARADAS

▌ O curioso "boi de franja" mora numa das paradas de ônibus das dezenas de excursões que exploram as "terras altas" da Escócia. Será parente do monstro do lago Ness?

Uma versão de Nessie, o souvenir clássico do lago Ness

madrugada. A "indústria do turismo" não ia deixar passar essa oportunidade: espalhados pela cidade, cartazes de várias excursões competiam para ver qual provocava mais calafrios. Escolhemos uma ao acaso - e acabamos dando mais risadas do que levando sustos. Fantasmas, mesmo, não vimos nenhum. E como já havíamos passado por momentos verdadeiramente aterrorizantes nessa viagem, para mexer com os nossos nervos seria necessário muito mais...

Um monstro pré-histórico que saísse de um lago, por exemplo. Assim, fomos tentar a sorte em outra excursão - essa de ônibus, de oito horas viagem - rumo às "terras altas" da Escócia, e uma passagem inevitável por um certo lago chamado Ness - Loch Ness. O nome lhe é familiar? E se eu usar a expressão "Monstro do Lago Ness"? Ah... Bem, cortando um pouco o suspense, a coisa mais parecida com um animal pré-histórico que vi foram os bichos de pelúcia na loja de souvernirs. Mas fizemos o passeio de barco e conversamos com o capitão do navio, que faz esse monótono roteiro há alguns anos. Quando eu quis saber se ele já tinha visto algum indício, pista, sinal, qualquer coisa que fosse do tal monstro, ele, provavelmente acostumado às perguntas dos turistas, disparou rapidinho: "A coisa mais próxima que vi de uma criatura dessas foi minha irmã". Enquanto eu ria (na hora foi engraçado), ele já

Não é por falta de ações que você não vai ter calafrios em Edimburgo. Dezenas de passeios por lugares sombrios disputam a atenção dos turistas. O nome de alguns?
"Cidade dos Mortos",
"Roteiro da Bruxaria",
"Passeio pela Masmorra",
"Histórias das Tumbas" - e por aí vai...

mandou em seguida: "E ela detesta que eu conte essa piada"...

Esse foi o pico da nossa diversão na Escócia. Ah, houve mais um alarme de incêndio que tocou também às 4h30 da manhã no nosso hotel - outro alarme falso, mas que provocou o mesmo agito -, mas acho que isso não o qualifica exatamente como entretenimento (pelo contrário, se na primeira vez achamos graça e até usamos o fato na reportagem daquele domingo, esse outro "susto" foi recebido com indignação e franco mau humor... custava deixar a gente dormir um pouco?).

Para voltar a tempo de mandar material de Londres (onde o fazíamos através da conexão rapidíssima no escritório da TV Globo), tivemos de sair sábado bem cedo de Edimburgo. Pior: o trem que pegamos era um "pinga-pinga". A viagem esticou-se por penosas cinco horas, só refrescadas por uma leitura genial: uma sátira a esses guias modernos de turismo (achei o assunto bastante apropriado para o momento). Chama-se *Molvânia: uma terra intocada pela odontologia moderna*, de três australianos (Santo Cilauro, Tom Gleisner e Rob Sitch). Vários foram os momentos em que eu gargalhava alto (esquecendo até que estava num trem). Só para contar rapidinho, a Molvânia não existe, claro. É um país fictício, localizado em algum canto do leste da Europa, uma "vergonha" para a modernidade do continente e ao mesmo tempo uma curiosidade turística. O texto (li a edição inglesa) é uma paródia perfeita daqueles guias que tentam reproduzir a experiência de uma viagem, geralmente com uma linguagem pretensiosa, semierudita. Os itens descritos são os mesmos que a

OUTRAS PARADAS

‖ Londres lá fora "pegando fogo", com a agitação do sábado à noite, e eu lá no escritório da Globo na cidade, mandando as imagens da Escócia para o *Fantástico*...

se eu voltasse a [EDIMBURGO]

POR UM DIA...

...começaria o dia visitando o Castelo de Holyrood, uma amostra reduzida de um daqueles palácios medievais (que me liberaria inclusive de visitar o imenso Castelo de Edimburgo). Entraria em todos os quartos possíveis e ainda iria ao jardim (pequeno, porém precioso) e à abadia. Depois subiria a Royal Mile sem pressa, admirando todos os seus detalhe arquitetônicos. Na altura das pontes, daria uma fugidinha para o lado sul para dar uma olhada no vale, e, se tivesse fome, comeria um sanduíche sentado em um dos seus parques. À tarde, retomaria o passeio pela Royal Mile rumo ao Castelo de Edimburgo, para ver a vista lá de cima. Começaria a noite procurando algum espetáculo de teatro, pois, mesmo fora do seu famoso festival de verão, sempre há algo bom para ver na cidade. Ah, e não resistira a um *pub* dos mais tradicionais, na própria Royal Mile, para fechar a noite.

uma viagem *sem comprar um*
[SOUVENIR]
não tem graça

Para escapar dos diversos bichinhos de pelúcia que representam o Monstro do Lago Ness (apelidado de "Nessie"), a melhor opção é levar algo que traga estampado os tradicionais padrões das saias escocesas, o *kilt*. Eles enfeitam todo o tipo de objetos, de canecas para chá a capas para celular mas fique com o tradicional: alguma peça de lã. Os mais esbanjadores talvez estejam a fim de gastar mais de R$ 1 mil em uma saia tradicional. Mas existem várias opções intermediárias - mantas, blusas e (os mais baratinhos) cachecóis. Feitos de uma lã famosa por sua qualidade, eles são um bom investimento - especialmente quando você encontra uma boa oferta, a partir de R$ 35.

gente encontra nos guias tradicionais - o que torna o efeito geral ainda mais engraçado. Leitura recomendadíssima.

    E foi perfeita para me ajudar a disfarçar minha ansiedade, já entrando na última semana dessa volta ao mundo, quando o ritmo de tudo parece um pouco mais frenético. Estava passando por uma daquelas temíveis (e tão previsíveis) situações de indecisão: ao mesmo tempo que quero voltar logo para casa, fico sentido só de pensar que a viagem está chegando ao fim. Eu me sentia até meio ridículo. Era difícil ter a dimensão do que estava acontecendo. O fato de raramente conseguirmos ver o resultado do trabalho (nem todo cybercafé tinha um bom acesso para assistirmos ao programa pela internet) aumentava a distância entre nosso trabalho e o resultado que ia ao ar. Como as pessoas estavam vendo tudo? Eu estava conseguindo passar as emoções da viagem? Como as pessoas vão me receber nesse retorno? Será que não era tarde demais para eu me fazer essas perguntas?

A imensidão das terras altas da Escócia como pano de fundo

Da Escócia para a

Madeira

Manhã fresca de verão escocês: fazia uns 12 graus quando, para economizar, resolvemos arrastar as malas a pé do hotel à estação de trem. Não foi a melhor decisão, descobrimos depois, mas pelo menos pudemos dar mais uma olhadela na silhueta de Edimburgo. A ilha da Madeira tinha o triste título de ser nosso último destino antes da volta ao Brasil. Como reverter essa melancolia? Fácil: é só passar por Lisboa...

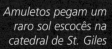
Amuletos pegam um raro sol escocês na catedral de St. Giles

[Décima sétima ESCALA]

Vista aérea da nossa escala final da Fantástica Volta ao Mundo: o Brasil já estava mais perto

Capital: **Funchal**
Área: **728 km^2**
População: **260.000 habitantes**
Renda per capita: **US 19,4 mil (Portugal)**

MADEIRA

Pronto!

Palavra que é quase uma vírgula para os [PORTUGUESES]

Me apaixonei pelo Curral das Freiras. Aliás, como não se apaixonar por um lugar que tem esse nome? Ou ainda, como não se apaixonar por um lugar que tem uma vila com esse nome? Nessa última etapa da viagem (e me lembro de ficar extremamente incomodado toda vez que usava a palavra "última" nessa semana final da volta ao mundo), tivemos um verdadeiro presente: a ilha da Madeira.

Eu havia estado lá há menos de um ano (dezembro de 2003). Talvez por isso você ache que eu teria preferido que o público escolhesse os Açores. Se estivéssemos no início da viagem, talvez isso fosse verdade. Mas, reforçando, eram os dias finais.

Estávamos muito cansados. Um cansaço físico - uma dor no

OUTRAS PARADAS

■ Aqui se fala português, é claro. Para entrar na ilha da Madeira, o brasileiro não precisa de visto. A ilha fica a 1.100 quilômetros de Portugal.

■ Num lugar com geografi[a] tão radical, meios de transporte... radicais. A Madeira é cheia de teleféri[cos] que fazem a travessia para "altos" visuais (foto ao lad[o]

braço, uma perna preguiçosa, a cabeça às vezes um pouco mais pesada. A mente também estava pedindo um tempo. Organizar incessantemente cada dia, passagens, vistos, hotéis, entrevistas, transmissão. E ainda uma série de "pequenas operações" não menos importantes, mas imperceptíveis ao telespectador que nos acompanhava.

Numa lista rápida: escrever os textos para o blog no site do *Fantástico* (que serviram de base para este livro); as transmissões de fotos para divulgação; as entrevistas para vários veículos que cobriam a jornada; respostas por e-mail ao público que fielmente nos acompanhava (e olha que eram centenas por semana!); eventuais chats depois que o *Fantástico* ia ao ar (que, dependendo do fuso horário, aconteciam em horas nada convenientes); a "afinação" do texto da reportagem final com os editores no Brasil (fruto de uma troca frenética de e-mails e telefonemas pontuais); a negociação insana nos balcões de check-in a cada voo para obter algum perdão no total do nosso excesso de bagagem; a compra de mantimentos e artigos de higiene em cada cidade; os minutos (às vezes horas)

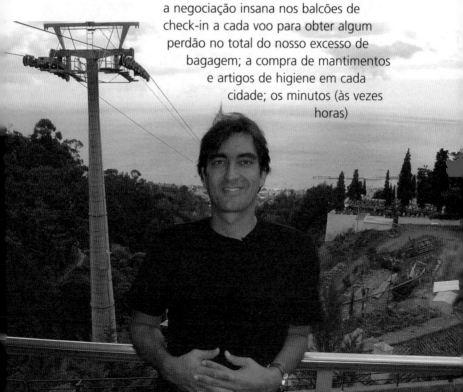

perdidos na negociação para a liberação do nosso equipamento em alfândegas com regras imprevisíveis; os aluguéis de carro, táxi, *tuk tuk* ou qualquer outro meio de transporte; as operações de câmbio e a inevitável prestação de contas - imagine o trabalho de colher recibos para cada pequena coisa que se pagava durante o dia, do cafezinho à gorjeta para o carregador de bagagens, colocar tudo numa planilha, converter tudo para uma só moeda, levantar o total, comparar com o valor orçado...

Tinha ou não tinha motivos para estar ligeiramente esgotado? Por isso digo que ter ido para a Madeira (e não para os Açores) foi um presente: já conhecia o lugar e - melhor do que tudo - tinha bons amigos por lá. Qualquer coisa que facilitasse nossa vida nessa última operação recebia nossos sinceros agradecimentos.

Cheguei a comemorar até o fato de chegarmos a um lugar onde poderíamos falar a nossa língua! Que prazer chegar a Lisboa! Logo depois de aterrissarmos no voo vindo de Londres, via Paris (mais uma conexãozinha, só para não quebrar a tradição), já estava tendo o prazer de discutir em português! A discussão foi feia: fiquei indignado ao chegar ao hotel que tínhamos reservado e descobrir que nenhum quarto tinha duas camas - só de casal. Mesmo com quatro meses de convivência com meu colega, certas "formalidades" eram inegociáveis, como a possibilidade de dividir uma cama (ainda mais na última semana!). A pobre menina da recepção não tinha nem como se defender, pois não se tratava nem de um problema de lotação de quartos (algo que estávamos acostumados a driblar), mas de inexistência de um pré-requisito

OUTRAS PARADAS

‖ Que gosto tem o maracujá-banana, afinal? Fica mais para o maracujá. E o maracujá-ananás? Maracujá também, um pouco mais ácido. Agora, doce mesmo, de toda essa variedade aí ao lado, é o maracujá brasileiro!

Me apaixonei pelo Curral das Freiras. Aliás, como não se apaixonar por um lugar que tem esse nome? Ou ainda, como não se apaixonar por um lugar que tem uma vila com esse nome?

para que eu e o Guilherme pudéssemos preservar um pouco da nossa sanidade antes de retornar para o Brasil.

Mas essa "briga", pelo menos, era em português... E, embora ela tenha parecido seriíssima na hora em que estava acontecendo, no momento em que nos instalamos em outro hotel da mesma rede e eu lembrei que estávamos em Lisboa, comecei a ficar um pouco mais feliz. Iríamos para Funchal apenas no dia seguinte, e aproveitei a tarde para assumir minha função favorita: a de apresentar uma cidade que eu adoro para um amigo.

Nosso passeio começou na Avenida Liberdade, chegou ao Rocio e subiu o Bairro Alto, terminando previsivelmente em um restaurante tradicional por fora, mas com uma "cozinha portuguesa revisitada" que me tirou do sério. Conversando com várias pessoas depois do nosso retorno, reparei que todos se lembram das coisas desagradáveis que comi (campeão de "indignação", claro, foi o *balot*, em Manila). Ao ouvir isso, sempre insisto em lembrar que também comi coisas maravilhosas.
Dos banquetes informais em Istambul (descontando o "doce de frango"...) às comidas de rua em Chinatown, Cingapura.
Do pãozinho quente em Tashkent (Uzbequistão) às delícias preparadas pela mãe do Tuli, meu amigo, em Nova Délhi, Índia.
Dos restaurantes sofisticados em Atenas à comidinha caseira que experimentei em Hobart, Tasmânia. E mesmo nessas semanas finais, com exceção da Escócia (onde nada despertou em especial nosso apetite), provamos duas das culinárias mais ricas e variadas do mundo, a espanhola e a portuguesa. Nesse restaurante em

AS 10 LIÇÕES MAIS IMPORTANTES QUE APRENDI PARA UMA PRÓXIMA VIAGEM

- NÃO CONFIE cegamente em reservas feitas pela internet
- Duvide quando um motorista diz que o percurso vai levar "só duas horas"; geralmente é o dobro
- PREFIRA LEVAR UM CARTÃO para sacar dinheiro em caixas automáticos a cheques de viagem ou mesmo dinheiro vivo
- A PASSAGEM MAIS BARATA entre dois aeroportos não é uma reta: tem sempre pelo menos uma conexão
- SE POSSÍVEL, viaje de trem; é a melhor relação custo x

Lisboa, com o curioso nome de O Caracol, estava satisfazendo a nossa fome *"con gusto"*! E o melhor ainda viria na Madeira... Assim como listei as mazelas "invisíveis" da viagem, faço questão de, agora, relacionar os prazeres que encontramos na nossa última escala.

Os maracujás, para começar. Onde mais você pode escolher entre cinco tipos totalmente diferentes? Maracujá-banana, maracujá-limão, maracujá-ananás, maracujá-maracujá (acredite!) e até... maracujá brasileiro? E ainda tem uma "variação sobre o tema", se é que a gente pode chamar um tomate de "variação de maracujá". O nome completo é tomate inglês. Doce? Salgado? Difícil ter certeza - mas dá pra dizer que é uma delícia. Num dos melhores restaurantes do Funchal, Choupana Hills, experimentei um *sorbet* feito com essa fruta e posso assegurar que não existe sabor como esse... (um *sorbet* é um sorvete meio aguado, quase um suco congelado; mas o de tomate inglês ultrapassa qualquer definição simples assim). Se fosse continuar na comida, eu teria de descrever as inúmeras encarnações do peixe-espada (o mais comum na ilha e, por isso mesmo, item obrigatório nos cardápios), a genialidade escondida em pratos simples como lulas grelhadas, as "carrinhas" de doce, onde você nem sabe o que escolher, tal é a oferta de sobremesas. São sabores demais para um relato que não é exatamente culinário.

Passemos então à geografia – não menos apaixonante. Que tal uma fajã com um precipício de 350 metros? Não sabe o que é fajã? Não se preocupe. Eu também aprendi *in loco*. Na definição

---

conforto para um trajeto rápido
▮ NO TERCEIRO DIA em um cybercafé você já sabe tudo da vida do dono do local
▮ TENTE MEMORIZAR pelo menos as cinco expressões básicas da língua do país que você visita (olá, por favor, com licença, obrigado, até logo)
▮ Nem tente chegar perto de um estádio olímpico de carro no dia da abertura dos jogos
▮ TROQUE O MÍNIMO de dinheiro possível nos aeroportos
▮ DIGA LOGO QUE É BRASILEIRO!

Lá embaixo, na fajã, uma prainha recompensa a descida maluca

mais breve, é um trecho de praia que se forma quando há o deslizamento de uma rocha. Que tal? E a fajã que visitamos, a menos de vinte minutos de Funchal, não é uma qualquer. É a fajã dos Padres (sem relação, espero, com o Curral das Freiras!!). A paisagem é um pouco assustadora - superada, em termos de vertigem, apenas pelo elevador no penhasco que todos têm de descer (e depois, "ó pá", subir!) para visitar a tal fajã! O mar lá na frente, azul, azul - aliás por todo canto. A praia lá embaixo é de pedra (não existe um "praião" daqueles que a gente conhece no Brasil, de areias branquinhas, em toda a Madeira; quem fizer questão de ver um, tem de pegar um barco e ir para outra ilha,

OUTRAS PARADAS

‖ A descida do elevador até a fajã dos Padres dura 10 minutos - de puro pânico. E olha que não tenho problema com altura. Mas é que a visão é mesmo vertiginosa.

Porto Santo, pertinho dali), mas um belo restaurante, bem simples, sem frescuras, te espera com um camarãozinho frito, sem te dar tempo de se arrepender de ter descido.

Mas uma vista bonita mesmo fica a mais uns quinze minutos (de carro) dali, na ponta do Sol. Um lugar não ganha um nome assim à toa. Os primeiros portugueses que chegaram à ilha batizaram essa ponta depois de perceber que de lá era possível ver o sol nascer e se pôr no horizonte do mar... Um hotel moderno tem quase o monopólio dos melhores pontos de observação. Mas a própria cidade, minúscula, tem uma pequena pérola arquitetônica: um pequeno cinema todo *art déco* (atualmente desativado, o que me pareceu um crime; eu seria capaz de sair de Lisboa para assistir a uma sessãozinha por lá), a apenas alguns passos da costa.

♣ Na Madeira, que já te oferece uma topografia estupenda, descobrimos uma visão ainda mais espetacular, lá do alto - bem do alto...

O mais estupendo de todos os visuais, porém, não tem o mar como atração principal. Para uma ilha onde tudo é perto (não faltam subidas e descidas radicais, num curioso desenho de uma batalha entre o homem e a topografia), viajar quase uma hora de carro pode parecer um sacrifício. Esse seria o último lugar que visitaríamos – lembrando, na nossa última escala da viagem –, e o acaso, que tantas coisas boas nos proporcionou, não deixaria por

Na Madeira, quando você vir na frente de um restaurante "filete de espada", pode entrar porque é certeza de refeição deliciosa. Ele não é muito bonito... mas tem uma carne rica e pode ser preparado de vários modos. Agora, bom mesmo é saboreá-lo da maneira mais simples: grelhado.

menos. À medida que nos aproximávamos desse local, eu ia ficando com mais preguiça... Será que valeria a pena subir até lá? Para ver o quê? Logo eu estaria me chamando de idiota por hesitar em terminar o percurso.

O pico do Areeiro é... O pico do Areeiro tem... Bem, deixe-me tentar descrever com um fato indisputável: 1.810 metros de altura. Que tal? É tão alto que você fica literalmente acima das nuvens. Para quem (como nós) já pegou mais de cinquenta voos (até voltarmos ao ponto de partida, seriam precisamente 54) e já quase se acostumou com o momento em que o avião atravessa as nuvens, estar no mesmo nível que elas e com os pés ainda no chão é, no mínimo, excitante! Com o carro parado na última área possível de circulação de veículos, os visitantes são convidados a caminhar por uma trilha vertiginosa que passa por todos os picos da região (e "passeia" também um pouco mais nas nuvens). Por maior que fosse a tentação, estávamos com o tempo apertado – numa última lembrança de que essa viagem não é de lazer... Prometi que retornaria – e ainda tenho a certeza de que vou cumprir a promessa.

Continuando a relação do que tivemos de bom na Madeira, não posso deixar de citar as pessoas - esse ingrediente mágico em qualquer lugar por onde passamos. Como os "gajos" que trabalham no cybercafé onde nos instalamos, numa galeria no centro de Funchal. Os dois irmãos donos do negócio eram não só prestativos, mas também divertidos como só os portugueses sabem ser - por exemplo, eles se orgulhavam de inovar o conceito do

OUTRAS PARADAS

■ Qual é a sensação de tomar um vinho que tem a sua idade? É no mínimo estranho. O madeira já tem um gosto envelhecido. E quando eu parei para pensar que nós nascemos juntos... Deu até vontade de levar uma garrafa para casa, mas o preço é proporcional aos anos que ele ficou esperando para ser comprado. No meu caso, 41, não ia sair muito barato...

Nada como se despedir de uma viagem de volta ao mundo com a sensação de estar no topo dele, no pico do Areeiro

cybercafé: em uma das lojas ficava o "cyber", uma salinha cheia de computadores; e do outro lado do corredor, há uns dez passos de lá, o "café"! Genial! Mais gente? Amigos queridos que fiz na minha última passagem por lá (Nini, Jean Charles) - todos simpáticos, agradáveis e, o mais importante nessa nossa jornada, receptivos.

Do alto dos 1.810 m do pico do Areeiro, uma visão que é mais comum da janela de um avião

Quer combinação melhor que amigos e um bom vinho? Pois, se os primeiros já estavam garantidos, o segundo não foi difícil de encontrar. O segredo do vinho Madeira é ser envelhecido no calor, ao contrário dos outros, que ficam guardados em adegas mais frescas. A história que contam é que navios portugueses que viajavam anos pelo mundo com barris da bebida ainda "nova" traziam de volta alguns deles, que provaram ter um gosto excepcional - daí começaram a criar técnicas de envelhecimento sem precisar das caravelas... Seu gosto é mais forte (ainda que mais suave que um porto), por vezes um pouco mais ácido - uma delícia. Tive um prazer especial – muito "pessoal" – ao tomar uma dose de uma garrafa que trazia o "meu" ano no rótulo, 1963! Que coisa nascemos juntos e. 41 anos depois, finalmente nos encontramos...

Coroando nossas aventuras na ilha, embarcamos num "esporte

AS 5 MELHORES REFEIÇÕES

▮ A DEGUSTAÇÃO DE SABORES exóticos no Choupana Hills, na ilha da Madeira
▮ O PRIMEIRO CAFÉ DA MANHÃ que a mãe do Tuli preparou para nós em Nova Délhi, Índia
▮ O JANTAR DE MARAJÁ no palácio de Udaipur, com dez iguarias diferentes
▮ O ALMOÇO QUE A DILARA, chefe turca, preparou para nós no seu restaurante na "Rua Francesa" em Istambul
▮ O BANQUETE de "kebabs" em Samarkand, Uzbequistão

A Fantástica Volta ao Mundo   397

radical" – uma possível recaída de saudades da Nova Zelândia? A cestinha que desliza pelas ladeiras de Funchal com você dentro como passageiro (da agonia!) ainda não chega a ser levada a sério como modalidade esportiva, mas eu diria que tem potencial. A descrição da aventura não tem muito mais detalhes do que a frase anterior. Dois homens vestidos à moda antiga (já que no início do século 20 isso era realmente um meio de transporte usado para cruzar rapidamente a ilha), com um chapéu palheta e tudo, vão tentando controlar a corrida morro abaixo. As curvas fechadas são de arrepiar, mas o mais preocupante mesmo é lembrar que as ruas que cruzamos são "de verdade": por elas circulam carros na rotina normal da cidade. Os condutores vão fazendo gracejos para aumentar a emoção, embora nenhum deles tenha sido mais divertido do que a resposta que obtive quando perguntei se o passeio era seguro: "Ora, pois do chão não passa". Ai Madeira, ai Portugal...

Ainda há os jardins, as plantas, os pássaros, os azulejos! Antes que isso vire um testamento deslumbrado desses últimos dias, vamos voltar a Lisboa, onde passamos as últimas 24 horas do nosso projeto. (Será que estou usando demais a palavra "último"? Dá para entender, não dá?)

Como presente final, nos demos o luxo de ficar num hotel um pouco melhor (leia-se, uma extravagância em termos de orçamento), mas com aquela vantagem indiscutível: internet banda larga no quarto. Colocamos as últimas imagens da Madeira no *laptop* e estávamos prontos para sair e gravar uma última imagem (sobre um mapa-múndi reproduzido no chão do que é conhecido

O tal cesto que desliza pelas ruas de Funchal já foi meio de transporte oficial. Até o início do século 20, subia-se para a parte alta da cidade numa carroça e, para descer mais rápido, era só deslizar na carrinha besuntada com sebo!

No mapa-múndi no Monumento das Descobertas, em Lisboa, eu me senti não o dono, mas um sócio do mundo.

Países, cidades,
lugares, mas
sobretudo gente.
Gente, gente, gente.
Eu não podia nem
pensar o que seria
viajar - e muito
menos viver - num
mundo sem gente.

como Monumento das Descobertas, perto da Torre de Belém), quando Guilherme anuncia: "A câmera travou".

Nossa reação foi a mesma: não acreditamos que aquilo tinha acontecido depois de tudo praticamente encerrado. Ter o equipamento quebrado era um dos grandes fantasmas da viagem. O assunto era praticamente um tabu - nunca falamos dele. Também porque nunca precisamos falar: tudo funcionou perfeitamente. Como então isso acontecia justo naquela hora? Que coisa estranha... Meio em silêncio, pegamos a câmera reserva (menor, com menos recursos, mas também capaz de gravar imagens com alta qualidade) e fomos fazer a cena final (a ideia era usar minha "caminhada" sobre mundo para fechar a série, mas, depois que vimos o que tínhamos feito no pico do Areeiro, repensamos - e usamos o mapa-múndi justamente para abrir a última reportagem).

Tudo encerrado, textos fechados, imagens a caminho do Brasil... achamos que era o caso de comemorar com um bacalhau! Confiando no motorista de táxi que nos trouxe do Monumento das Descobertas, paramos num restaurante que ele indicou, "ao pé da Sé" - colado na igreja principal (só traduzindo...). A comida estava divina (devia ser a vizinhança). Se bem que tudo nesses últimos momentos assumisse um tom especial.

Poderia ainda quebrar esses últimos registros em lembranças infinitas, cada vez menores, mais fragmentadas. O passeio pelo Chiado. A pausa no café A Brasileira. Uma passadela na Livraria Bertrand. Um último presente. O telefonema de Jean dizendo que

OUTRAS PARADAS

❚ Além da riqueza do jardim botânico da Fundação Berardo, em Funchal, ao fazer esse passeio você ainda visita um verdadeiro museu ao ar livre de azulejos antigos.

se eu voltasse à
[MADEIRA]

POR UM DIA...

...iria logo cedo ao mercado central de Funchal comprar umas frutas cujo gosto seria totalmente novo para mim. Ainda de manhã, visitaria o pico do Areeiro, para uma visão estupenda da ilha. Desceria na hora do almoço até a fajã dos Padres, para almoçar lulas fritas no único restaurante do lugar. Em seguida, visitaria a ponta do Sol e tomaria alguma coisa rápida no bar do hotel moderno da cidade, que tem vista para o horizonte infinito. Antes de ir embora, tiraria uma foto na frente do antigo cinema *art déco* encostado na montanha. De volta a Funchal, no meio da tarde, daria um passeio pelos jardins da Fundação Berardo - subiria de teleférico e desceria deslizando pelas ladeiras da cidade. No jantar, experimentaria os ingredientes exóticos da Madeira jantando no Choupana Hills. E o "último copo", como eles gostam de dizer por lá, seria no bar do teatro.

uma **viagem** sem comprar um
[SOUVENIR]
não tem graça

Para uma terra de sabores infinitos, o ideal seria levar algumas de suas frutas exóticas como lembrança. Para dar algumas opções mais práticas, passe no mercado de flores de Funchal e compre alguns brotos e sementes das flores mais estranhas que você já viu. (Elas não têm o sabor das frutas, e poucas têm ainda algum aroma, mas, se você conseguir plantar, vai ser um sucesso!) Se estiver a fim de gastar um pouco, leve uma boa garrafa de vinho da Madeira. É possível encontrar alguns por menos de R$ 20 - mas vale a pena desembolsar um pouco mais, digamos, R$ 50, e levar para casa uma marca um pouco melhor, que você vai tomar com prazer por algum tempo. Agora, se quiser algo bem típico mesmo, chapéus tradicionais podem ser encontrados em qualquer barraquinha na rua por R$ 15.

estava pegando um avião em Funchal para vir jantar conosco em Lisboa. O restaurante fantástico do Zé Miranda. A fantástica amiga dele que conheci - Margarida, que criou sozinha uma ONG poderosa que cuida de crianças soropositivas. Os telefonemas finais. A visita logo cedo que Margarida me fez no hotel, para que eu conhecesse sua filha adotiva. As fotos que a menina tirou de nós. O momento em que conferimos as fotos na pequena tela digital. Os últimos abraços.

Esse exercício, quase tolo, de desaceleração frenética, é para tentar reproduzir a sensação de que estávamos nos despedindo da viagem "*frame* a *frame*", para usar uma expressão que a gente usa na tevê. *Frame* é uma divisão da imagem, quase um retrato parado de uma cena que tem movimento, mais ou menos como o fotograma de um filme - um *slide*. E era isso que estávamos colecionando naquela manhã de domingo, aquela data que eu gostava de dizer que era "dourada" (ficava bonito também em inglês, "*golden date*"): o dia em que retornaríamos para casa.

Era o momento em que, finalmente, as memórias poderiam correr soltas. Países, cidades, lugares, mas sobretudo gente. Gente, gente, gente. Eu não podia nem pensar o que seria viajar - e muito menos viver - num mundo sem gente.

Da Madeira para o
Brasil

E chegou o dia **19 de setembro.** Não foram poucas as vezes que eu disse que ia comemorar muito essa data. E agora estava meio sem jeito. A ocasião pedia outra reflexão. Havia tantas coisas me esperando nessa volta! Tantas coisas que eu levava desse trajeto. O que pensar, sentir, esperar? Era o final da reta final. **Lisboa e o mundo tinham ficado para trás.** Ou será que o mundo estava vindo junto comigo?

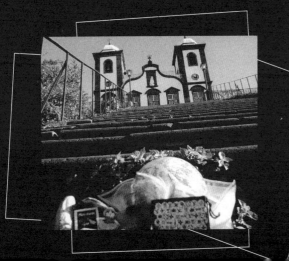

Aos pés da igreja em Funchal, os amuletos terminam sua viagem

Agradecimentos

Uma volta ao mundo se faz com gente. Os lugares vêm depois. Por isso, os brasileiros e estrangeiros que fui encontrando pelo caminho merecem meu primeiro obrigado. Mas, se a viagem deu tão certo, foi graças ao esforço de um grupos de pessoas ainda maior.

De certa maneira, devo agradecer a todos os colegas da equipe do *Fantástico* o interesse com que acompanharam esse projeto. Gostaria, no entanto, de destacar alguns deles que deram contribuições especiais a essa volta ao mundo. A começar, claro, pelo Guilherme Azevedo, repórter cinematográfico e meu companheiro de viagem – aliás, mais que isso, um parceiro nas aventuras, nas enrascadas, nos obstáculos e na superação deles. De maneira especial, gostaria ainda de ressaltar a dedicação do "mini-núcleo" que trabalhou no Brasil. Bruno Bernardes, editor de texto, foi o responsável pelas inúmeras adaptações em roteiros que eu enviava muitas vezes sem ter noção de que espaço teríamos naquele determinado domingo. Devo a ele todas as afinações quanto à clareza, narrativa e formato das reportagens finais. Sem contar a infinita paciência, testada semanalmente em discussões que por vezes beiravam à aspereza. Por isso, além de meus agradecimentos, ofereço a ele também minhas desculpas. Vários editores de imagem se aventuraram a fazer de fragmentos visuais um mosaico cativante. A Aida da Silva e a Roberto Cavalcanti, toda a minha admiração. Mas guardo um obrigado especial a Rafael Norton, que ainda atuou como mediador em várias discussões. O olhar afiado e amigo de Eugenia Moreyra acompanhava de perto as questões mais editoriais – quando não as filosóficas em valiosas "conversinhas" transoceânicas. À hercúlea produção de base, meu sinceríssimo obrigado. Léia Paniz, na coordenação (e no precioso ofício de conciliar todas as informações de todos os departamentos envolvidos no projeto), e Renata Rodrigues, no dia a dia, encararam as dificuldades do projeto com uma atenção especial, sem esquecer que tinham todo o resto do *Fantástico* para cuidar. A Vanessa Pedrozo, que cuidou de boa parte da pré-produção com as embaixadas e a todos os produtores que se revezavam nos plantões quando entrávamos por telefone ao vivo, obrigado. Ainda na Redação, agradeço a Humberto Maura e a Alan Garcia pelo trabalho precioso de arquivar o material que chegava, e a Marinalva Dantas por todos os contatos, mas principalmente por ter o cuidado de conferir todas as minhas prestações de contas. Falando em "orçamento", obrigado, Marcela Dourado, pelo complicado trabalho de prever custos e despesas de um projeto que, como nunca havia sido feito, não tínhamos ideia de quanto (nem como) iríamos gastar – e conseguir fazer isso colocando sempre o lado humano antes dos números. Um projeto como esse simplesmente não existiria sem a enorme colaboração do Departamento de Engenharia. Sob a coordenação de Marcelo Ibrahim, supervisor de Engenharia da CGE, capaz de resolver problemas que tínhamos d'além-mar, sua equipe nos garantia um respiro de alívio quando as coisas começavam a ficar tecnicamente complicadas. A volta ao mundo cruzou várias vezes o limite da televisão. Nos desdobramentos que teve na internet, tanto no site do *Fantástico* como no blog da viagem, Flávio Furtado era alguém com quem eu podia contar – independentemente do terminal em que ele estivesse plugado. No delicado trabalho de divulgação, Gisela Pereira, junto com a Central Globo de Comunicação, nos abria portas em vários veículos e ampliava o interesse do público pelas nossas andanças. Ainda quero agradecer à equipe da Editoria de Arte, sob a coordenação de Flávio Fernandes, e com o esforço especial de Fabrício Baessa, por ter realçado com seu trabalho nossas reportagens, criando uma linguagem visual própria e brilhante para o quadro. Quadro esse, que poderia ter ficado apenas no plano das ideias não fosse o entusiasmo de Ali Kamel, diretor-executivo de jornalismo, e Carlos Henrique Schroder, diretor da Central Globo de Jornalismo, que abraçaram o projeto desde o início. E quero agradecer sobretudo ao diretor do *Fantástico*, Luiz Nascimento, por transformar um esboço numa série de sucesso; por lembrar de cada detalhe de uma operação cheia de pontas e reuni-los num plano de ação coerente; por me orientar em pontos nebulosos com saídas cristalinas; por ouvir as reclamações mais ácidas com uma serenidade monástica – enfim, por coisas demais, mas, acima de tudo, quero agradecer pela inspiração. José te manda um abraço.

Eu talvez nunca tivesse esse interesse tão grande em conhecer o mundo não fosse meu pai, que desde muito cedo, e nem sempre com folga, se esforçava para fazer de viagens intenacionais parte da minha educação e de meus irmãos. Sua insistência em nos fazer ler verbetes de enciclopédia sobre o país que visitávamos – antes da viagem! – me ensinou que qualquer aventura pode ser mais interessante quando você já tem ideia do terreno em que vai pisar. A minha mãe, além de todo o carinho e estímulo, tenho que agradecer emocionado a torcida (não só por esse, mas todos os projetos que abracei) e a dedicação com que acompanha cada passo meu – seja lá em que parte do mundo for. Isso é amor. Aos meus irmãos, companheiros de bagunças nas primeiras saídas do Brasil, *gracias* – como as pessoas que nos chamavam de "*los diablitos*" na Argentina diziam quando a gente ia embora. Me sinto privilegiado (e a isso quero agradecer) por ter amigos tão queridos, que, quando a saudade apertava e as dificuldades aumentavam, levantavam meu espírito com e-mails inspiradores (para não dizer absurdamente hilários): Betty, Mara, Bernardo, Tony e Fernanda – a quem devo ainda agradecer especialmente por ter me orientado na releitura-relâmpago dos capítulos deste livro. E, Denis, eu não poderia nem pensar em fazer uma viagem dessas se não tivesse a certeza de que você estaria cuidando da minha vida – e de muito mais. Enfim, quero agradecer ao meu mundo, pois sem ele nada giraria em torno de nada...

© 2004 by Editora Globo S.A. para a presente edição
© do texto 2004 by Zeca Camargo
© 2004 TV Globo Ltda.

Edição e revisão de texto:
Eliana Rocha

Projeto gráfico, direção de arte,
editoração eletrônica e capa:
A2

Fotos:
Guilherme Azevedo
páginas 10, 28, 40, 45, 50, 59, 63, 66, 77, 84, 87, 90, 99,
100, 106, 115, 117, 128, 141, 161, 170, 174, 187, 196, 209,
213, 214, 215, 235, 237, 239, 246, 256, 263, 278, 292, 297,
320, 325, 334, 337, 351, 372, 381, 395, 398, 400

Todos os direitos reservados. Nenhuma parte desta edição pode ser utilizada ou reproduzida – por qualquer meio ou forma, seja mecânico ou eletrônico, fotocópia, gravação etc. – nem apropriada ou estocada em sistema de banco de dados, sem a expressa autorização da editora.

Texto fixado conforme as regras do Novo Acordo Ortográfico da Língua Portuguesa (Decreto Legislativo nº 54, de 1995).

Dados Internacionais de Catalogação na Publicação (CIP) (Câmara Brasileira do Livro, SP, Brasil)

Camargo, Zeca
A fantástica volta ao mundo / registros e bastidores de viagem por Zeca Camargo.
São Paulo : Globo, 2004.

ISBN 85-250-3952-7

1. Camargo, Zeca 2. Viagens - Narrativas pessoais I. Título.

04-7936	CDD-910.4

Índices para catálogo sistemático:
1. Relatos de viagens   910.4
2. Viagens : Relatos   910.4

EDITORA GLOBO S.A.
Av. Jaguaré, 1485 – São Paulo – SP – Brasil
www.globolivros.com.br

1ª edição, 2004 / 19ª reimpressão, 2012
Impressão e acabamento: Imprensa da Fé